7/3/18

D1108814

LUCES EN EL MAR

MIQUEL REINA

LUCES EN EL MAR

ESPASA

ESPASA ⌒ NARRATIVA

Ilustraciones de interior: Godie Arboleda

Preimpresión: MT Color & Diseño, S. L.

Depósito legal: B. 526-2018
ISBN: 978-84-670-5165-0

Espasa, en su deseo de mejorar sus publicaciones, agradecerá
cualquier sugerencia que los lectores hagan al departamento
editorial por correo electrónico: sugerencias@espasa.es

www.espasa.com
www.planetadelibros.com

Impreso en España/Printed in Spain
Impresión: Unigraf, S. L.

Espasa Libros S. L. U.
Avda. Diagonal, 662-664
08034 Barcelona

El papel utilizado para la impresión de este libro es cien por cien libre de cloro
y está calificado como **papel ecológico**

A mi madre,
por ser mi mecenas en todo
lo que me he propuesto hacer en la vida.

PREFACIO

Fue un rayo el desencadenante de todo. Retorciéndose a través del tormentoso cielo nocturno, cayó con todas sus fuerzas contra el tejado de la casa más alejada de San Remo de Mar. Para la pareja de jubilados que vivía allí, aquella sería su última noche en el pueblo; y aunque esa no era una noticia que desconocieran, lo que en esos momentos ignoraban era que, al inicio del nuevo día, aquel rayo traería consigo una serie de consecuencias que unos considerarían una tragedia y otros, algo parecido a un milagro.

Pero para llegar a eso aún faltaban algunas horas. Si hubiera podido suceder de otra manera, o si tal vez todo estaba predeterminado con las primeras gotas de lluvia de la tarde, no era un asunto que pudieran plantearse en aquel momento. La cuestión era que su historia empezaba con aquel rayo y había ciertos detalles que era necesario recordar para reconstruir los hechos que los habían llevado a aquella situación extraordinaria.

¿Cómo se llamaban? ¿Dónde vivían? ¿Qué hacían allí?

Sus nombres eran Harold y Mary Rose Grapes. Los Grapes —o los señores Grapes, que era como todo el mundo los conocía— vivían en el último número de la calle del acantilado y ese era posiblemente uno de los lugares más especiales de todo el pueblo.

11

A diferencia de la mayoría de casas y negocios que se apiñaban en la parte baja de la playa, la casa de los señores Grapes se encontraba alejada poco más de un kilómetro del pintoresco pueblo, desafiando al mar, justo al borde del acantilado más alto de la isla: el acantilado de la Muerte.

En los días claros, la casa amarilla de los Grapes se podía divisar desde varios kilómetros a la redonda, ya fuese paseando por las fértiles colinas de antigua piedra volcánica que rodeaban la pequeña isla de Brent o bien navegando plácidamente por sus frías aguas.

Cualquiera de esas actividades hubiese sido perfecta para disfrutar de aquella calurosa mañana de domingo. Las playas, los senderos y las terrazas de sus pequeños cafés empezaban a estar abarrotados de gente. Los habitantes de San Remo no estaban acostumbrados al buen tiempo y se habían echado a la calle para aprovechar aquellos raros días en los que el sol brillaba sin miedo a ser cubierto por un espeso manto de nubes. Pero los señores Grapes, como casi siempre, estaban en casa. Aunque, a diferencia de la mayoría de días, aquel domingo también era especial para ellos. Y, más que nunca, sabían que no podían desperdiciarlo saliendo a la calle. Querían pasarlo en casa, sin otra preocupación que la de disfrutar por última vez de los viejos maderos que conformaban su hogar.

Un futuro incierto

Mary Rose había pasado la mayor parte de aquella mañana de domingo empaquetando algunos recuerdos en anónimas cajas de cartón, forzándose a decidir en todo momento cuáles eran los objetos de los que podrían prescindir en el nuevo lugar donde iban a vivir. Mientras sacaba las últimas mantas que quedaban en el fondo del armario, una arrugada fotografía cayó a sus pies. La recogió con cuidado y, al darle la vuelta, un hormigueo le recorrió todo el cuerpo, concentrándose en sus manos como si estuviera sujetando un pedazo de hielo.

Tuvo que sentarse en el borde de la cama y respirar hondo antes de volver a mirar la fotografía, una imagen que hacía años que había escondido para olvidar un dolor demasiado profundo. Había perdido algo de su nitidez original, pero aun así se distinguía perfectamente a las tres personas que aparecían: un hombre, una mujer y un niño, los tres sonrientes, los tres abrazados. Tras ellos, iluminado por el sol del atardecer, un barco a medio construir.

La fotografía había perdido casi todo su brillo, pero eso no era un inconveniente para Mary Rose, pues sabía perfectamente que el pelo del hombre era negro como la brea y que tras sus gafas se escondían los ojos azules más profundos que jamás había visto, iguales que los del niño. Entonces Mary Rose sintió una punzada en lo más hondo de su corazón y percibió el veneno de viejos resentimientos ahogándola de nuevo. Respiró hondo y clavó la mirada en la sonrisa del niño, en su pelo húmedo y brillante, del mismo tono castaño que la melena de la mujer de ojos verdes que lo abrazaba.

Una lágrima cayó sobre los ovalados cristales de las gafas de la señora Grapes al recordar los cientos de tardes que habían pasado en el viejo astillero de San Remo. Por aquel entonces su único sueño era el de descubrir el mundo que había fuera de la isla, sin miedo a lo desconocido, sin ataduras ni reproches. Suspiró. En ese momento, treinta y cinco años después, Mary Rose no conseguía reconocerse. En qué punto había dejado de ser ella misma o cuándo había permitido que se desvanecieran sus sueños eran preguntas que le dolía demasiado formular. Ahora, el dudoso futuro lejos de esa casa solo conseguía aterrorizarla, y observar aquella vieja fotografía solo le sirvió para recordarle que su vida no había seguido el rumbo previsto. La miró por última vez, la guardó en la caja y bajó a la cocina.

Abajo, en el oscuro y abarrotado taller que había en el sótano, el señor Grapes trabajaba en uno de sus barcos en miniatura como si se tratase de otro día cualquiera. A través de las ventanas de ojo de buey que había repartidas por todo el perímetro penetraba la luz del sol como si fuera sólida. Todo permanecía en su sitio. Las cajas de cartón aún seguían plegadas junto al tándem que formaban la lavadora y la secadora, sobre el que reposaba una pila de libros. Justo al lado de la desalinizadora y el enorme depósito que abastecía la casa de agua, se acumulaban decenas de electrodomésticos viejos y, tras una raída cortina de cuadros que delimitaba con su mesa de trabajo, se escondía la despensa de la casa, ahora prácticamente vacía de alimentos.

Aunque siempre se quejaba del poco espacio que tenía, en medio de aquel caos Harold concentraba la mayoría de sus pasatiempos, ya fuera el arreglo de pequeños chismes, el bricolaje que ayudaba a mantener la casa en buen estado o su favorito y el único que conseguía serenarlo los días que se sentía abatido: la construcción de diminutos barcos embotellados.

Por toda la casa se podían divisar algunas de aquellas pequeñas maravillas nacidas de su maña y paciencia. En el recibidor, en la sala de estar, en el comedor y hasta en el lavabo había réplicas a escala de antiguos barcos históricos construidos en el interior de viejas botellas que el mar arrastraba hasta la playa.

Pero ahora ninguna de esas miniaturas era visible en la casa; todas estaban debidamente empaquetadas y rodeadas de plástico de burbuja. Todas excepto una.

A diferencia del resto de miniaturas, la réplica que Harold tenía entre sus manos no estaba protegida por una botella, sino por un viejo y rechoncho tarro de mermelada. En su interior, en un mar de resina, navegaba desafiante su barco más preciado; el más antiguo de todos ellos, el primero que construyó. Aquel no era un navío de delicados ornamentos o de grandes escudos reales estampados en sus velas. Era un simple velero de travesía, un barco modesto deseoso de grandes aventuras. Un barco que nunca había tenido nombre y que Harold empezó a construir a escala real mucho antes que la minúscula copia a la que ahora quitaba el polvo.

De vez en cuando Harold aún podía notar el olor a madera, alquitrán y mar que impregnaba el aire del astillero en el que había trabajado cuando era joven. Aún podía escuchar el sonido del martillo y el cincel al golpear la estopa entre las juntas de los maderos, sentir el calor del sol sobre su espalda descubierta. Harold recordaba con añoranza cada uno de los barcos que había construido durante esos días, barcos de verdad: pesqueros, de arrastre, de pasajeros... Recordaba la dureza del trabajo y sus dificultades, pero, sobre todo, la alegría de verlos zarpar por primera vez. De todas las embarcaciones que había ayudado a fraguar guardaba buenos momentos, pero nada era comparable al cariño que había puesto al construir el velero que ahora observaba en forma de reproducción; un barco que había contenido todos sus sueños y que Harold empezó a construir con mimo y perseverancia en sus ratos libres. Harold apoyó el tarro sobre la mesa y suspiró al comprender que ninguno de esos sueños llegó a zarpar nunca de ese astillero: se hundieron antes de que los maderos del barco tocaran el agua. Un barco que nunca acabó siendo un barco, sino la réplica de un sueño amargo dentro de un frasco de cristal.

Entonces un ligero temblor recorrió todo su cuerpo, devolviéndolo de nuevo al sombrío sótano con olor a cerrado que lo rodeaba. El tarro empezó a vibrar y Harold tuvo que agarrarlo con fuerza para que no cayera al suelo. No solo era él o el barco los que temblaban: todo el sótano se agitaba con violencia, moviendo de un lado a otro la bombilla que colgaba lánguidamente de una de las vigas del techo. Unos segundos más tarde, y tan inesperadamente como había llegado, el temblor se desvaneció y todo volvió a la normalidad.

Harold resopló enfadado al ver que la vela mayor del velero se había desenganchado y había caído sobre su menuda cubierta. Sin darle la menor importancia al pequeño seísmo que acababa de suceder, se puso las gafas de aumento y cogió las pinzas de miniaturista para arreglar el estropicio. Entonces, la voz de la señora Grapes surgió de la escalera.

—¡¿Harold, lo has notado?! ¡Este ha sido de los fuertes!

—¡Ha sido como todos los otros! —dijo, gritando para que la voz llegase hasta el hueco de la escalera.

—¡De eso nada! ¡Y suerte que la mayoría de cosas ya están en cajas, porque si no habría un buen destrozo! —Hizo una pausa y prosiguió—: ¡Me quedaría más tranquila si salieses a comprobar los tirantes!

—Cuando acabe con esto saldré a echarles un vistazo, ¡¿de acuerdo?!

—¡Muy bien! —Y añadió antes de marcharse—: ¡En diez minutos la comida estará lista!

Para los señores Grapes, los seísmos de su casa no eran algo nuevo, pero, por más años que pasaran, Mary Rose nunca se acostumbraría a ellos. Al volver a entrar en la cocina, su corazón le dio un vuelco. El macetero que había sobre la robusta mesa se había caído a causa de la sacudida, y las hortensias malva y fucsia que lo habían coronado yacían desenraizadas sobre el tapiz de tierra y los fragmentos de arcilla que se esparcían por el suelo.

Mary Rose sintió como si esa maceta estrellada la transportase al pasado; hacia un tiempo en el que la casa aún no existía ni en sus más remotos pensamientos. De repente ya no estaba en la cocina de su casa, sino en el pequeño apartamento del pueblo en el que habían vivido hacía años. De nuevo parecía envolverla el sonido de la lluvia repicando contra la ventana del comedor y el retumbar de los relámpagos cayendo sobre el mar. De nuevo volvía a revivir esa antigua noche de tormenta, cuando una maceta de hortensias como aquella se le resbaló de las manos y se estrelló contra el suelo de baldosas. Y entonces vino a su mente el mismo pensamiento que tuvo esa noche del pasado: «Algo malo va a ocurrir».

Mary Rose sabía que aquellas hortensias maltrechas en el suelo habían sido algo más que un mal augurio. Nada la había preparado para hacer frente a lo que horas después descubrió. Desde entonces no dejó nunca de plantar esas flores por todo el jardín, porque le hacían recordar, porque eran lo único que hacía crecer una y otra vez sin miedo a perderlas para siempre.

Entonces, un fuerte olor a quemado distrajo sus pensamientos. Corrió hacia la encimera y apartó la cazuela de los fogones con rapidez, pero ya era demasiado tarde. La comida se había quemado.

A Harold no le importó esperar mientras Mary Rose preparaba una improvisada sopa con el poco pescado que había conseguido salvar de la cazuela chamuscada. No tenía hambre, así que, tal y como le había prometido a su esposa, aprovechó aquel rato para salir al jardín a inspeccionar los tirantes.

Bajó las escaleras del porche trasero y rodeó la casa, avanzando a través de los cientos de hortensias que salpicaban todo el jardín. Al llegar a la esquina, se encontró con el primero de los seis tirantes de acero que, como una gigantesca tienda de campaña, descendía del tejado de la casa hasta anclarse profundamente al terreno. Harold los había instalado años atrás, cuando los cimientos empezaron a temblar a causa de la implacable erosión del acantilado.

Harold se agachó frente a uno de ellos, apartó las frondosas hortensias que crecían a su alrededor y examinó el anclaje que se hundía más de dos metros en el interior de la roca. Pero entonces se dio cuenta de que lo que estaba haciendo no tenía ningún sentido. Sabía que en pocas horas tendrían que abandonar la casa y, si los tirantes estaban tensos o no, poco importaba ya. Así que, sin más, se levantó y siguió caminando sin prestarles más atención. Pasó al lado de las cepas de uva que antaño habían cubierto esos terrenos y que él mismo había plantado cuando aún era joven con su padre, antes de que decidieran construir la casa en aquel rocambolesco enclave, antes siquiera de que él y Mary Rose se conocieran.

Pero ninguna cepa daba frutos desde hacía años. Sus retorcidos troncos estaban secos, ahogados por las tupidas hortensias, sin pámpanos brotando de sus ramas y sin los racimos que en otra época habían usado para hacer confitura de uva, su favorita. Harold tocó con delicadeza una rama de aquellas vides resecas por el tiempo y sintió nostalgia del pasado, pero, al igual que le había pasado momentos antes con los tirantes de acero, sabía que ya no tenía importancia preocuparse por aquellas yermas cepas. Sabía que, a la mañana siguiente, ni ellos ni la casa estarían allí. Porque todo habría desaparecido.

Harold continuó caminando hasta llegar al filo rocoso del acantilado. Desde aquella privilegiada ubicación podía distinguir gran parte del contorno de la isla y del inmenso mar que la rodeaba. A lo lejos, una vaporosa red de nubes se acercaba lentamente desde el horizonte, pero, pese a ello, la playa que quedaba frente al pueblo aún seguía a rebosar de gente, con montones de bañistas a los que no parecía importarles el hecho de que el sol ya no brillase con la misma fuerza. Cerca de los acantilados, vio cómo un grupo de surfistas luchaba por mantenerse en pie sobre sus tablas, mientras que, en el extremo opuesto, en el que las montañas descendían suavemente sobre el mar, distinguió a los primeros pesqueros que salían del puerto para faenar.

San Remo era un pueblo pequeño en una isla pequeña, una isla rocosa perdida en medio del frío mar, tan aislada que el resto del mundo ni siquiera pensaba en ella. Sus lugareños eran gente arraigada a una vida monótona y sin sobresaltos, que desconfiaba de todo: de los extranjeros, de los cambios e incluso de sus propios vecinos.

Como la mayoría de sus habitantes, Harold y Mary Rose nunca habían pisado otra tierra que no fuese la de la isla de Brent, ni habían navegado más lejos de donde su vista conseguía alcanzar. El pedazo de suelo que había bajo sus pies era todo su mundo, un diminuto mundo con el que tuvieron que conformarse y en el que, como las flores y las cepas que había a su alrededor, enraizaron su pesar en lo más profundo.

Una ráfaga de viento frío barrió el terreno y arrancó unos cuantos pétalos de una hortensia cercana al borde del acantilado. Harold siguió con la mirada su errante baileteo hasta que finalmente desaparecieron, tragados por el abismo. Entonces entró en casa.

—¡Me he pasado dos horas cocinando para nada! —refunfuñó Mary Rose al ver entrar a Harold en la cocina.

—¿Por qué dices eso? —dijo, sentándose.

—¿Crees que esto es una comida digna para un día como hoy? —replicó, mientras servía una aguada sopa de pescado repleta de tropezones negros.

—Es un día como cualquier otro.

Pero, aunque Harold había intentado sonar convincente, al levantar el rostro del plato y mirar a su esposa supo que no lo había conseguido. Por mucho que tratara de negarlo, los dos sabían que aquel día no tenía nada de corriente.

—¿Fuera todo anda bien? —preguntó Mary Rose, cambiando de tema.

—Todo en orden —contestó, viendo cómo los trozos de pescado requemado se hundían en el fondo del plato—, aunque no creo que debamos preocuparnos por si la casa sigue en pie mucho más tiempo.

Mary Rose dio un sorbo al caldo y sintió un sabor amargo expandiéndose lentamente por su garganta. Bebió agua, pero aun así la acritud no desapareció de su interior.

—Aún no me hago a la idea de que esta será nuestra última noche aquí... —dijo Mary Rose.

Y justo cuando Harold iba a contestar, el timbre sonó. Los señores Grapes se miraron extrañados y, sin apenas hacer ruido, apoyaron con cuidado sus cucharas en los platos. Ellos nunca recibían visitas a esas horas; en general, nunca recibían visitas a ninguna hora. El timbre sonó de nuevo.

—¿Crees que vienen a por nosotros? —susurró Mary Rose.

—¡Ja! —exclamó Harold—. ¡Te aseguro que nadie me sacará de mi casa antes de lo previsto!

—¡¡¡¡Shhh!!!! ¡No grites! —dijo la señora Grapes con un hilo de voz.

El timbre volvió a sonar con insistencia.

—¡Ya está bien! —exclamó Harold, mientras se levantaba de la silla—. ¡Si son ellos, voy a decirles que, tal y como dice su maldita carta, no pueden echarnos de aquí hasta mañana por la mañana!

Harold se dirigió al vestíbulo dando grandes y sonoras zancadas, mientras Mary Rose lo seguía vacilante unos pasos atrás. Una vez más la campanilla sonó, pero el ruido quedó interrumpido cuando Harold abrió la puerta. Tras el marco apareció una figura alta y delgada, un hombre vestido con un elegante traje gris que conjuntaba a la perfección con su piel cenicienta y su pelo canoso.

—Buenas tardes, Harold... Rose... —dijo, arrastrando las palabras con cierto abatimiento.

—Buenas tardes, Matthew —saludó Mary Rose.

—¿Qué le trae por aquí, alcalde? —preguntó Harold de manera cortante.

—Siento molestaros, pero he pensado que sería bueno pasar a veros, ¿puedo entrar?

Harold vaciló, pero al fin bajó el brazo con el que sujetaba la puerta y dejó pasar al hombre.

Mary Rose preparó té y los tres se sentaron en los sofás, alrededor de la mesa de la sala de estar. El ambiente era tenso y, aunque el alcalde parecía el más incómodo de ellos, fue quien empezó a hablar.

—Si os soy sincero, no sabía si venir. Afrontar esta situación no ha sido nada fácil para mí, pero ya sabéis que ante todo sois mis amigos.

—No te culpamos a ti, Matthew... —aseguró Mary Rose.

El hombre levantó la vista de la taza y miró a Harold en busca de su respuesta, pero él no parecía estar de acuerdo con las palabras de su esposa.

—Mira, Matthew —dijo Harold, manteniendo a raya una cólera que subía lentamente por su garganta—, si has venido aquí para lavar tu conciencia justificando lo injustificable, allá tú, pero que sepas que a partir de mañana nuestra vida nunca más volverá a ser la que era.

—Sé mejor que nadie lo que significa para vosotros perder esta casa... —respondió con parsimonia—. Pero, créeme, no he venido aquí para sentirme mejor, he venido por vosotros, para saber si puedo hacer algo para ayudaros.

—¡¿Ayudarnos?! —saltó Harold—. ¿No crees que eso debiste hacerlo mucho antes?

—Harold, sabes que la orden de desahucio no dependía del ayuntamiento —contestó, mientras giraba con nerviosismo la taza de té entre sus huesudas manos.

—Pero sí que dependía el lugar al que nos llevasen después.

—Sí... —empezó a balbucear—. Intenté que os dieran algo mejor, pero vuestra jubilación no os permitía afrontar el alquiler, lo sabes perfectamente.

—¿Y qué me dices de la indemnización?

—Sabes que estos terrenos tienen muy poco valor...

—Entonces, ¿dime qué has hecho para ayudarnos?

El alcalde se removió en el sofá mirando a su alrededor, como si de repente no supiera qué hacía allí.

—Harold, tranquilízate, por favor —terció Mary Rose—. Matthew ha hecho lo que ha podido...

—¡¿Tú crees?! —exclamó, furibundo.

Entonces se hizo el silencio, interrumpido solo por el fogonazo azul de un rayo. Hasta la lámpara que colgaba del techo se agitó por la sacudida que segundos después trajo consigo el trueno.

—Aunque ahora no lo veáis así... —volvió a decir Matthew, al tiempo que seguía con la mirada el bamboleo de la lámpara—, creo que con el tiempo os daréis cuenta de que ha sido la mejor solución. Puede que no conservéis la casa, pero seguiréis manteniendo todo lo demás, incluyendo mi amistad.

Al volver a escuchar esa palabra, Harold sintió como si lo apuñalaran.

—¿Amistad? —repitió Harold con cierto rencor—. La palabra «amistad» no tiene ningún significado en esta isla...

Mary Rose notó cómo la taza que sostenía entre sus manos tintineaba sobre el plato de porcelana. Sabía por qué Harold había dicho eso, pero no quiso pensar en ello, era demasiado doloroso destapar esos recuerdos tan antiguos.

—Será mejor que me vaya —observó el alcalde, levantándose de la silla—. Parece que se acerca una buena tormenta.

—Sí —dijo Harold y dio el último sorbo al té, ya frío—. Aún nos queda mucho por hacer.

Mary Rose dejó su taza sobre la mesa y se levantó para acompañar al invitado a la puerta, pero Harold no hizo ademán de moverse del sofá.

—Mañana a las nueve estaré aquí por si necesitáis mi ayuda, ¿de acuerdo? —dijo el alcalde, dirigiéndose a Mary Rose.

—Aquí estaremos.

Esas fueron las últimas palabras que Harold consiguió escuchar antes de que la puerta principal se cerrase. Se incorporó del sofá y, con paso lento, se acercó a la ventana. Con la manga del jersey frotó el vidrio empañado y miró a través de él. Vio que la playa había quedado desierta. Un espeso manto de nubes grises cubría todo el cielo y el viento proveniente del mar empezaba a traer consigo las primeras gotas de lluvia que se adherían al cristal como diminutos insectos. Al cabo de unos segundos, Mary Rose reapareció.

—Creo que has sido muy injusto —dijo, acercándose a la ventana—. Sabes que Matthew no es el culpable de nuestras desgracias...

—Pero esta vez podía ayudarnos.

—No es algo que dependiese de él, ¡ni siquiera de nosotros! La carta lo dejaba bien claro.

—¡La carta, la carta! —protestó, volviendo la mirada hacia Mary Rose—. ¡Maldito el día que nos trajo esa carta!

Otro trueno retumbó en el valle e hizo parpadear la luz de la sala durante una fracción de segundo.

—Hay gente del pueblo que vive en la residencia desde hace años y nunca les ha pasado nada —dijo Mary Rose.

—Sabes tan bien como yo que todo el mundo odia aquello. Y tú y yo aún no somos tan viejos como para que nos tengan que dar la comida en la boca como a los bebés.

—¡Deja ya de quejarte, Harold Grapes!

—¡No puedo entender cómo puedes resignarte de esta manera! ¡¿Acaso no entiendes qué significa perder nuestro hogar?!

Al escuchar esa última frase, a Mary Rose se le hizo un nudo en la garganta.

—El alcalde tiene razón, esta tormenta va a ser de las fuertes —dijo Harold, mirando hacia la ventana—. Será mejor que vaya a cerrar las contraventanas.

Y entonces salió de la habitación.

La casa del acantilado

Harold subió con desdén las escaleras que llevaban al segundo piso. No podía soportar la resignación que durante aquellos meses se había adueñado de Mary Rose. No la reconocía. Y, aunque era totalmente consciente de la situación en la que se encontraban, no era capaz de aceptarla sin más. Él, mejor que nadie, sabía que las paredes, el suelo y las ventanas de aquella casa estaban construidas con algo que no podía reemplazarse.

A la par que la tormenta, Harold fue avanzando de habitación en habitación, cerrando todas las contraventanas que encontraba a su paso. Las habitaciones eran ahora espacios desnudos, ocupados solamente por las cajas que concentraban los recuerdos de varias décadas. Antes de cerrar la última contraventana echó un vistazo al exterior. Las cortinas de lluvia se mecían de un lado a otro, empujadas por el viento que empezaba a hacer crecer el oleaje en la playa, salpicando los vidrios y desplomándose sobre las hortensias del jardín a través de los canalones de la fachada. La lluvia que caía en el exterior también lo afectaba a él, diluyendo lentamente su cólera, pero empapándolo de una pesada frustración.

Para Harold dejar su hogar no significaba solamente perder su vivienda; era algo que trascendía lo material. Significaba abandonar lo único que le quedaba de sus días más felices, la tabla que lo ayudó a mantenerse a flote y en contacto con todo lo que había perdido. Sabía perfectamente que su vida no había sido como él hubiese deseado, pero al menos había aprendido a sobrevivirla. Pero ahora todo aquel mundo desaparecería, toda su vida quedaría concentrada en una pequeña habitación que el gobierno les había asignado en una residencia para ancianos que había en el centro de la isla. Un lugar rocoso y lejos del mar, lejos de todo lo que más había amado en el mundo. Lejos de él.

Con paso vacilante se acercó a la robusta cómoda, abrió el primer cajón y, entre los viejos pijamas, encontró la carta. Al volver a sostenerla entre las manos, le vino a la memoria la fría mañana de enero en que el alcalde se personó para entregarles aquel grueso sobre de papel crema.

—¡Buenos días, Matthew! Pasa o te vas a helar ahí fuera —dijo Harold.

El hombre entró con cierto recelo.

—¿Te apetece desayunar? —preguntó Harold, cerrando la puerta—. Nosotros estábamos a punto de empezar.

—No, no, tranquilo, solo me quedaré un momento —dijo, sin quitarse la gruesa gabardina gris que lo cubría.

—Al menos tómate una taza de café con nosotros —insistió, indicándole que lo siguiera hasta la cocina—. Creo que las únicas visitas que recibimos son las tuyas, y la última fue hace meses.

Al llegar a la cocina, Mary Rose se unió a ellos y los tres se sentaron alrededor de una mesa rebosante de tostadas, huevos, café y mantequilla. Como la mayoría de las personas de la isla, Harold sabía que el alcalde no era un hombre demasiado sociable, pero al menos era la única persona que con los años no le había dado la espalda. El alcalde se sentó a la mesa con la gabardina puesta y Mary Rose se fijó en que su semblante proyectaba un halo de inquietud que la desconcertó.

—¿Y qué te trae por aquí? —preguntó el señor Grapes—. ¿No me digas que por fin vais a asfaltarnos el camino que va de casa al pueblo?

—Pues la verdad es que la cosa no va por ahí... —dijo Matthew.

—Ya me parecía raro que el alcalde se gastase el dinero en hacer cosas buenas...

Matthew se limitó a sonreír, de manera forzada e incómoda.

—He venido porque quería daros esto en persona —explicó, sacando un sobre color crema del bolsillo de la gabardina—. Es una carta procedente del Gobierno central.

—¿Del Gobierno? —preguntó la señora Grapes con recelo—. ¿Es algo importante, Matthew?

—Será mejor que la leáis vosotros mismos —dijo, depositando lentamente el sobre en el centro de la mesa.

Harold cogió el sobre y lo sopesó. Con el cuchillo del pan rasgó suavemente el grueso papel y sacó la carta. Un gran escudo de armas presidía el encabezado de la carta.

—«Gobierno central —empezó a leer en voz alta el señor Grapes—, Delegación de Protección y Seguridad Pública del Estado...».

—¿Protección y Seguridad Pública...? ¿Hemos cometido alguna infracción? —interrumpió Mary Rose.

—No, no, Rose. No va por ahí la cosa —dijo Matthew—. Por lo poco que sé, creo que se trata de un estudio que han realizado en vuestro terreno, aunque...

—¡¿Cómo?! —inquirió, alterada—. ¿Que gente del Gobierno ha estado fisgoneando en nuestra casa sin que nosotros supiésemos nada? Matthew, ¿de qué va todo esto?

—Si os soy sincero, yo tampoco sabía nada... —aseguró con un tono que a Mary Rose le sonó de todo menos convincente—. Hace cosa de un mes llegaron tres delegados del Gobierno a hacer una investigación sobre la isla. Pensé que sería algún estudio demográfico o algo por el estilo, no le di mayor importancia...

—¿Y vinieron expresamente a estudiar nuestra casa? ¡No entiendo nada!

—Por favor, Rose, espera a que Harold lea la carta... —dijo el alcalde, intentando calmar los ánimos.

Harold recordaba la escena a la perfección y, aunque habían pasado meses desde entonces, volvió a notar la misma inquietud que había sentido segundos antes de empezar a leer las siguientes líneas de la carta.

> Estimados señor y señora Grapes:
>
> Nos ponemos en contacto con ustedes para informarles de que, tal y como dicta la nueva Ley de Seguridad Geológica aprobada el 14 de septiembre por el Parlamento, la construcción de nuevas viviendas en la costa deberá cumplir con la nueva normativa impuesta. La ley obliga a estas construcciones a no sobrepasar los 20 niveles de altura, a construirse con materiales anticorrosivos y a estar situadas, como mínimo, a 10 metros de la línea costera.
>
> Su residencia, construida antes de la aplicación de dicha ley, debería estar exenta de alguno de estos puntos, pero ciertas particularidades descritas a continuación por un comité de expertos nos obligan a tomar medidas extraordinarias:
>
> 1. Composición del terreno: la frágil composición de roca volcánica que forma la isla de Brent es mucho más susceptible a la erosión que cualquier otro tipo de formaciones geológicas.
>
> 2. Parcela y límites de seguridad: la vivienda está construida a 1,48 metros de la línea de costa...

Al releer aquella última frase, sintió un eco de impotencia. Aunque era cierto que la distancia entre la última escalera del porche trasero y el filo del acantilado era de un metro y cuarenta y ocho centímetros, Harold y Mary Rose sabían que no siempre había sido así. Enviaron los planos originales de la parcela en los que se probaba que la casa se había construido a más de veinte metros del barranco. No había sido culpa suya que durante años el feroz mar, que golpeaba una y otra vez la isla, fuera menguando el acantilado, erosionándolo, tragándoselo como si estuviera empeñado en hacer desaparecer la isla entera. Suspiró, volvió la mirada a las letras bellamente impresas y siguió leyendo:

> 3. Morfología de la costa: el acantilado sobre el que se asienta la vivienda es un espacio poco común y eminentemente peligroso. La distancia que separa la vivienda del agua es de 34 metros, altura suficiente para considerarse lugar prohibido para cualquier actividad humana, especialmente para vivir.
> Así pues, y aunque se trata de una construcción anterior a la citada ley, el comité de expertos se ve obligado a tomar las medidas necesarias para mejorar la seguridad de sus habitantes.
> Aunque les mantendremos informados de todo el proceso, les detallamos que el 18 de julio a las 9:00 h será la fecha límite que tienen para abandonar su propiedad, a fin de desalojarla y empezar las obras de demolición del inmueble.
> Atentamente,
>
> Gregory Grey, subdelegado de Seguridad Pública del Estado

Harold soltó un largo suspiro y, con cuidado, dobló el papel. No era el futuro que les esperaba a partir de mañana lo que lo turbaba. Sabía que aquella carta había sido la llave que había reabierto una caja maldita. Una caja que creían olvidada y que contenía todo el dolor y el sufrimiento de su pasado; el pasado que habían enterrado en los cimientos de esa casa años atrás y que ahora, como los maderos de un barco hundido bajo un mar de hielo, volvía a salir a flote rezumando olor a podredumbre.

Miró por última vez el papel y una ola de rabia surgió de su interior. Y, sin pensarlo, rompió la carta. Harold se quedó mirando cómo los pedazos de papel caían sobre sus pies como las hojas muertas de un árbol y, súbitamente, el rugido de una detonación estalló. Una extraña e intensa luz amarilla se coló por los resquicios de las contraventanas, mientras la casa se estremecía bajo sus pies. Nunca antes había sentido algo así, pero sabía perfectamente qué lo había provocado.

EL RAYO

El rayo finalmente cayó.

Mucho más tarde, cuando Harold pudo reconstruir los hechos, recordaría que el miedo lo paralizó durante unas milésimas de segundo mientras la palabra «rayo» retumbaba en su cabeza. Entonces, todavía desorientado por el estruendo, corrió escaleras abajo mientras las luces de toda la casa se apagaban.

—¡Rosy! —gritó el señor Grapes, bajando a trompicones—. ¡Rosy! ¡Dime algo, por favor! Aunque sabía que estaba gritando con todas sus fuerzas, sentía su voz lejana, amortiguada por el estridente y sostenido pitido que le trepanaba los oídos.

Llegó al recibidor, pero no vio nada. Toda la planta baja permanecía completamente a oscuras y bajo sus pies solo percibía el crujir de fragmentos de cristal y madera.

—¡¿Rosy?! —volvió a gritar, palpando las paredes del pasillo que conducían a la cocina.

Nada. No escuchaba ni veía absolutamente nada. A medida que iba acercándose con paso vacilante a la cocina, el pitido se debilitaba y, al chocar contra la mesa, escuchó cómo una voz empezaba a perfilarse a lo lejos.

—¡Harold, estoy aquí!

—¡Rosy! —exclamó, tropezando con una de las sillas—. ¡¿Dónde estás?!

Harold salió de la cocina y entonces vio aparecer una luz que lo cegó por un momento.

—¡Perdona! —dijo Mary Rose.

Harold volvió a abrir los ojos y frente a él se materializó la silueta de Mary Rose sosteniendo una linterna.

—¡No te encontraba por ningún sitio! ¿Dónde estabas? —reprochó Harold, acercándose a su esposa.

—Estaba en el comedor —contestó como si le faltara el aliento—. ¡Y entonces he visto el haz de luz tras el cristal, Harold!

—Pero... estás bien, ¿no?

—Por un momento el fogonazo me ha cegado por completo. Era una luz amarilla tan brillante que parecía que lo cubría todo. Creo que nunca antes había sentido la casa retumbar de esa manera, Harold, ¡creía que nos caía encima! —Y, haciendo una pausa, añadió—: ¿Me lo ha parecido o me has llamado Rosy?

Harold sintió que toda su preocupación se esfumaba de repente con aquella pregunta. Se quedó perplejo, hasta ese momento no se había dado cuenta de que la había llamado así. Hacía años que no usaba ese nombre y no sabía por qué lo había hecho justo en ese preciso instante. Harold carraspeó, incómodo, y murmuró:

—Voy a ver qué pasa con la luz.

Cruzó el vestíbulo y se dirigió a la caja de plomos que había junto a la puerta de la entrada. Abrió la tapa e, iluminado por la luz de la linterna que Mary Rose sostenía, empezó a mover de arriba abajo las pequeñas palancas de los fusibles.

—Nada —dijo—. Seguramente el rayo haya caído sobre el poste de la luz. Será mejor que salga un momento a comprobarlo.

—No creo que sea una buena idea, Harold...

—Puedes acompañarme, no me alejaré demasiado.

Así que, tras coger el par de paraguas que siempre había junto a la entrada de la casa, abrieron la puerta principal y salieron al porche. De inmediato, el ensordecedor rugido de la tormenta inundó sus oídos. Al bajar los tres escalones que separaban el porche del jardín, quedaron expuestos a las ráfagas de viento, que no paraban de soplar de un lado a otro y traían consigo gordas gotas de agua helada. Harold cogió la linterna de las manos de Mary Rose y se acercó al poste. Pese a que la luz que proyectaba no era demasiado potente, se percató de que la madera y los cables estaban en perfecto estado.

—¡Habrá caído más lejos! —dijo Mary Rose, señalando algún punto en la oscuridad—. Fíjate, los del pueblo tampoco tienen luz.

Harold miró a lo lejos sin conseguir ver nada más que una opaca negrura. Solo el resplandor de algún rayo contra el cielo les permitía ubicar la zona que normalmente ocupaban las lucecitas de San Remo de Mar. Pero Harold no estaba satisfecho, sabía que el ruido había sido demasiado fuerte como para que el rayo hubiese caído tan lejos. Siguió barriendo la lejanía con la mirada y entonces fijó su atención en las maderas que sobresalían del viejo astillero abandonado que se escondía más allá del pueblo. Lo vio durante una fracción de segundo, el mismo tiempo que duró el parpadeo de luz de un rayo. Pocos habitantes de San Remo sabían que la isla tenía otro astillero que no fuera el que se levantaba junto al puerto. Era un lugar agreste rodeado por salientes de roca afilada, al que resultaba prácticamente imposible acceder si no era con una embarcación. Un astillero que ya era antiguo cuando él era joven y que solo utilizó para construir un barco: el suyo. Desde entonces nunca había vuelto a pisar aquella zona de la isla y siempre que podía evitaba siquiera posar su mirada sobre ella. Cada vez que lo hacía, reabría heridas que nunca consiguió sanar por completo. Harold apartó su rostro de allí y miró de nuevo la casa. El agua se deslizaba por el tejado en largas cascadas. No conseguía hacerse a la idea de que en tan solo unas horas lo único que habían conseguido reconstruir a partir de las cenizas de sus sueños rotos también dejaría de existir para siempre.

—¿Todo bien...? —preguntó Mary Rose.

Harold asintió y reemprendió la marcha a través del jardín, rodeando la casa e intentando centrar sus pensamientos en lo que había ido a hacer. Entonces un fuerte olor lo obligó a detenerse.

—¿Lo notas? —preguntó Harold.

—Sí, huele raro... como a picante.

Con la linterna empezó a escudriñar la oscuridad que cercaba el porche, concentrándose en la zona donde el olor se hacía más penetrante, pero, salvo la gran cantidad de charcos que se formaban por todo el jardín, no conseguía ver nada fuera de lo común. Continuaron caminando, siguiendo el círculo de luz que iba un metro por delante, y fue entonces cuando vieron algo anómalo en el césped, algo que parecía impedir que la luz de la linterna lo iluminara. Harold se acercó más y, con cuidado de no quedar desprotegido por el paraguas, enfocó la zona. Mary Rose se situó a su lado, agarrándolo del brazo y escrutando la negrura.

—Harold, por favor, entremos, ¿no ves que aquí no hay...?

Pero sus palabras quedaron interrumpidas al vislumbrar que de la oscura mancha que había frente a ellos emanaba una ligera neblina. Justo al lado de la fachada lateral de la casa, en el punto en el que uno de los tensores de acero se hundía bajo el terreno, humeaba un profundo agujero fangoso. Restos de roca, tierra y hortensias chamuscadas se desperdigaban alrededor del cráter que se había formado bajo el tensor, que, imperturbable, seguía firmemente anclado a la roca del acantilado. Harold recorrió con el haz de luz el cable que ascendía hasta lo alto de la casa. Entonces vio que, de la punta del tejado en el que el pilar maestro de la casa sobresalía para anclar los seis tensores, ascendía un hilo de humo.

—No es posible... —balbuceó Harold.

Harold volvió a bajar la mirada sin prestar atención a Mary Rose y empezó a caminar raudo entre las hortensias hasta llegar al punto en el que otro de los tensores se hundía en el terreno. Al enfocar el lugar con la linterna, se percató de que bajo ese cable de acero también había otro agujero, un agujero que lentamente se estaba llenando con la lluvia torrencial que caía.

—¿Qué sucede, Harold...? Me estás asustando... —balbuceó Mary Rose.

Harold la miró y se sorprendió al ver la ropa empapada de su esposa. Él mismo estaba calado por aquella lluvia fría y pesada.

—Entremos —dijo.

Al cerrar la puerta, el estruendo de la tormenta disminuyó. Todas sus ropas estaban caladas y sus cabellos, alborotados por el viento.

—El rayo ha caído sobre la casa... —explicó quitándose los zapatos empapados—. No hay duda de que ha golpeado contra el pilar que sobresale del tejado.

Pese a que el interior de la casa era cálido, Mary Rose temblaba y, al escuchar la explicación de Harold, percibió un desagradable escalofrío que le recorrió la espalda.

—Por suerte, los tensores nos han protegido al actuar como tomas de tierra —prosiguió.

—Eso no me tranquiliza... —murmuró Mary Rose, sintiendo el castañeteo de sus dientes—. En momentos como este pienso que Matthew tiene razón. Este lugar es demasiado peligroso para vivir, marcharnos de aquí es lo mejor que podemos hacer.

Entonces, al escuchar esas palabras, la linterna resbaló de las manos mojadas de Harold como si de repente otro rayo hubiese impactado contra él. Golpeó el suelo y se apagó, envolviéndolos de nuevo en la penumbra.

—Voy a cambiarme de ropa —dijo Harold.

El ruido de sus pasos se perdió en las escaleras y Mary Rose se quedó a solas, acompañada únicamente por la oscuridad y el eco de sus palabras. Se agachó y palpó el suelo hasta encontrar la linterna. La volvió a encender y subió las escaleras en busca de Harold.

Mary Rose entró en su habitación, pero Harold no estaba allí. Una de las contraventanas se había abierto y a través del cristal vio cómo el oscuro mar que se extendía bajo el acantilado se agitaba con furia. Se acercó y la cerró. Antes las tormentas le gustaban; el olor que traía el viento húmedo, el frío de la lluvia y el sonido de los truenos retumbando sobre las olas; ahora, todo eso la ponía nerviosa. Con la luz de la linterna recorrió la habitación. Nunca le había parecido tan tétrica como en ese momento. Vacía, oscura y a punto de ser destruida. Solo la robusta cama conseguía llenar un poco el espacio que había entre las cajas de cartón de la mudanza.

Justo cuando se disponía a salir, la imagen de la fotografía que había encontrado esa mañana regresó a su mente. Y con ella también lo hicieron los recuerdos de aquellos días pasados, cuando su vida aún no había sido alcanzada por unos inesperados acontecimientos que trastocaron todo su mundo, todas sus esperanzas y sueños. Mary Rose dio un paso atrás y se agachó junto a la caja en la que esa misma mañana había guardado la vieja fotografía del astillero. Rebuscó entre la ropa, pero no la encontró. Entonces supo quién la había cogido.

EL SUEÑO QUE NUNCA ZARPÓ

Mary Rose sabía dónde podía encontrar a Harold. Subió el siguiente tramo de escaleras y llegó al desván de la casa. Al abrir la puerta, un fuerte olor a madera quemada golpeó su nariz. Miró el pilar central que se levantaba más de tres metros hasta incrustarse en el tejado. Al acercarse, vio marcas negras en las vetas de la madera, como si fueran venas. Sintió miedo. Un miedo que parecía emanar de un rincón de su alma requemada como aquel poste, un miedo que hacía años que no sentía. Mary Rose cruzó la gran habitación, haciendo crujir las maderas bajo sus pies, hasta llegar frente al gran ventanal circular que presidía el espacio. La silueta de Harold se recortaba frente al cristal, iluminado apenas por los parpadeos de los relámpagos, que uno tras otro zigzagueaban a través del manto de nubarrones hasta caer con ensordecedora fuerza sobre el mar. La mayoría de los pescadores habían sido lo suficientemente precavidos como para arrastrar a unos metros de la costa las barcas más pequeñas, pero los barcos y veleros de mayor tamaño amarrados al puerto se zarandeaban peligrosamente por el creciente oleaje que se revolvía a su alrededor. En los acantilados las olas se levantaban mucho más rabiosas, amplificadas por las turbulentas corrientes de aire, que las elevaban hasta hacerlas chocar contra las paredes de roca que se interponían en su camino. A unos metros de aquel embravecido mar se levantaba desafiante su casa. Las rachas de viento golpeaban sin ningún obstáculo las secas vides y las hortensias más próximas al barranco, separándolas, raíz a raíz, del terreno al que se aferraban. La lluvia, que iba meciéndose al son de las ráfagas, caía torrencialmente sobre la pulida superficie de pizarra del tejado y se desplomaba a través de los voladizos en gruesos chorros sobre el jardín.

Mary Rose se detuvo a unos centímetros de Harold y de reojo vio que en la mano sujetaba la fotografía del astillero que había estado buscando en la caja.

—Siento haber dicho eso... —murmuró Mary Rose—. Sabes que yo tampoco quiero marcharme de esta casa...

Harold suspiró, como si oír esas palabras lo hubiesen abatido más.

—Lo sé, Rose... —Entonces hizo una pausa y miró el encrespado mar que bullía alrededor de la isla—. Pero, a veces, ¿no te preguntas qué hubiese sido de nosotros si no existiera?

La señora Grapes miró a Harold sorprendida de escuchar esas palabras, de percibir un dolor y una fragilidad que hacía años que no veía en él y que surgían de un lugar tan antiguo como la propia casa. Harold caminó hasta el centro del desván y se detuvo frente a la robusta columna de madera que atravesaba la sala.

—¿Qué hubiera sucedido si este pilar maestro —dijo levantando la cabeza hacia la alta columna chamuscada— siguiera siendo un mástil? ¿Si el suelo que pisamos siguiera formando parte de la cubierta? ¿Si los ojos de buey del sótano nunca los hubiésemos desarmado del casco?

Mary Rose notó que el dolor que brotaba de Harold también empezaba a arrastrarla a ella hacia un lugar al que no quería volver y que se esforzaba en mantener oculto entre las sombras.

—Claro que me lo he preguntado... —afirmó como si esas palabras le rasgaran la garganta—. Pero ¿qué otra opción teníamos? Hicimos lo que debíamos hacer.

—Sí... ¿Y ahora qué quedará de todo eso? ¿Qué quedará de lo único por lo que hemos luchado durante tantos años? ¿De lo único por lo que nos mantuvimos firmes en este lugar?

Harold se acercó de nuevo a Mary Rose. El repicar de la lluvia contra la ventana aumentó de intensidad hasta convertirse en ensordecedor granizo, que aguijoneaba el cristal como abejas iracundas.

—No me da miedo pasar nuestros últimos días confinados en una habitación sin ventanas, lejos del mar... Lo que me da miedo es desprenderme del único recuerdo que nos queda de aquellos días. De lo único que nos queda de él.

Otro rayo retumbó con fuerza en la isla y toda la casa se sacudió de arriba abajo. Mary Rose empezó a temblar, parecía que el sonido de la tormenta no estuviese en el exterior, sino dentro de aquel viejo desván. Con la mano temblorosa le cogió la cara y lo obligó a mirarla. Los ojos de Harold estaban enrojecidos; apenas quedaba un ápice de profundo azul. En ellos solo había dolor.

—Yo también tengo miedo, Harold... —dijo con la voz trémula, sintiendo cómo las lágrimas empapaban lentamente su rostro—. Pero mientras sigamos vivos, mientras sigamos juntos, todos esos recuerdos no morirán. Debemos aferrarnos a ellos.

Harold bajó la mirada y contempló de nuevo la fotografía que sujetaba entre sus dedos temblorosos, la del astillero en el que aquellas tres personas sonreían frente a un barco a medio construir.

—De veras que lo intento, Rose... Cada noche al acostarme, después de apagar la luz y quedarme a oscuras, siento el eco de esa noche de tormenta. Revivo lo que pasó con absoluta nitidez. Recuerdo cada segundo, cada detalle y cada sonido. —Otro rayo hizo que toda la casa se sacudiera. Harold hizo una pausa y continuó—: Pero cuando intento recordar su rostro, cuando intento contemplar su sonrisa y sus ojos a través de esa intensa luz amarilla, me doy cuenta de que sus facciones se han hecho un poco más borrosas que el día anterior, que su voz y su risa se han convertido en un murmullo tragado por el rugido de la lluvia. Y es entonces, justo en ese instante, cuando siento verdadero miedo, Rose. Tengo miedo a olvidar. Olvidar los recuerdos de un tiempo en que éramos felices soñando. Miedo al saber que lo único que nos permite seguir cerca de él es esta casa que mañana será destruida para siempre.

Harold levantó el rostro de la fotografía y miró los ojos anegados de su esposa. Los dos lloraban, mirándose sin atreverse a respirar, sin apenas ser conscientes del ruido del granizo golpeando cada vez más fuerte el tejado o de los rayos que, poderosos, recorrían el cielo e inundaban el desván con su fría luz blanca.

—Siento no haber podido darte la vida que tanto anhelábamos —continuó Harold—, no haber podido vivir grandes historias juntos ni haber podido cumplir todos nuestros sueños. Te merecías ser feliz.

Mary Rose abrazó a Harold.

—Nos merecíamos ser felices —susurró.

LAS DOS TORMENTAS

Harold y Mary Rose no tardaron en irse a dormir. No tenían hambre para cenar, simplemente se tomaron una de las pastillas para vencer el insomnio que el médico había recetado a la señora Grapes y se fueron a la cama. El ruido de la tormenta, que no parecía flaquear, llenaba cada una de las habitaciones vacías de la casa. Apenas se escuchaban sus respiraciones profundas o el tictac del reloj de péndulo del comedor.

A unos metros bajo su cama, el jardín de la casa de los Grapes estaba emblanqueciendo como si hubiera nieve. El granizo caía como balazos sobre los charcos y riachuelos que crecían por todo el jardín, mutilando las ramas secas de las cepas y destrozando las hortensias que con tanto ahínco cuidaba Mary Rose. Las profundas cicatrices que había abierto el rayo bajo los seis tensores se habían convertido en pozos de agua.

En el pueblo, el granizo también golpeaba todo lo que encontraba a su paso. Rompió los cristales de las ventanas desprotegidas, abolló la carrocería de los coches aparcados en la calle y picó la fruta madura que colgaba de los árboles. Solo los habitantes más mayores de San Remo podían recordar una tormenta tan fuerte como la que estaba azotando la isla

43

esa noche. Una tormenta que sucedió treinta y cinco años atrás, cuando la casa del acantilado aún no existía y los señores Grapes eran jóvenes y vivían en un diminuto apartamento de alquiler en el centro de San Remo, cuando Harold aún trabajaba en el astillero y Mary Rose, en una floristería. Tal y como había sucedido ese día, la tormenta que se había formado hacía treinta y cinco años empezó como una jornada radiante, en la que el perfume de las flores se escapaba por la puerta abierta de la floristería y embriagaba las calles de todo el pueblo.

—Llegas tarde —dijo una joven Mary Rose al ver entrar corriendo en la floristería a un niño de unos ocho años de edad—. Tu padre hace rato que te está esperando.

—Lo siento, mamá —respondió el chico, acercándose al mostrador.

El chico se llamaba Dylan, tenía el pelo alborotado, del mismo color castaño que su madre, y unos grandes ojos del mismo color azul intenso que su padre. Mary Rose dejó el ramo de flores que estaba preparando y salió de detrás del mostrador sonriendo.

—Ven aquí y dame un beso, hijo.

Dylan hizo una mueca. Eso parecía haberle disgustado más que la regañina, pero aun así se aproximó y acercó la mejilla a su madre.

—No quiero entretenerte más —dijo Mary Rose, volviendo al mostrador. Entonces se agachó y sacó una bolsa del estante que había bajo la caja registradora—. Aquí tenéis lenguado para cenar, ¿de acuerdo? —añadió, dándole la bolsa al niño—. Dile a tu padre que se lo coma todo, que sé que muchas veces utiliza el pescado que os preparo como cebo para los peces...

Dylan se sorprendió de que su madre conociera esa información. Cogió la bolsa y corrió de nuevo hacia la puerta.

—¿No te olvidas de algo? —dijo Mary Rose.

Dylan se giró frente a la puerta y vio que su madre sostenía un tarro de mermelada vacío. Al verlo abrió los ojos de par en par, corrió hacia ella, cogió el tarro y, dándole un último beso de despedida, salió finalmente a la calle.

—¡Hasta la noche, mamá! —gritó, mientras se perdía corriendo calle abajo.

El reloj de péndulo que había en el comedor de la casa del acantilado empezó a sonar. Las manecillas se movieron y marcaron las doce de la noche: el día que la carta de desahucio obligaba a los señores Grapes a abandonar la casa en la que habían vivido durante los últimos treinta y cinco años. Y justo cuando la última campanada dejó de sonar, el engranaje de casualidades que se había iniciado con la caída de aquel rayo comenzó finalmente a cobrar vida.

Un seco chasquido surgió de las seis brechas inundadas de agua y granizo que el rayo había abierto en cada una de las bases de los seis tensores e, inmediatamente, como si alguien hubiese tirado del tapón de una bañera, las balsas empezaron a vaciarse. Después de emitir un último gorgoteo, los hoyos quedaron completamente vacíos y dejaron al descubierto nuevas y profundas brechas. A continuación, emitieron otro crujido y, de manera casi imperceptible, unas finas grietas empezaron a expandirse a su alrededor, alimentadas por el agua torrencial que continuaba filtrándose a través de ellas. Las fisuras comenzaron a serpentear a lo largo del terreno y se unieron unas con otras al tiempo que avanzaban por ambos lados de la fachada principal. La tierra crujió y se resquebrajó mientras las grietas seguían avanzando y, poco a poco, iban rodeando la casa como un anillo de fuego.

Finalmente, las brechas toparon con el borde del acantilado y, tras una breve pausa, un fuerte crujido proveniente de las profundidades de la tierra sacudió los cimientos de la vivienda, reverberando por toda la colina hasta perderse a lo lejos, hasta el astillero, en el que, aquella tarde previa a la tormenta de hacía treinta y cinco años, Harold esperaba pacientemente la llegada de su hijo.

El tintineo del cristal de las fiambreras y el bote de mermelada alertó al joven Harold de la llegada de su hijo. Dylan corría con la gracia de un gato entre el río de hombres sudados que salían por las gigantescas puertas del astillero. La jornada laboral de todos los trabajadores finalizaba; también la de Harold, pero era entonces cuando comenzaba la otra: la que él y su hijo esperaban ansiosos durante todo el día. Dylan llegó raudo al muelle, donde su padre lo esperaba sentado en una pequeña barca repleta de tablones y herramientas de construcción.

—¡Siento llegar tarde, papá! —exclamó Dylan, al tiempo que saltaba dentro de la barca.

—No pasa nada —dijo Harold, alborotándole el pelo con sus fuertes manos.

—Creo que esta noche podremos pescar —terció el chico, mostrando la bolsa a su padre.

Harold se echó a reír y, sin perder más tiempo, empezó a remar. Lentamente dejaron los enormes diques secos en los que los barcos a medio construir esperaban a ser finalizados y se adentraron en el mar. No llevaban más de quince minutos remando cuando el astillero y el puerto de San Remo quedaron ocultos tras una alta pared de rocas, y entonces, frente a una pequeña cala, apareció otra construcción. Se trataba de otro astillero, mucho más antiguo y pequeño que el que se levantaba junto al puerto del pueblo. Era el viejo astillero, abandonado y olvidado por la mayoría de sus habitantes. Harold afirmó el cabo de la barca en una de las amarras oxidadas del muelle, sacó algunos de los tablones que transportaban y entraron en la desvencijada construcción.

Cada vez que cruzaba esas puertas, Dylan notaba cómo su pecho se engrandecía. No podía creer que estuviera ayudando a construir un barco, y menos uno que lo llevaría a él y a sus padres a cumplir su sueño. Llevaba casi dos años echando una mano a su padre, aprendiendo los entresijos de la construcción de barcos. Cada uno de los maderos que lo conformaban llevaba impresa su huella. Nunca había fallado a la cita, incluso con fiebre lo había acompañado, porque no quería perderse ni un momento de la construcción del barco que los llevaría lejos de aquella isla y les permitiría vivir en cualquier parte del mundo. Y entonces podría decir orgulloso: «¡Ese barco es nuestro hogar!».

—¿Cuánto tiempo crees que nos queda para terminarlo, papá? —preguntó Dylan.

Harold se abrochó el cinturón de herramientas y dijo:

—Aún hay mucho trabajo por hacer, hijo... Pero si seguimos a este ritmo y las velas llegan a tiempo, supongo que al final del verano podremos botarlo.

—¡Para eso solo faltan dos meses! —exclamó, saltando de alegría.

La lluvia seguía colándose en el terreno de los señores Grapes. Tras el temblor, las invisibles fisuras que se escondían bajo el lodo del jardín afloraron a la superficie y mostraron una línea que separaba el perímetro de la vivienda del resto del terreno.

La casa se estremeció de nuevo y el único barco embotellado que Harold aún no había embalado, la réplica de su velero, cayó de la mesa del taller. El tarro de mermelada que lo contenía golpeó con fuerza el suelo y el cristal se resquebrajó en una telaraña de diminutas fisuras.

Entonces, la agitación bajo los cimientos de la casa fue calmándose. Los vidrios de las ventanas dejaron de tintinear y las lámparas de mecerse. El estruendo exterior fue aplacándose a la vez que el granizo volvía a convertirse otra vez en lluvia. De nuevo, en el interior de la casa solo era audible el repicar de las gotas que el viento empujaba hacia las contraventanas. Pero un momento más tarde, justo cuando Harold se dio media vuelta en la cama, un crujido desgarró la calma: las fisuras habían llegado a las mismísimas entrañas del acantilado y entonces toda la casa empezó a separarse de la tierra.

Los seis tirantes de acero comenzaron a tensarse. En el interior de la casa, los primeros efectos de la inclinación del terreno se hicieron evidentes. Los cuadros que colgaban de las paredes formaban un ángulo cada vez mayor, las cajas de mudanza más ligeras resbalaban y el suelo, el techo y las paredes crujían como ramas secas a punto de romperse.

Un rayo retumbó por toda la isla y entonces uno de los tirantes que sujetaba la casa se soltó.

El viento proveniente del mar aumentó de intensidad y arrastró más nubes cargadas de lluvia y relámpagos sobre la oscura isla. Era el mismo viento huracanado que había empezado a soplar treinta y cinco años atrás, y trajo los primeros nubarrones de la tormenta y oscureció el interior del viejo astillero en el que el joven Harold y Dylan seguían trabajando sin percatarse de nada.

Harold llevaba un par de horas instalando los pasamanos de la cubierta mientras Dylan se entretenía en pulir la redondeada madera del mástil, que lucía altivo en el centro de la cubierta.

En medio de la penumbra que empezaba a cernirse, Dylan vio surgir una tenue luz amarilla entre los maderos de la popa del barco y sonrió. Sigilosamente se acercó a la bolsa que su madre le había preparado y en la que la cena seguía intacta, y cogió el tarro vacío. Entonces una gota cayó sobre el brazo de Harold. El señor Grapes miró desconcertado hacia el techo repleto de agujeros del astillero y, a través de uno de ellos, vio que el cielo se había encapotado.

—Creo que por hoy ya es suficiente, Dylan —dijo Harold, soltando el martillo sobre una pila de madera.

—¿Ya nos vamos? —se lamentó el muchacho—. ¡Pero si aún es muy pronto!

—Tenemos muchos días por delante, hijo... Se acerca una tormenta y no quiero que nos pille aquí.

—Son solo cuatro gotas, papá... Y, además, aún no ha oscurecido lo suficiente para poder atrapar alguna luciérnaga —dijo señalando la popa del barco con el tarro vacío que sujetaba en sus manos.

Harold miró hacia la dirección que marcaba su hijo y vio la amarillenta luz de las luciérnagas revoloteando entre las maderas. Suspiró y volvió a observar el cielo con preocupación.

—¡Una hora más y nos vamos!

El tirante de acero golpeó con un latigazo la fachada de madera y todo el terreno bajo la casa se estremeció, desarraigándose del resto del jardín y hundiéndose más de un metro.

El resto de tirantes continuaron ejerciendo fuerza y tensándose.

Unos treinta metros por debajo de la casa, las olas golpeaban con fuerza las porosas rocas del acantilado. Dos cables más se partieron.

Un grupo de rocas salieron despedidas de la enorme fractura bajo el acantilado y emitieron un suave chof al ser tragadas por las olas que lamían embravecidas su base.

En una de las embestidas del viento, el cuarto y el quinto tirante lanzaron por los aires los remaches que los habían mantenido unidos al jardín como si se tratasen de gigantescos tirachinas. Los sofás empezaron a deslizarse sobre la alfombra a lo largo de la pendiente en que se había convertido el suelo del salón. El peso de los muebles desequilibró aún más la casa y la línea horizontal de la vivienda cada vez se volvía más vertical. Parecía como si el mundo se hubiese congelado en ese preciso instante. Solo se oía el sonido de la lluvia contra las tejas rotas del tejado y las maderas de la fachada, el mismo sonido que había producido la lluvia al golpear los viejos maderos del astillero en el que Harold y su hijo habían estado trabajando aquella tarde, cuando las negras nubes de la tormenta que se había formado años atrás habían cubierto toda la isla bajo un lóbrego manto y los truenos se escuchaban cada vez más próximos.

—Ponte esto, Dylan —dijo Harold, dándole un viejo chubasquero amarillo diez tallas más grande.

—¿Y tú, papá?

—No te preocupes por mí, estoy acostumbrado a mojarme.

Corrieron hacia el muelle, guiados por la amarillenta luz de las luciérnagas que Dylan había atrapado en el tarro, mientras la lluvia caía sobre ellos con intensidad. El fuerte viento que traía el mar provocaba que la barca chocara una y otra vez contra los maderos de la pasarela, zarandeándola de un lado a otro con fuerza. Harold ayudó a subir a su hijo, prácticamente oculto bajo el gigantesco chubasquero, desató el cabo, saltó a la barca y, sin perder tiempo, empezó a remar.

A medida que la embarcación se alejaba de la cala, la lluvia y la oscuridad parecían querer devorarlos. Harold solo conseguía ver el fulgor amarillo del tarro iluminando el rostro de su hijo como un farolillo; sentía cómo su respiración se aceleraba y solo deseaba tener más fuerza en los brazos para llegar antes a tierra. Remaba sin descanso, abriéndose paso a través del negro oleaje, que una y otra vez golpeaba la barca de un lado a otro. Harold sabía que el trayecto era corto, pero, conforme iba remando, parecía ir cambiando de opinión. No conseguía hacer avanzar la embarcación. Cada vez veía la cala del antiguo astillero más pequeña y el puerto de San Remo, más lejos.

Entonces se dio cuenta de que había cometido un error: la corriente que se removía alrededor de la isla era demasiado fuerte y los alejaba de la costa. Aquella oscuridad los succionaba hacia alta mar. Harold notó que todo su cuerpo se tensaba y miró con preocupación a su hijo. Pero Dylan no parecía asustado. No era la primera vez que se montaba en una embarcación con un mar encrespado. Además, junto a su padre siempre se sentía seguro. Harold, en cambio, empezaba a estremecerse de pánico. Soltó uno de los remos, agarró el cabo de la barca y lo lanzó a los pies de su hijo.

—¡Agárrate a él con todas tus fuerzas! —gritó Harold, para hacerse oír entre el ruido de la tormenta.

Dylan hizo caso a su padre e, iluminado por la luz de las luciérnagas, le sonrió. Entonces, una ola golpeó el casco. La barca volcó y la luz desapareció, tragada por la oscuridad. Fue precisamente en ese instante cuando la maceta de hortensias resbaló de las manos de Mary Rose y se estrelló contra el suelo del pequeño apartamento, justo cuando supo que algo terrible había ocurrido.

Si algún habitante de San Remo se hubiese levantado de la cama, incapaz de conciliar el sueño por el estruendo de la tormenta, y hubiese mirado por la ventana hacia la finca de los Grapes, habría visto la imagen de algo rocambolesco: una casa de tres plantas inclinada treinta grados hacia el acantilado, congelada en esa posición como por arte de magia.

Pero no era magia lo que la mantenía en un equilibrio casi sobrenatural, sino el último cable de acero.

Solo el gorgoteo del agua cayendo en largas cascadas por el voladizo quebraba aquel tenso silencio.

En el interior de la casa, montones de cajas, sillas y muebles se amontonaban en pilas contra las paredes orientadas al precipicio. La única pieza de mobiliario que permanecía en su sitio era la robusta cama en la que Harold y Mary Rose seguían durmiendo. Nada parecía importunar el sueño en el que las potentes pastillas contra el insomnio los habían sumergido.

Un trueno reverberó sobre las colinas más cercanas a la casa y la tierra volvió a sacudirse de nuevo, e hizo que la tregua que mantenía todo en aquel precario equilibrio se rompiera. El único cable que ahora sostenía la casa empezó a vibrar violentamente y el viento desarraigó de cuajo el poste de electricidad que aún seguía unido al jardín.

Entonces uno de los filamentos de la gruesa trenza de acero se rompió. A los pocos segundos, otros filamentos siguieron su camino, deshilachándose, incapaces de soportar por más tiempo el titánico peso de la casa.

Si momentos antes aquel hipotético habitante se hubiese levantado y hubiera mirado por la ventana, seguramente habría podido llamar a la policía local y las autoridades habrían llegado justo a tiempo de sacar a Harold y a Mary Rose de su cama. Con toda seguridad, la vida de los señores Grapes habría seguido el rumbo que estaba marcado y los hechos que estaban a punto de acontecer habrían acabado de manera muy diferente. Pero nada de eso ocurrió.

El último trozo de tierra que sostenía la casa se desprendió del resto del acantilado. El cable no pudo resistir por más tiempo el peso y finalmente saltó por los aires. Un instante más tarde, la casa de los Grapes, junto al pedazo de jardín que anclaba sus cimientos, empezó a desplomarse en caída libre hacia el encrespado mar. El choque contra el agua fue brutal, y a continuación la oscuridad de la noche lo cubrió todo, una oscuridad tan tenebrosa como la que sintió el joven señor Grapes al volcar la barca y caer al agua.

Harold apenas tardó cinco segundos en emerger de nuevo a la superficie, pero Dylan ya no estaba ahí. Con los pulmones anegados de agua intentó gritar, mirando hacia todos los lados, pero a su alrededor no veía nada más que negrura. Consiguió agarrarse a uno de los tablones que habían caído de la barca, pero no veía rastro de la embarcación ni de su hijo.

—¡Dylaaan! ¡Dylaaan!

Harold se soltó del tablón que lo mantenía a flote y empezó a nadar. Su cuerpo subía y bajaba al son de las olas, que lo golpeaban y hundían bajo helados abrazos. Gritó el nombre de su hijo de nuevo, pero allí no había nadie más que él, su voz no llegaba mucho más lejos que su vista. Se sumergió, moviendo brazos y piernas convulsivamente, con la esperanza de que en algún momento notaría el roce del cuerpo de su hijo. Nada.

Solo oscuridad.

Harold apenas podía respirar. Las olas le golpeaban la cara y poco a poco el agua salada iba encharcando sus pulmones, fatigados de tanto gritar. Se ahogaba. Perdía la consciencia. Cerró los ojos y se dejó tragar por la oscuridad del mar, para estar junto a su hijo.

En el momento en que su cabeza empezaba a hundirse, una luz amarilla lo deslumbró. Frente a sus ojos vio el tarro de mermelada repleto de luciérnagas, que chisporroteaban moribundas. Harold lo agarró con fuerza y volvió a la superficie. Entonces la luz se intensificó hasta cegarlo. Era un foco, el foco de un pesquero. Harold sintió su cuerpo ingrávido y cómo unos fuertes brazos lo agarraban y lo posaban sobre el suelo de la cubierta. Empezó a gritar de nuevo el nombre de su hijo, sacudiéndose y sin soltar el tarro de cristal, que lentamente se apagaba, sollozando y forcejeando con aquellos hombres, que se abalanzaron sobre él para evitar que saltase de nuevo al agua.

Los pescadores hicieron todo lo que pudieron para encontrar al niño, pero no hubo nada que hacer: nunca hallaron su cuerpo.

Aquel día se apagó la luz que había guiado la vida de los señores Grapes. Nada por lo que habían luchado tuvo sentido a partir de entonces. El dolor los sumió en un pozo de oscuridad infinita en la que ellos mismos estuvieron a punto de ahogarse. Todo quedó enterrado en los cimientos de una casa que construyeron a partir de sus sueños rotos y de los maderos de un barco que nunca llegó a zarpar. A partir de lo único que les quedó de él.

EL AMANECER

A través de los maderos rotos de una de las contraventanas se colaba un rayo de mortecina luz solar. Centenares de motas de polvo se arremolinaban a su alrededor, livianas, acompañando su trayectoria hasta caer sobre los fragmentos de cristal, porcelana y madera que llenaban el estanque de agua en el que parcialmente se sumergían.

El rayo de luz incidió sobre el grueso cristal del pie de una copa rota; lo atravesó como un prisma y su luz se dividió en un abanico de colores que tiñeron el agua y que rebotaron en la superficie pintando el aire.

Una mota de polvo avanzó a través del arcoíris, atraída por una acompasada brisa que la adentraba poco a poco en las tinieblas. Todo a su alrededor se iba diluyendo bajo un manto húmedo y lúgubre. Hojas de papel se hundían en el agua como morenas escondiéndose entre rocas de cartón y madera, mientras miles de gotas repiqueteaban la pátina de oscuros reflejos por la que la delicada brizna de polvo sobrevolaba.

Un remolino de aire la levantó, rozó suavemente las astillas puntiagudas de un barrote tronchado y avanzó a través de los escalones como si tuviera vida propia.

Su ingrávido cuerpo sobrevoló el último escalón y siguió subiendo hasta acariciar el techo. Rebotó y se posó sobre la fría cadena de metal que colgaba del techo sin su lámpara, que, descuajada, reposaba en el suelo. Un débil bamboleo meció la cadena y la mota de polvo se deslizó hasta posarse con delicadeza en la tarima del suelo. La corriente de aire la capturó de nuevo y la arrastró hacia el negro resquicio de una puerta.

La cruzó y, al otro lado, la oscuridad era total. La corriente de aire apenas llegaba allí y poco a poco la fuerza que atraía a la mota de polvo redujo su influencia hasta liberarla por completo. Empezó a descender y con delicadeza se posó sobre la punta de algo carnoso.

Entonces, Mary Rose estornudó.

La señora Grapes abrió los ojos, pero al hacerlo no notó ninguna diferencia. Toda la habitación se encontraba bajo el opaco manto de la penumbra. Se sentía mareada y desorientada. Suspiró y en ese momento oyó un fuerte golpetazo que la sobresaltó. Mary Rose alargó la mano en busca del interruptor de la lámpara de su mesilla de noche, pero a su alrededor solo notó el vacío. No sabía qué hora era, pero estaba segura de que el despertador no había sonado. Un momento más tarde escuchó de nuevo el sonido. No tenía duda de que lo que oía eran golpes en la puerta principal.

—Harold, despierta...

Otro golpe retumbó por las escaleras. Mary Rose sacudió con más insistencia a Harold.

—¡¿Pero qué pasa?! —dijo el señor Grapes, dando un bote en la cama.

—¡Creo que nos hemos dormido! Los de la mudanza están abajo llamando a la puerta.

—¡¿Qué?! ¡Pero si el despertador no ha sonado!

—No lo habremos escuchado. ¡Esas pastillas son demasiado fuertes!

Harold se sentía torpe, tan torpe que tampoco conseguía dar con la luz de su mesilla de noche.

—Estoy seguro de que dejé la linterna sobre la mesilla... —dijo, palpando la oscuridad.

Bajó el brazo y palpó el suelo al lado de la cama. Se sorprendió al notar que estaba repleto de ropa.

Al igual que Mary Rose, el señor Grapes se sentía confuso, aún entre el sueño y la vigilia. Siguió palpando el suelo y en una de las pasadas su mano chocó contra algo duro.

—¡Aquí está! —anunció Harold, incorporándose en la cama.

Volvieron a sonar varios golpes contra la puerta.

—¡Ya va! —gritó la señora Grapes—. ¡Venga, enciende la luz y bajemos, porque a este paso echarán la casa abajo antes de tiempo!

Harold le dio al botón de plástico y un amarillento rayo de luz artificial salió de la linterna iluminando las sábanas. Giró el haz hacia la puerta de la habitación y la luz reveló la realidad que se escondía bajo el velo de oscuridad.

Mary Rose quiso decir algo, pero sus palabras quedaron ahogadas. No podían creer lo que estaban viendo. La habitación estaba completamente patas arriba. Las mesillas de noche, los cajones, el contenido de la cómoda, las lámparas, el espejo, las cajas de cartón... Todo estaba esparcido, amontonado y medio enterrado entre la ropa. Solo su cama y el armario empotrado permanecían en su lugar.

—No entiendo nada... —dijo Mary Rose con un hilo de voz.

Entonces algo más distrajo a Harold.

—¿Qué es ese zumbido? —preguntó.

Harold se levantó de la cama y, sorteando el tapiz de ropa y objetos esparcidos por todo el suelo de la habitación, se encaminó hacia el punto de donde procedía el ligero silbido intermitente que escuchaba.

—No puede ser... —dijo Harold, agachándose para recoger algo entre los bultos de ropa—. No ha fallado. El despertador marca las siete de la mañana. Aún faltan dos horas para que lleguen los de la mudanza...

—¿Pues quién está golpeando la puerta de esa forma?

—Quédate aquí, voy a bajar a ver qué está pasando.

—¡No, no! ¡Yo bajo contigo!

Al salir de la habitación vieron cómo todo el pasillo se camuflaba bajo la misma oscuridad que la habitación. El haz de luz de la linterna iba revelando un camino lleno de destrucción. Trozos de cristal y astillas de madera marcaban los lugares donde los cuadros se habían estrellado contra el suelo. A medida que iban avanzando hacia la tenue luz que se filtraba por el hueco de la escalera, los porrazos contra la puerta se hacían más insistentes.

A pocos escalones de llegar al recibidor, Harold se detuvo. Algo no encajaba en todo aquello. Nadie estaba llamando. La puerta estaba ligeramente abierta, golpeando una y otra vez contra el marco de madera.

No encontraba ninguna explicación. Al igual que en su dormitorio, la pequeña consola de madera del recibidor yacía arrinconada contra algunas cajas de cartón volcadas, ropa y vidrios. Pero al seguir descendiendo vieron algo que aún los inquietó más. Todo el suelo de la entrada estaba cubierto por grandes charcos de agua.

Un ruido procedente de la cocina les hizo desviar la atención.

—Creo que hay alguien en la cocina, Harold... —balbuceó Mary Rose.

El señor Grapes sacó la cabeza por encima del pasamanos e intentó escudriñar algo a través de la oscuridad del pasillo, pero no consiguió ver nada, y usar la linterna para averiguarlo le parecía demasiado arriesgado. Solo se le ocurrió una solución.

—A la de tres salimos corriendo hacia la puerta, ¿de acuerdo? Uno...

—¿Estás loco...? ¿Y si nos ven?

—Dos...

Varias ollas cayeron en el suelo de la cocina con gran estrépito.

—¡Tres!

Harold agarró a Mary Rose del brazo y, dejando caer la linterna sobre el último escalón, salieron disparados hacia la puerta principal. Esta se abrió de un golpetazo y, sin mirar atrás, corrieron fuera por el entarimado del porche. Un instante antes de bajar los tres escalones que descendían hasta el jardín, los señores Grapes tuvieron que frenar en seco para no caer al agua.

Y AHORA, ¿QUÉ HACEMOS?

Agarrados a la barandilla del porche y sin apenas atreverse a respirar, Harold y Mary Rose miraban perplejos el mar que se extendía frente a ellos. Su jardín repleto de hortensias, el camino de grava, el acantilado, San Remo... Todo había desaparecido. Frente a ellos solo había agua, kilómetros y kilómetros de mar que se fundía como una acuarela con el plateado cielo temprano.

—¿Qué ha... pasado? —tartamudeó Mary Rose.

Harold la miró sin saber muy bien qué decir. Su cara estaba lívida y sus ojos, llenos de terror e incredulidad, apenas cabían en sus cuencas. Nada de lo que veía tenía sentido para él. Su cerebro se empeñaba en oponerse a lo que percibía, pero las sensaciones que estaba experimentando eran demasiado reales: la brisa marina llenando sus pulmones, el calor del sol naciente en sus frías mejillas y el vaivén de la tarima bajo sus pies.

—Nada de esto puede ser real, Harold... —dijo la señora Grapes, dando un paso atrás.

Mary Rose sintió que el aire apenas llegaba a sus pulmones, todo su cuerpo parecía oponerse a la realidad que se extendía frente a ella.

—Creo que sigo dormida. O tal vez he perdido finalmente la cabeza...

—No seguimos durmiendo, Rose. Ni tampoco creo que nos hayamos vuelto locos.

—¿Pues entonces cómo explicas todo esto? —añadió, señalando el horizonte—. ¿Cómo se supone que hemos llegado hasta aquí?

Harold fijó su atención en el chapoteo del agua que rodeaba el porche. Calculó que no había más de medio metro de anchura de roca, salpicada de charcos de agua y manchas verduscas de césped.

—El acantilado... —dijo Harold.

—¿Qué?

—El acantilado se rompió. Nosotros caímos con él, Rose.

—Tiene que haber otra explicación, Harold. Nada sobreviviría a algo así.

Harold miró los tres escalones que antiguamente conectaban el porche con el jardín. Dio un paso adelante y, mientras bajaba el primero de ellos, notó cómo la madera chirriaba bajo su peso.

—¡¿Qué haces?! —gritó Mary Rose.

Harold dio otro paso y miró de nuevo el fragmento de jardín. Sintió un escalofrío al imaginar la insondable profundidad que se abría a pocos centímetros de él. Una parte de su mente le decía que volviera atrás, que regresara al porche junto a Mary Rose. No estaba seguro de lo que hacía, de si aquella porción de roca aguantaría su peso, pero, aun así, dio un paso más y pisó la tierra.

—¡Harold, por favor! No es seguro. ¡Caerás al agua! —gritó, histérica, Mary Rose.

Harold se giró en su dirección y la miró.

—No estés asustada.

—¡No lo estoy!

—Sí lo estás.

—Muy bien, estoy asustada, ¿qué otra cosa puedo hacer? —dijo, mirando a su alrededor mientras levantaba teatralmente los brazos.

—Si queremos encontrar respuestas, tenemos que buscarlas —añadió, tendiéndole la mano.

Mary Rose se agarró con fuerza al brazo de Harold y, al pisar el fragmento de tierra, cerró los ojos durante una fracción de segundo. Temía que en cualquier momento la roca cediera bajo su peso y cayeran al agua. Pero nada de eso ocurrió.

Harold caminó con pasos cortos a lo largo del margen de fangosa y resbaladiza roca. Mary Rose seguía sus pasos intentando no dar ningún traspiés. No podía dejar de mirar con recelo el oscuro azul que quedaba a escasos centímetros de sus pies y se perdía en un abismo infinito.

Al llegar a la primera esquina, Harold miró al otro lado y se sorprendió al ver que el margen de roca se ensanchaba por ese lado de la fachada. Mary Rose se relajó un poco y el brazo de Harold lo agradeció.

Maderas amarillas de la fachada y fragmentos de teja se esparcían por todo el margen de tierra. Harold miró hacia arriba y vio que uno de los tirantes de acero descendía del tejado partido por la mitad, meciéndose por la brisa marina. El vello de la nuca se le erizó al pensar en la descomunal fuerza que habría tenido que soportar aquel cable para partirse como una simple cuerda. Con cuidado siguieron avanzando, sorteando otro de los tensores que descendía del tejado hasta sumergirse en las profundidades del agua.

Al llegar a la siguiente esquina, justo delante del porche trasero, la pasarela de tierra se estrechaba de nuevo. Y, al igual que en los otros lados, frente a ellos solo se extendía agua y más agua. No había rastro de la isla ni de ninguna otra línea costera. Solo el mar.

Giraron la última esquina antes de volver al punto de inicio y entonces Harold se detuvo en seco. En ese lado de la fachada el margen de tierra era aún mayor. Era el único lugar que todavía mantenía algo del antiguo esplendor de su jardín y en él se apiñaban cuatro yermas cepas y tres hortensias mustias.

Mary Rose soltó el brazo de Harold y se acercó a las hortensias. Les quitó los fragmentos de teja que aplastaban algunas de las flores, pero sabía que poco podía hacer por aquellas plantas si seguían enraizadas en una tierra empapada de salitre.

—¿Cómo es posible que la casa aguantara una caída de esa envergadura? —preguntó Mary Rose, incorporándose—. Y más aún, ¡¿cómo es posible siquiera que sigamos vivos?!

Harold se acercó al límite de tierra e intentó escrutar la profundidad en la que la roca se sumergía en el agua.

—La pregunta que más me inquieta es otra... —murmuró Harold.

—¿Cuál?

—¿No es evidente? —dijo, agachándose para palpar la roca—. ¿Cómo es posible que la casa pueda flotar?

Justo en ese momento un borbollón de aire y espuma surgió del agua que había frente a ellos. La casa retumbó como si de nuevo volviese a estar colgada del acantilado y Harold, que aún seguía muy cerca del agua, perdió el equilibrio. Consiguió agarrarse a un saliente de roca justo antes de caer. Notó cómo la punta de la piedra le cortaba la carne de la mano izquierda y un dolor agudo le atravesó el espinazo. La sangre empezó a brotar del corte instantáneamente, se deslizó por la piedra y salpicó el agua de rojo.

Mary Rose se acercó a Harold tan rápido como pudo y lo atrajo hacia ella.

—¡Estás herido! —dijo Mary Rose al verle la sangre.

—Solo es un corte superficial.

—¡No es solo un corte, Harold! —exclamó Mary Rose, cogiéndole el brazo para examinarle la mano.

Harold podía sentir el corazón palpitando directamente en el profundo y descarnado corte que se abría en la palma de su mano. La sangre empezó a resbalar por su muñeca y manchó el pijama que llevaba Mary Rose.

—Aprieta la herida con fuerza. Tenemos que entrar a curarte esto.

Caminaron hasta la última esquina y llegaron de nuevo al porche delantero. Justo cuando empezaban a subir las escaleras otra sacudida removió toda la casa. Más burbujas y espuma se arremolinaron alrededor del margen de tierra como si el agua estuviera hirviendo.

Harold tuvo un mal presentimiento.

—¡Tenemos que bajar al sótano! —dijo.

—Primero tengo que detenerte la hemorragia de la mano.

—¡No sé si hay tiempo para eso, Rose!

Harold abrió la puerta y entraron de nuevo en la oscuridad de la casa. Con la mano que no tenía herida cogió la linterna del suelo y se abrió paso entre las cajas, muebles, cristales y agua del recibidor para llegar frente a la puerta medio abierta del sótano. Mary Rose llegó a su lado, le cogió la linterna y la encendió. Harold empujó la puerta y empezaron a bajar.

Solo la tenue luz que se colaba por la puerta principal llegaba a iluminar los primeros escalones que llevaban al sótano. Los escalones estaban mojados y resbaladizos, y el olor a salitre subía por el hueco como si estuvieran frente al mar.

Al llegar a medio tramo de la escalera, tuvieron que detenerse. Un escalofrío les recorrió el cuerpo al notar el agua fría en los tobillos. A partir de ese punto todo el sótano yacía sumergido bajo el agua.

—¿Nos estamos hundiendo? —preguntó Mary Rose.

—Creo que sí.

Nos hundimos

Libros, electrodomésticos, pedazos de madera, cajas de mudanza... Los cientos de objetos que normalmente abarrotaban el sótano ahora flotaban sobre la oscura superficie de agua verdusca que mantenía media habitación sumergida.

—Tenemos que encontrar el punto por donde se está colando el agua —dijo Harold.

Acto seguido, cogió la linterna de la temblorosa mano de Mary Rose y empezó a escrutar la sombría agua en busca de alguna corriente que le pudiera dar una pista del lugar por el que entraba el agua.

—Con tantas cosas flotando en el agua es imposible ver nada... Tenemos que despejar la superficie.

Harold bajó un par de escalones más y el agua le cubrió las rodillas. Una punzada de dolor le atravesó la palma cuando la mano entró en contacto con el agua salada. Apretó con todas sus fuerzas los dientes y cogió aire; sabía que no había tiempo que perder. Alargó el brazo y empezó a coger los objetos más cercanos a él. Maderos, botes de pintura vacíos, cajas de cartón deshechas, papeles manchados de tinta corrida... Harold iba cogiendo cada una de esas cosas y se las daba a Mary Rose, que, rápida, subía las escaleras para dejarlas en el suelo del recibidor.

A medida que la zona cercana a las escaleras quedaba despejada, Harold pudo adentrarse más y bajar los tres escalones que aún le quedaban para llegar al final del sótano. En el momento en el que el agua helada le cubrió la cintura notó cómo se quedaba sin aire. Se detuvo un par de segundos y continuó avanzando por el abarrotado pantano repleto de objetos hundidos.

Finalmente, la superficie del agua quedó despejada y, empapado de agua hasta la cintura, Harold emprendió el viaje de vuelta a las escaleras cargado con el último de los objetos, una pequeña bota de vino vacía.

Pero antes de empezar a subir los escalones, un nuevo temblor sacudió la casa. El agua comenzó a removerse alrededor de Harold, calándolo de arriba abajo, mientras un gran borbollón de burbujas se esparcía por todo el sótano.

—¡Corre, dame la mano, Harold! —dijo Mary Rose, entrando también en el agua.

La bota resbaló de las manos de Harold y se alejó, atraída por el borboteo y la espuma del lago en que se había convertido el sótano.

Harold y Mary Rose se agarraron con fuerza de la barandilla y, completamente empapados, subieron los cinco escalones que los separaban del agua. Ahora seis. Ahora siete. El nivel del agua no dejaba de subir, escalón a escalón, e iba sumergiendo lentamente el sótano. Finalmente, la vibración y las burbujas se detuvieron y con ellas también el avance de la inundación.

Mary Rose no podía dejar de tiritar, ya no sabía si era por la ropa mojada o por el terror de ver cómo se hundían. Harold apenas notaba el frío; se miró la mano y vio que aún sangraba. Con la mano que le quedaba libre presionó la herida e inspiró para concentrarse en lo primordial, detener la fuga de agua.

—No podemos perder más tiempo —dijo Harold, bajando de nuevo un escalón.

Pero en ese momento se quedó paralizado. Harold cogió la linterna e iluminó la bota de vino que le había caído de las manos y que ahora flotaba en el centro del sótano. El agua había quedado de nuevo en calma; solo un ligero vaivén rompía la superficie lisa, justo el vaivén que mantenía el pequeño tonel a medida que avanzaba arrastrado por una fuerza invisible.

—¡¿Lo ves?! —exclamó el señor Grapes, señalando la bota, que se acercaba hacia ellos.

—¿Qué es lo que tengo que ver? —preguntó Mary Rose, sin perder de vista el recipiente.

—Fíjate, hay una corriente que está empujando la bota hacia aquí. Eso significa que la fuga de agua proviene del lado opuesto. —Harold movió el foco de luz siguiendo la trayectoria y añadió—: Justo detrás de la lavadora.

Bajaron los escalones y avanzaron con el agua por el pecho hacia el tándem que formaban la secadora y la lavadora. Harold se puso a un lado y Mary Rose al otro.

—A la de tres empujamos, ¿de acuerdo? —dijo Harold.

Mary Rose asintió mientras sumergía las manos y situaba sus engarrotados dedos tras la pared de la lavadora.

—Una... dos... ¡tres!

Con todas sus fuerzas empujaron hacia delante, pero apenas consiguieron moverla un par de centímetros.

—¡Otra vez! —ordenó el señor Grapes.

Volvieron a empujar y esta vez la torre lavadora-secadora fue despegándose poco a poco de la pared. Mary Rose sentía cómo sus flácidos músculos ardían, apenas notaba un ápice del frío del agua.

—¡Un poco más!

Harold apoyó un pie contra la pared y con el último tirón los electrodomésticos quedaron finalmente separados.

Sin perder tiempo para recuperar el aliento, Harold se deslizó tras el hueco y se agachó para tantear la pared. Solo la cabeza se mantenía fuera del agua, pero, por más que buscase, no conseguía encontrar nada fuera de lo común.

Con la linterna en la mano, Mary Rose no pudo evitar fijarse en el chapoteo que hacía el agua, que lenta, pero incesantemente, iba subiendo de nivel.

—Voy a sumergirme —dijo el señor Grapes.

Harold cogió una gran bocanada de aire y un momento después desapareció. Mary Rose se acercó más, enfocando la zona con la linterna, pero el haz de luz apenas llegaba a penetrar unos centímetros bajo el agua.

Pequeñas burbujas de aire salían a la superficie mientras Mary Rose miraba ansiosa la desenfocada silueta de Harold bajo la turbia agua.

Sin apenas ver nada, Harold tocó el suelo repleto de escombros y empezó a palpar la zona que se unía con la pared. Al hacerlo, una corriente de agua fría le heló la cara. Alargó los dedos y encontró un orificio sobre el rodapié. Un agujero redondo en el que le cabían más de cuatro dedos. Al tocarlo, unas cuantas piedrecitas se desprendieron de la porosa pared de roca y salieron despedidas hacia la superficie por la incesante corriente de agua.

Harold notó cómo los pulmones empezaban a quemarle y salió a coger aire.

—¿Has encontrado algo? —preguntó Mary Rose.

—Creo que sí —dijo, intentando recobrar el aliento—. Hay una grieta justo encima del rodapié. No es muy grande, pero creo que se está ensanchando.

Mary Rose se mareó. Con la linterna enfocó la escalera y, horrorizada, se dio cuenta de que el nivel del agua había subido otro escalón más.

—Harold, no quiero presionarte, pero el agua sigue subiendo...

—Tenemos que taponar el agujero como sea.

Lo primero que hicieron fue sacar los tablones que cegaban los ojos de buey. La luz inundó el sótano y finalmente pudieron ver la envergadura real de la inundación.

Sin perder tiempo, empezaron a buscar en medio del agua la caja de herramientas de Harold. Mary Rose la encontró bajo la tela rasgada de la cortina de la despensa.

Harold cogió un puñado de clavos, que se metió en el bolsillo, y le dio el martillo a Mary Rose. Cogió las tablas que habían sacado de las ventanas y se acercó a la pared.

—Dame el martillo cuando esté abajo, ¿de acuerdo?

Mary Rose no tuvo tiempo de responder, pues Harold ya se había sumergido.

Harold palpó de nuevo la zona hasta encontrar el agujero. Unas cuantas piedrecillas le rozaron la cara. Agarró el tablón y lo puso encima. Rebuscó en su bolsillo y sacó un clavo. Un momento después notó el brazo de Mary Rose con el martillo. Lo sujetó y empezó a golpear la cabeza del clavo.

Harold había remachado miles de tablones en su vida, pero nunca lo había hecho bajo el agua. El martillo se movía pesado, sin apenas fuerza. Cada golpe que daba retumbaba en su cabeza y sus pulmones iban quedando más vacíos de oxígeno. No pudo aguantar más y salió a la superficie. El tablón se soltó.

—Dime, ¿qué puedo hacer para ayudarte? —preguntó Mary Rose.

—Intenta apretar el tablón contra la pared con el pie.

Volvió a sumergirse con el tablón y el martillo. Esta vez no le costó ningún esfuerzo encontrar el agujero. El pie de Mary Rose apareció por su lado y empujó la madera que acababa de asentar. Harold cogió otro clavo y empezó a martillear.

Esta vez notó cómo la punta de acero penetraba la madera. Finalmente percibió una resistencia más dura: había llegado a la roca. Salió fuera durante un segundo para coger aire y volvió a hundirse. Con ímpetu, siguió martilleando; apenas le quedaban un par de golpes para fijar el clavo a la pared cuando la madera empezó a vibrar y un gran hervidero de burbujas comenzó a colarse a través de los bordes del madero como una olla a presión. La tabla salió despedida con furia, rozando la cara de Harold con uno de sus astillados cantos. Subió de nuevo a la superficie.

—¡He intentado apretar con todas mis fuerzas, Harold, pero era inútil! —dijo Mary Rose.

Bajo sus pies, los cimientos retumbaban con violencia. El agua empezó a entrar descontroladamente, sumergiéndolos en un remolino de escombros que los golpeaba sin piedad. Entonces un fino chorro de agua empezó a caer también sobre sus cabezas. Miraron hacia arriba y vieron que en el exterior el agua cubría la mitad del cristal de los ojos de buey.

—¡No podemos esperar más! —gritó Harold.

Se zambulló de nuevo. Mary Rose lo perdió de vista.

Harold sujetó la tabla, pero con el martillo en la otra mano no conseguía mantener fija la posición. Centenares de piedrecillas le rozaron la cara mientras el incesante burbujeo le trepanaba los oídos. De repente notó algo que se removía a su alrededor y un momento después una presión mantuvo la tabla en su lugar. Mary Rose se había sumergido junto a él y apretaba la tabla contra la pared con todas sus fuerzas.

Harold buscó un clavo en sus bolsillos. No encontró ninguno. Desesperado, empezó a palpar por el suelo. Ni siquiera advirtió que un cristal se le había clavado en la herida de la mano.

Mary Rose pataleaba para mantener la presión de la tabla, pero cada vez le faltaba más el aire.

Harold estaba a punto de desistir cuando rozó un montón de clavos con la mano. Los cogió y colocó uno sobre la tabla. Agarró el martillo y empezó a golpear con fuerza. Apenas notaban el repiquetear de cada uno de los golpes con el estruendo de las burbujas zumbando en sus orejas. Más piedras salieron despedidas.

Harold consiguió fijar el duro clavo de acero. Dejó el martillo a un lado y tocó a Mary Rose para que subiera a la superficie.

Tardaron en emerger y, cuando lo hicieron, sus cabezas chocaron contra las duras vigas del techo.

No tuvieron que decirse nada. Antes de volver a zambullirse, Harold y Mary Rose se miraron durante un par de segundos, como si supieran que esa podía ser la última vez que lo hicieran.

Tomaron aire y bucearon de nuevo al lado de la tabla. Las burbujas y las piedras seguían colándose a través del lado que no habían fijado. Mary Rose volvió a presionar la tabla y Harold cogió el martillo y empezó a clavar uno a uno los cuatro clavos que sujetaba en la mano como valiosas pepitas de oro. Poco a poco el acero fue hincándose en la roca hasta que las burbujas desaparecieron.

Volvieron a emerger y se miraron sonrientes. Nadaron hacia las escaleras escuchando el sonido de los maderos de la casa retumbando, como quejándose de dolor. Llegaron al hueco de la puerta, subieron los tres peldaños que aún se mantenían secos y recobraron el aliento.

La otra voz

Harold y Mary Rose llevaban horas achicando agua del sótano. Era como intentar vaciar el propio mar con la ayuda de un dedal. Apenas se atrevieron a hablar hasta que no vieron que el nivel empezaba a bajar paulatinamente, centímetro a centímetro, escalón a escalón. A la vez que el agua, la luz también era cada vez más escasa; el mediodía dio paso a la tarde y la tarde a la noche y, sin casi darse cuenta, la oscuridad del mar empezó a envolverlos con su silencio.

—Creo que por hoy ya no hay más que hacer... —dijo Harold casi sin aliento.

Mary Rose permaneció unos segundos mirando el agua negra con el balde en los brazos. La mitad del sótano aún quedaba sumergida, pero su angustia parecía haber disminuido. Sabía que, si habían conseguido mantenerse a flote con todo el sótano inundado, ahora que había menos cantidad de agua deberían seguir haciéndolo. Mary Rose miró a Harold y sin mediar palabra empezaron a subir. Cada paso que daban les recordaba la infinidad de viajes que habían hecho acarreando agua, notando cada una de las fibras de los músculos de sus piernas, de sus brazos y de su espalda. Mary Rose apenas tenía fuerzas para seguir sosteniendo por más tiempo el barreño; nunca había sentido un dolor tan intenso en los riñones como en ese momento. Harold también lo notaba, pero no era nada comparado con el dolor en su mano, un dolor acumulado que le abrasaba el corte de blanquecina sangre, cristalizada por la sal.

Al llegar al vestíbulo, se detuvieron sin saber muy bien adónde ir o qué hacer. A su alrededor difícilmente podían ver nada que siguiera en su sitio o que permaneciera intacto. Hasta entonces no se habían dado cuenta de lo destrozada que estaba la casa.

Con los pies empapados y guiados por la linterna, empezaron a avanzar con la esperanza de hallar un sitio donde poder descansar. Entraron en el salón, pero en él descubrieron una montaña de sillas rotas, cajas de cartón, libros y cortinas rasgadas por los cristales rotos. Ninguno de ellos se vio con fuerzas suficientes para apartar el aparador, que enterraba el preciado sofá.

La imagen del comedor tampoco era alentadora: toda la cristalera frontal de la vitrina estaba hecha añicos después de empotrarse contra la pared; bajo sus astillas y cristales se amontonaban las sillas, pero ninguna de ellas conservaba las cuatro patas, así que siguieron arrastrando los pies hasta la cocina.

En medio del caos de vajillas hechas añicos, charcos de agua, muebles destrozados y electrodomésticos, Mary Rose encontró el taburete que normalmente utilizaba para llegar a los estantes más altos de la cocina. Soltó el barreño y se dejó caer en él. Harold también soltó su balde y se alejó con la linterna. Con cierta desesperación, comenzó a rebuscar entre los escombros algo que beber. Al encontrar la garrafa de agua, comprobó que apenas quedaban un par de centímetros. Se acercó a Mary Rose y vio que a su lado yacía tumbado el viejo mueble transistor. Harold apartó los escombros que cubrían la superficie, se sentó sobre él y dejó la linterna de pie en el suelo. El pequeño cañón de luz se esparció por el techo y la estancia quedó ligeramente iluminada. Solo era audible el ligero tintineo de algunas ollas y el crujir de la madera bajo sus acompasadas respiraciones.

—Toma —dijo Harold, tendiéndole la garrafa a su esposa.

Mary Rose cogió la garrafa con esfuerzo. Miró el exiguo líquido y dio un pequeño sorbo, lo justo para mojarse los labios, y se la devolvió a Harold, que con un rápido gesto apuró hasta la última gota.

—Mañana bajaré al sótano y la llenaré con el agua del depósito —dijo Harold.

Mary Rose asintió; apenas era capaz de hablar. Harold suspiró. Hasta ese momento no se había dado cuenta de lo demacrado de sus propias caras, en sintonía con los destrozos de la casa. El recogido de Mary Rose era un batiburrillo y su pijama estaba húmedo y manchado de sangre de la mano de Harold.

Dejó la garrafa vacía en el suelo y entonces algo captó su atención. En uno de los barreños había algo flotando sobre el dedo de agua que contenía. Harold cogió el balde y se lo puso sobre las rodillas, y en ese instante sintió cómo su corazón medio muerto por el cansancio empezaba a palpitar con descontrol.

—No es posible... —dijo, ensimismado.

—¿Qué sucede? —susurró Mary Rose, inquieta.

—Creo que ya sé por qué no nos hemos hundido... —contestó Harold.

Mary Rose observó con extrañeza a Harold y, a continuación, desvió la mirada hacia el interior del balde que su marido contemplaba con asombro. Allí solo vio restos de agua y algunas piedrecillas que se habían desprendido del agujero de la pared. Por mucho que se esforzaba, no encontraba el sentido a las palabras de Harold.

—Aquí solo hay piedras y agua, Harold...

—Así es —dijo, mirando fijamente a su esposa—. ¿Conoces el origen de la isla de Brent?

Mary Rose aún se sintió más confundida con esa pregunta. Empezaba a sentirse demasiado embrollada por el cansancio y por las preguntas crípticas de su marido.

—¿Eso qué tiene que ver con que la casa pueda flotar? —preguntó Mary Rose, algo irritada.

—Pues todo, o al menos eso creo. —Hizo una pausa y continuó—: La isla de Brent es de origen volcánico. La colina que hay en el centro de la isla es un volcán extinto. El mismo acantilado no es más que el resultado de capas y capas de lava ardiente sedimentada y erosionada.

—Sí, eso ya lo sabía, por eso siempre se ha dicho que las tierras de San Remo son tan fértiles.

—Pero además de su fertilidad... —prosiguió, sacando las piedrecillas del agua— la piedra volcánica tiene la característica de acumular burbujas de aire petrificadas en su interior, y eso le confiere una cualidad mucho más particular...

Entonces inclinó el balde para que toda el agua se acumulara en un rincón y lanzó las piedras sobre ella.

—¡Están flotando! —exclamó, asombrada al ver cómo las piedras navegaban sobre el diminuto mar.

—¡Exacto!

—¿Estás diciendo que la roca que envuelve el sótano y sostiene la casa es la responsable de que no nos hundamos, de que podamos flotar como un tapón de corcho?

Harold asintió sonriendo. Por fin comprendía algo de aquel día tan extraño.

—Pero el peso... —empezó a decir Mary Rose.

—*La insólita ola de calor* —interrumpió una voz.

—¿Cómo dices? —preguntó la señora Grapes.

Harold se levantó de golpe y el balde cayó de su regazo, por lo que el agua y las piedras se desparramaron por el suelo.

Se agachó al lado de la radio que hasta ese momento le había servido de asiento y acercó la oreja al altavoz. Entonces su corazón volvió a darle un vuelco al escuchar claramente el crepitante zumbido de una señal.

—Creía que estaba estropeada... —dijo Harold.

—Y así era —apuntó Mary Rose.

Un hormigueo de nerviosismo empezó a recorrerles el estómago mientras Harold giraba el dial de un lado a otro intentando recuperar la señal.

—... *tras la tormenta las autoridades de la zona afirman que...* tfff... shsh... tfff... —La voz volvió a silenciarse.

—¡Gira de nuevo el dial, Harold! —exclamó Mary Rose.

La señora Grapes también se levantó y se agachó junto a Harold, muy atenta a cualquier cambio en el monótono murmullo de la señal vacía.

—*Shsh... dos personas siguen desaparecidas... tfff...*

—¡Ahí, ahí! —irrumpió de nuevo Mary Rose.

—*Shsh... las esperanzas de encontrar a... tfff... son más bien... shsh... tfff...*

Harold volvió a mover el dial intentando buscar la frecuencia que acababan de perder, pero no conseguía hacerlo; en todas las emisoras se escuchaba el áspero zumbido de la emisora vacía.

—Creo que estaban hablando de nosotros —dijo Harold—. ¡De nuestra búsqueda!

—¡¿Eso significa que volvemos a San Remo?! —exclamó, emocionada.

Harold sonrió y un segundo después, en medio de múltiples interferencias, reapareció el sonido, pero esta vez no era una voz, sino música. Primero no fue más que un ruido sutil, pero poco a poco, y como si estuviera acercándose hacia ellos desde lejos, la señal se intensificó hasta que el sonido de los violines y los tambores retumbó por toda la cocina.

—*El Danubio azul* —murmuró Harold.

Atrapados por aquella música, miraron la radio como si aquello fuera un milagro, como si nada de lo que habían vivido ese día hubiese ocurrido y siguiesen firmemente anclados a la seguridad y la tranquilidad de la isla. Finalmente, la canción terminó y una suave voz de mujer empezó a hablar. La voz se escuchaba con claridad, pero, a diferencia de las otras voces que habían oído, esta no la entendían.

—¿En qué idioma está hablando? —preguntó Mary Rose, desconcertada.

Harold escuchaba con atención cada una de las palabras, pero ninguna de ellas le era familiar. Su cerebro fatigado bullía con miles de nuevas preguntas sin respuesta al tiempo que los sutiles acordes de una nueva canción empezaban a sonar junto a la voz.

—No puede ser que estemos tan lejos, ¿verdad?... —murmuró Mary Rose.

La sonrisa de Harold se desvaneció de su rostro lentamente, transformándose en una mueca de incredulidad y miedo.

—A estas alturas un barco estaría a bastante distancia de la costa —dijo Harold, como absorto en sus pensamientos—, pero esto... Bueno, nuestra casa no tiene ni motor ni velas...

—¡¿Y si nos hemos alejado tanto que han abandonado nuestra búsqueda?!

—¡No es posible! El alcalde tiene que haber activado un plan de rescate, es cuestión de tiempo que algún barco divise nuestra casa a la deriva.

—Pero Harold... —dijo Mary Rose con un hilo de voz—. ¿Crees que alguien pensará que tras la caída del acantilado podemos seguir vivos? Y si así fuera, ¡¿quién en su sano juicio creería que lo hacemos a bordo de nuestra propia casa?!

Justo en ese momento el viejo transistor soltó un fuerte chispazo y la voz ininteligible calló. Harold volvió a girar el dial con desesperación; pulsó todos los botones y hasta lo golpeó para intentar restablecer la señal, pero no hubo nada que hacer. La radio quedó inútil, enmudecida. Ni el suave tintineo de las ollas ni el crujir de la casa, ni siquiera el suave rumor del mar tras las ventanas eran ahora suficientes para llenar el vacío que retumbaba por las paredes de toda la casa. Era un sonido que los señores Grapes conocían muy bien y que durante años los había acompañado; más débil con el paso del tiempo, pero siempre presente. Un sonido que ahora volvía a retumbar en sus oídos y cuerpos de manera casi ensordecedora, mucho más que cualquier música o voz: la soledad.

—Nadie... —susurró Harold.

A LA DERIVA

Pese al enorme cansancio que arrastraban, esa noche apenas durmieron. Los dos quedaron a merced de una duermevela intermitente; entrando y saliendo de un extraño sueño en el que viajaban a bordo de una casa que podía flotar, solos en medio del mar, a la deriva. Pero un chasquido en la madera, un vaivén algo más brusco o el tintineo en las ventanas era suficiente para sacarlos de la frágil ensoñación en la que vagaban. Al abrir los ojos en medio de la oscura habitación, quedaban presos de la angustiosa duda de no saber qué era real y qué no. Pero al sentir el dolor en los huesos, la sed, el hambre y el eco de la música en sus cabezas, no tardaban en caer en la terrible cuenta de que lo que creían parte del sueño era la realidad.

Cuando las primeras luces del día empezaron a teñir la habitación de rojo, dejaron de fingir que dormían y se levantaron. Harold se incorporó con dificultad.

—Voy al sótano a llenar la garrafa.

Al levantarse, Mary Rose vio que bajo el cuerpo de su marido la sábana estaba llena de manchas de sangre seca.

—¡Tu mano, Harold!

Harold no se acordaba de la herida, todo su cuerpo estaba tan entumecido por el dolor que apenas sentía las punzadas en la palma de la mano. Mary Rose se deslizó hacia el otro lado de la cama y con suavidad le cogió la mano.

—No me gusta nada el color que tiene la piel alrededor de la herida —dijo Mary Rose, examinándola.

—No es nada, cicatrizará rápido.

—No tienes que hacerte el valiente, Harold —le reprendió, levantándose finalmente de la cama—. Voy a ver si consigo dar con la caja en la que guardé el botiquín.

Mary Rose entró en el cuarto de baño y Harold aprovechó para escabullirse e ir a por el agua.

Bajó al sótano con la garrafa y avanzó por el agua helada que aún mantenía media estancia sumergida. Al llegar frente al depósito, giró el grifo y el agua empezó a caer con ímpetu dentro de la garrafa, pero apenas se había llenado cuando el caño comenzó a borbotear; primero entrecortándose y después soltando espasmódicos chorros de aire y agua. Harold miró alarmado el depósito y se dio cuenta de que casi no había agua. Al cabo de unos segundos, el chorro se convirtió en un fino hilo y, con una funesta exhalación, dejó escapar la última gota de agua potable. Ya no quedaba más, el depósito estaba completamente seco. Harold cerró el paso de agua con cierta lentitud y miró la garrafa: llena hasta la mitad. Luego empezó a subir la escalera con parsimonia.

Mary Rose no había encontrado el botiquín en ninguna de las cajas de la habitación y había bajado a la cocina. Con la vaporosa luz entrando por las ventanas, el aspecto de la cocina quedó finalmente revelado. Las únicas piezas de mobiliario que permanecían en su sitio eran las encimeras y los armarios que había sobre ellas, todo lo demás yacía en el suelo con una mezcla de pedazos de porcelana y vidrio, tierra, cubiertos, botes de conserva estrellados, muebles y agua de mar. En el centro permanecía el taburete y la radio en la que se habían sentado la noche anterior. Comenzó a buscar el botiquín entre los cascotes y las cajas medio abiertas, pero no encontró nada.

Entonces se acercó a la nevera, que estaba tumbada sobre los pompones mustios de una hortensia, y abrió la puerta. Al instante un olor extraño penetró en su nariz.

Las sobras de la sopa de merluza que había preparado el último día se habían mezclado con salsas, huevos rotos y tierra de las macetas y habían quedado convertidas en un extraño rebozado de fragmentos de cristal, porcelana y astillas.

Mary Rose encontró un bol descantillado entre los escombros y empezó a meter allí lo poco que podían comer sin riesgo de intoxicarse o rasgarse la garganta. Un bote con mermelada, un par de tomates envasados y un paquete de jamón sin abrir fue todo lo que salvó. Harold entró justo en ese momento en la cocina cargado con la garrafa y se acercó a Mary Rose.

—¿Eso es todo? —preguntó, al ver la mísera comida.

Mary Rose miró en el cajón del congelador con la esperanza de encontrar algo más, pero las verduras y el rape descongelado que halló eran un repugnante revoltijo marrón oscuro con más tierra, más cristales rotos y más agua de mar.

—Eso es todo —contestó finalmente Mary Rose.

A continuación, agarró una bolsa de plástico que tenía a los pies, la llenó con todos los desperdicios y la cerró con fuerza.

—Pero puede que en la despensa encontremos algo más, ¿no? —preguntó, esperanzado, el señor Grapes.

—No lo creo, Harold. Ayer debía ser nuestro último día en casa...

Entonces Mary Rose vio la garrafa que Harold aún sostenía con la mano buena y preguntó:

—¿Por qué la has llenado solo hasta la mitad?

—Es toda el agua que quedaba...

—¡Pero si el depósito estaba lleno!

—Yo también lo creía, pero supongo que no toda el agua que inundó el sótano provenía del exterior.

Mary Rose se sintió mareada. El nauseabundo olor de la comida empezaba a ser asfixiante. Harold la cogió del brazo y la condujo fuera de la cocina. Al salir al porche, el aire puro de alta mar les limpió el hedor que se había adherido a sus narices.

Mary Rose aún llevaba la bolsa de desperdicios en la mano. Con vacilación bajó los tres escalones del porche y se acercó al borde del estrecho margen rocoso. Al mirar la rosácea superficie del mar matinal, le pareció ver algo moverse en las profundidades, pero bajo ese mundo todo era insondable, demasiado oscuro para estar segura.

Abrió la bolsa y, pese al hedor, Mary Rose no dejó de sentir hambre y, aunque nada de lo que tenía en sus manos era comestible, sentía pesar al saber que estaba a punto de tirar parte de la poca comida que había en la casa. No podía creer que, después de años acumulando conservas en la despensa y agua en el depósito, ahora se encontraran en esa situación. Miró por última vez el contenido de la bolsa y la echó al agua con cuidado.

Los trozos de comida cayeron con un suave plof en la hermética opacidad del mar y se desvanecieron como si fueran niebla. Al caer el último trozo de rape, un líquido marrón chorreó por el plástico de la bolsa y salpicó la punta de los zapatos de Mary Rose.

—¿Qué vamos a hacer, Harold? —preguntó, observando cómo la mancha se iba ensanchando sobre el oleaje.

Harold se acercó a su lado y miró el lejano horizonte que se abría frente a ellos, que poco a poco empezaba a perder la tonalidad rojiza del amanecer.

—Es cuestión de tiempo que pase un barco y nos vea.

Mary Rose escrutó su mirada en busca de un ápice de seguridad, pero ni siquiera su voz expresaba lo que decían sus palabras. Inhaló aire profundamente y continuó:

—¿Tiempo? —repitió Mary Rose con la voz quebrada—. ¿Y si nadie viene a por nosotros? No creo que tengamos mucho tiempo, Harold. ¡Solo tenemos agua y comida para un par de días!

Harold suspiró.

—Por suerte estamos en el mar.

—¡¿Insinúas que pesquemos?! —dijo Mary Rose, mirándolo fijamente.

—¿Qué otra solución se te ocurre?

—No te ofendas, pero sabes que nunca se te ha dado bien pescar.

—¡¿Y qué prefieres hacer, morir de hambre?! —exclamó, enfadado.

Mary Rose subió las escaleras con desdén y se sentó en el último peldaño. De nuevo el olor de la comida medio putrefacta mezclada con tierra le rozó la nariz y se dio cuenta de que provenía de sus zapatos.

—Tenemos que intentarlo, Rose... —dijo Harold, sentándose a su lado.

—Pero, aunque consigamos pescar —insistió Mary Rose—, ¿qué me dices del agua? ¡Es aún más importante que la comida!

Harold observó el cielo en busca de nubes, pero solo vio el azul de un día radiante. Bajó la mirada hacia la mancha de aceite y vio cómo los restos de pescado se iban hundiendo en el mar. Centenares de miles de litros de agua los rodeaban, pero ni un solo sorbo de esa agua los ayudaría a sobrevivir. En San Remo había conseguido solventar ese problema años atrás, pero ahora volvía a sentirse como si estuviera viviendo uno de esos inviernos en que habían quedado completamente sitiados, sin agua que pudiese circular por las tuberías heladas que conectaban la casa con el pueblo y sin luz que llegase a través de los postes caídos por el peso de la nieve. De nuevo se veía sentado en su oscuro sótano, iluminado por la luz de una vela y con el calor de varias mantas sobre los hombros, buscando soluciones a los problemas.

Aún recordaba el momento en que se le ocurrió la idea de instalar la desalinizadora en el depósito de agua del sótano; la emoción de enchufar a la corriente el motor que bombeaba el agua de mar hasta la casa, el sonido de las primeras gotas al caer dentro del gran cilindro de plástico o el gozo de beber agua potable tan limpia como la de un manantial. A partir de entonces, el invento de la desalinizadora les permitió abastecerse de agua incluso en los meses en que el cruel invierno congelaba los canalones del tejado con hielo y nieve y era imposible recoger agua de lluvia.

—Si queremos sobrevivir, solo tenemos una opción —dijo finalmente.

Mary Rose lo miró con curiosidad, intentando averiguar qué decían sus ojos.

—Necesitamos crear electricidad.

Mary Rose no esperaba una respuesta como esa.

—¿Y cómo pretendes hacerlo? —preguntó, tratando de no perder la calma.

—No lo sé, pero tenemos que encontrar la manera.

—¡Eso es una locura!

Al gritar esas palabras, se sintió asfixiada por la monstruosa amplitud del mar, atrapada más que nunca en un lugar del que no podía escapar. Se levantó y, sin mediar palabra, entró en la casa. También lo hizo Harold. El silencio se rompió un momento después de que la puerta se cerrase; algo se movió cerca del borde de roca del porche. El chapoteo duró poco más de una fracción de segundo, el tiempo justo para que los restos de rape que seguían hundiéndose desaparecieran tragados por unas fauces aparecidas de la nada.

EL SECRETO DEL AGUA

Harold y Mary Rose tardaron dos días en achicar toda el agua que inundaba el sótano. Durante ese tiempo apenas salieron de la húmeda y caótica sala para mirar el horizonte en busca de algún barco. La posibilidad de no ser rescatados empezaba a ser un pensamiento cada vez más recurrente, y más cuando las ínfimas reservas de agua y comida no hacían más que menguar. Cuatro latas de salchichas, otras cuatro de atún, tres botes de fruta en almíbar, un par de botellas de licor de uva y un bote grande de frutos secos fue todo lo que pudieron añadir a su lista de alimentos. Pero, al igual que se vaciaba el sótano, también se vaciaba la garrafa. Harold y Mary Rose racionaron los sorbos, pero con ello no conseguían saciar su sed.

Al segundo día, cuando el nivel del agua alcanzaba escasamente el ancho de un dedo, Harold aprovechó para sellar por completo la tabla que impedía que el agua del mar siguiera filtrándose en el interior. Fue Mary Rose quien, entre la aspereza de unos alambres puntiagudos, encontró el bote de resina de barco que Harold andaba buscando para acabar finalmente con el constante lagrimeo que supuraba a través de los resquicios de la tabla.

Los fuertes vapores emanaron del bote de resina hasta acabar por completo con el olor a mar que lo impregnaba todo. Mary Rose se subió encima de una caja de madera y abrió uno de los ojos de buey para ventilar y, al hacerlo, echó un rápido vistazo al mar. No vio nada excepto un desierto de agua que parecía no tener fin.

Resignada, bajó de la caja y cogió la fregona para seguir secando el agua que aún encharcaba el suelo. A medida que la fregona iba avanzando, iba recogiendo todo lo que consideraba de utilidad, ya fueran libros, herramientas y, sobre todo, comida. Los libros los fue acumulando al lado de la escalera en una húmeda pila que segregaba tinta negra, mientras que los aparatos colmados de agua que Harold había estado arreglando durante años los fue dejando junto a la despensa. Pero algo llamó su atención entre tornillos y tuercas. Bajo un puñado de papeles mojados había un frasco, un frasco rechoncho y resquebrajado. Se agachó y, al recogerlo, reconoció de inmediato la pequeña réplica del velero que navegaba en su interior. Las gotas de agua caían a través de sus temblorosas manos como si fueran lágrimas. Mary Rose sintió un escalofrío al ver el tarro de mermelada resquebrajado, el que le dio hacía tantos años a su hijo. Lo único que Harold recuperó esa noche del mar. Mary Rose sintió una punzada de dolor al sentir la fragilidad del cristal a punto de romperse.

—Creo que con paciencia podré arreglarlo —dijo Harold.

Mary Rose se sobresaltó.

—No creo que ahora tenga mucho sentido hacerlo... —replicó, con la mirada ensombrecida por el peso del recuerdo que contenía ese tarro.

Harold sabía que Mary Rose tenía razón. Miró a su alrededor y vio que en el suelo había un pedazo de plástico de burbujas mojado. Lo cogió y envolvió con delicadeza el frasco que sostenía Mary Rose. Con sumo cuidado, lo depositaron dentro de la caja empapada y rota junto al resto de barcos embotellados. Allí su recuerdo permanecería seguro.

Harold dio un paso atrás y se acercó de nuevo a la pared que había tras la lavadora y la secadora.

—He terminado de sellar el tablón —dijo, intentando quitarse de la cabeza el dolor que le producía pensar en ese tarro resquebrajado—. Cuando la resina esté seca, será casi imposible que vuelva a filtrarse el agua por aquí.

Mary Rose lo miró absorta y se limitó a asentir.

—El depósito también tenía una fisura por la que perdió toda el agua —continuó el señor Grapes—. He aprovechado para arreglarla también.

—¿Y de qué nos servirá tener un depósito de agua sin agua? —inquirió, como si de repente hubiese vuelto a la realidad.

Harold se sintió dolido, no por la brusquedad de las palabras de Mary Rose, sino por la terrible verdad que destilaban. Durante las largas horas en que había estado achicando agua no había dejado de dar vueltas a la idea de poder generar electricidad. Sabía que en su situación era una idea descabellada, pero, cada vez que miraba el vasto mar, sentía que sus posibilidades de supervivencia iban menguando. Con electricidad podría hacer funcionar la desalinizadora, y eso les proporcionaría tanta agua potable como tuviese el mar. Además, podrían mantener frescos los pocos alimentos que tenían o cocinar los peces que pescaran. Pero en ese tiempo no había conseguido dar con la solución. Había repasado mentalmente todos los años de experimentos frustrados que había llevado a cabo en San Remo. Decenas de veces había intentado fabricar electricidad de forma casera, pero nunca había logrado nada lo suficientemente estable como para abastecer el consumo de toda la casa.

—No quería ser tan brusca, Harold... —dijo al fin Mary Rose—. Pero todo esto está siendo demasiado duro, estoy agotada de no saber ni siquiera dónde estamos o adónde nos dirigen las corrientes que nos arrastran.

Harold miró a Mary Rose como si aquella última frase hubiese producido un efecto catalizador en su mente.

—¡¿Cómo no habré pensado antes en ello?! —exclamó.

—¿Cómo dices?

Harold se dirigió a la pila de libros empapados que Mary Rose había acumulado junto a la escalera y empezó a mirar sus lomos. Mary Rose se acercó a él mientras movía libros de un lado a otro hasta que encontró el que buscaba.

—¡Rose, eres un genio! —dijo Harold—. Creo que has encontrado la manera de que podamos sobrevivir.

Mary Rose lo miró con curiosidad, intentando averiguar qué ponía en el lomo del libro que acababa de coger.

—Sígueme —la apremió desde la escalera.

Mary Rose lo siguió hasta llegar al borde de la casa y Harold, sin mediar palabra, empezó a buscar algo entre las pastosas páginas del libro.

—¡Aquí está! —dijo.

Harold acercó el libro a la señora Grapes y esta al fin pudo leer lo que ponía.

—*Múltiples formas de energía* —leyó—. *Cómo aprovechar la mecánica oceánica.*

Mary Rose sintió un escalofrío.

—¿Qué es esto, Harold? —preguntó con el semblante serio.

—¡Creo que esta es la manera de generar electricidad, Rose!

Mary Rose volvió a mirar el libro, pero no consiguió descifrar ninguna de las borrosas fórmulas matemáticas ni reconocer ni una sola de las máquinas que aparecían en las desteñidas fotografías en blanco y negro. Solo le pasó una cosa por la cabeza, y fue la soledad que tantas veces había sentido cuando Harold se embarcaba en uno de sus proyectos imposibles. Recordó amargamente las interminables horas de invierno sentada en la cocina, sin poder salir de casa por la nieve y sin mayor compañía que sus pensamientos, esperando a que la infatigable perseverancia de Harold lo hiciera salir finalmente del sótano para comer algo o para ir a dormir, demasiado obsesionado para hablarle de otra cosa que no fuera la canalización del sistema de abastecimiento de agua o la cantidad de tensores que necesitaba para estabilizar la casa. Precisamente, los dos únicos proyectos que Harold había conseguido solucionar. Del resto, Mary Rose solo recordaba el áspero sabor de la insana obsesión y la frustración.

—Sé que tenemos un problema —dijo Mary Rose, sin apartar la mirada de las páginas—. Bueno, muchos problemas, y que la mayoría de ellos se solucionarían con un interruptor. Pero Harold... ¿realmente crees que puedes hacer algo así? En San Remo lo intentaste muchas veces y nunca lo lograste...

—Ahora es diferente, Rose, allí no podía utilizar la energía de las corrientes marinas. El libro explica que su energía es mucho más estable que la del sol o la del viento.

—Pero lo que dice el libro es solo una teoría. ¿Cómo pretendes hacer algo así aquí? ¡Tu taller está prácticamente en ruinas!

—Eso ya lo averiguaré —respondió Harold, cerrando el libro.

Mary Rose quería suplicarle que no gastara esfuerzos en una nueva quimera, pero un ruido en el agua distrajo su atención.

—¿Qué es eso? —dijo Mary Rose, señalando el agua que salpicaba el porche.

—Se habrá desprendido un pedazo de roca —contestó Harold.

Al instante el agua volvió a removerse y entre la espuma apareció una aleta puntiaguda y oscura.

—¡Un tiburón! —gritó Mary Rose.

EL HOMBRE QUE LO ARREGLABA TODO

Harold estaba inquieto, llevaba más de dos horas dando vueltas en la cama sin poder conciliar el sueño. Se sentía febril, obsesionado con la idea de poder construir un generador con las corrientes marinas que les permitiera mantenerse con vida hasta que alguien los rescatase. Su cerebro era un enjambre de teorías que no lograba ensamblar. Temía que, como tantas otras veces le había ocurrido, tampoco esta vez lo conseguiría.

Estaba sudando y notaba la boca más seca de lo habitual. Necesitaba agua, pero sabía que no podía permitirse ni un solo sorbo más hasta mañana. Con cuidado de no despertar a su esposa, se levantó de la cama y se dirigió linterna en mano hacia las escaleras que conducían al piso de abajo. Siguió bajando y llegó al sótano. Apoyó la linterna en el suelo, se subió a la carcomida caja de madera y, a través de un ojo de buey, miró la noche. Apenas conseguía distinguir alguna estrella en el cielo. En el mar tampoco vio rastro del inconfundible resplandor de un barco o del intermitente fogonazo de un faro lejano. La soledad que sentía solo era comparable a la sed y al hambre que no dejaban de atormentarlo, pero más fuerte que todo eso eran las ganas que tenía de sobrevivir.

Bajó de la caja y, mecido por el suave vaivén del mar e iluminado por la amarilla luz de la linterna, empezó a repasar mentalmente todo lo que había leído sobre generadores y sobre energía de las corrientes marinas. Harold Grapes sabía que la clave era la electricidad. Con ella podrían encender la desalinizadora y tener tanta agua como quisieran, podrían mantener frescos y saludables los alimentos que consiguieran e incluso recompondrían la radio para ponerse en contacto con alguien.

Sus pensamientos se interrumpieron de pronto cuando la linterna rodó por el suelo. Una ola había hecho oscilar la casa con más brusquedad.

Harold la alcanzó para colocarla de nuevo hacia arriba y, al hacerlo, miró la zona del sótano que había quedado iluminada por el haz de luz. No vio más que la secadora, pero, justo antes de girar la linterna, se le ocurrió una idea.

Harold subió atropelladamente las escaleras que llevaban al primer piso, reunió todas las velas que pudo, cogió el libro *Múltiples formas de energía, cómo aprovechar la mecánica oceánica* y volvió a bajar tan apresuradamente como había subido. A continuación, esparció las velas por el suelo y cogió la caja de herramientas. Al tocarla sintió una punzada de dolor en la palma de la mano. Hasta ese momento no se había acordado de la herida y al mirarla vio que la costra se había vuelto a abrir. Supuraba un poco de sangre. Pero eso no lo detuvo, se sentía imparable, convencido de que por fin tenía en sus manos algo con lo que trabajar. Así que cogió un destornillador, acercó un par de velas a su lado y empezó a desmontar la parte trasera de la secadora. Al hacerlo no pudo evitar imaginarse los gritos de reprobación de Mary Rose, pero, aunque era consciente de que corría el riesgo de fracasar y terminar de estropear un electrodoméstico en vano, sabía que no podía permitirse no intentarlo.

Al cabo de una hora, Harold había descuartizado la secadora. Botones, enchufes, circuitos, resistencias, cables, transformadores, un motor y un tambor componían toda la colección de vísceras eléctricas. Entonces agarró el libro y empezó a hojearlo con celeridad. No buscaba un capítulo en concreto, sino unas hojas que años atrás había esbozado con los esquemas de los circuitos eléctricos que había tratado de crear. Ninguno de ellos le había funcionado entonces, pero sabía que no había sido por falta de conocimientos, sino de recursos. En el caso de la energía solar, fue precisamente el poco sol que había siempre en la isla lo que hizo que fracasara su intento de utilizar placas solares. Con la energía eólica tampoco tuvo suerte; las rachas de viento que soplaban en el acantilado eran tan fuertes que ningún molinillo resistía más de una semana sin saltar por los aires. Así que esa era su última alternativa: usar la energía de las corrientes oceánicas.

Al fin encontró las hojas de papel cuadriculado que buscaba. Pese a estar húmedas y con los trazos de tinta desdibujados por el agua, Harold consiguió descifrarlas. Empezó a estudiar detenidamente cada una de sus anotaciones, asegurándose de que disponía de todo lo necesario para construir el generador. Sabía que esta vez no podía permitirse otro de sus experimentos fallidos, pues ahora sus vidas dependían de ello. Cogió un cable largo que salía del transformador y comenzó a empalmarlo con el motor que hacía girar el tambor de la secadora. Para el señor Grapes, un empalme no tenía ningún misterio. A lo largo de su vida había reparado, fabricado y vendido electrodomésticos, motores y pequeños aparatos de electrónica de todo tipo. Era una tarea que había hecho cientos de veces, pero en esta ocasión, además del dolor en la palma de la mano, se sentía torpe y sudoroso como un aprendiz. Un ligero temblor empezó a recorrer sus dedos y su respiración se aceleró. Se detuvo un momento, echó un nuevo vistazo al embrollo de piezas que tenía frente a él y se sintió perdido. Era como si de repente estuviera reviviendo uno de sus primeros días de trabajo en la tienda de arreglos de San Remo de Mar.

De nuevo sentado en el taller de la trastienda, oscuro, polvoriento y lleno de chismes destripados, asintiendo mecánicamente a las explicaciones de su nuevo jefe, que, por más que se esforzara, no conseguía entender. Nunca se había sentido tan fuera de lugar como por aquel entonces; lejos del astillero, de los barcos, del mar. Lejos de todo lo que le gustaba y sabía hacer. Pero fue precisamente en la tarea de reparar objetos inservibles donde Harold encontró algo de sosiego para su dolor. Poco a poco sus manos callosas olvidaron el áspero tacto de la madera y el cincel para acostumbrarse al frío del destornillador y los circuitos impresos.

Con los años, la gente del pueblo acabó por borrar de la memoria su antiguo trabajo como constructor de barcos; en los mejores casos lo relegaron a una anécdota de juventud y se convirtió en el manitas del pueblo, en el hombre que lo arreglaba todo. Pero a Harold nunca le gustó que lo llamaran así. Sabía que, por más aparatos que arreglara, había cosas que simplemente eran imposibles de reparar. Volvió la mirada al cable que tenía en las manos y, aunque seguía percibiendo el dolor palpitante de la herida, comprobó que habían dejado de temblar. Su respiración también se había serenado y el caos de piezas que tenía delante cobró sentido en su cabeza.

Echó un rápido vistazo al esquema y, sin más vacilaciones, empezó a empalmar el cable con el motor.

Un pequeño reloj que habían recuperado de entre los escombros sonó tras atornillar la última tuerca. Eran las cuatro de la madrugada, pero a Harold no parecía importarle. Así que, sin prestar mayor atención a la hora, abrió el ojo de buey y deslizó hacia el exterior el cable que salía del transformador y que debía unir al generador para captar la energía de las corrientes marinas.

Harold no estaba completamente seguro de que el invento funcionase: el generador era el tambor de la secadora con unas palas metálicas atornilladas alrededor de su perímetro. Si todo funcionaba como él pensaba, el tambor giraría con el movimiento de las corrientes marinas, del mismo modo que lo hacían los molinillos de viento. Una vez que las aspas girasen, el motor al que se ensamblaba el tambor debería convertir el movimiento en electricidad, y así, finalmente, la electricidad pasaría por el transformador que acababa de instalar junto al ojo de buey y que se encargaría de repartir la energía por toda la casa.

Pero Harold era consciente de que por ahora todo aquello era una mera teoría. Sabía que había llegado el momento de probarla.

A través del ojal miró el exterior, pero bajo la oscuridad de la noche el mar permanecía invisible. De modo que cerró el ojo de buey, bajó de la caja en la que estaba subido y se acercó al centro del sótano, donde se hallaba el generador.

Al coger el pesado aparato, notó de nuevo un intenso dolor en la palma de la mano, pero su obstinación era aún más intensa que el dolor, así que, peldaño a peldaño, avanzó con la enorme carga hasta el salón. Volvió a bajar a por la caja de herramientas, una cuerda y un par de velas que dejó en el suelo. Se acercó a la ventana y, al abrirla, el aire del mar heló con rapidez la estancia. Sintió un escalofrío al sacar la cabeza y ver cómo la negrura lo envolvía todo. Una pequeña oscilación hizo caer un trofeo que reposaba en una de las estanterías medio caídas del comedor y una de las dos velas se apagó.

Harold vio que se había levantado suficiente marejada como para remover algunos objetos de la casa, pero no consideró que fuera tan intensa como para impedirle salir e instalar el generador. Solo tenía que ser rápido y acabar antes de que el tiempo empeorara.

Ató un extremo de la cuerda al generador y el otro alrededor de uno de los sofás volcados. Tras comprobar varias veces la tensión de la cuerda, agarró el aparato y lo deslizó fuera. Cogió la caja de herramientas y, con cuidado de no resbalar, salió a través del alféizar de la ventana hasta pisar la roca.

Lo primero que debía hacer era situar el generador en el borde del agua, después solo tenía que atornillar los anclajes y conectar el cableado que había sacado por el ojo de buey del sótano. La única dificultad residía en que el borde de tierra que circundaba el lado derecho de la casa, si bien era el óptimo para instalar la máquina, era el más estrecho de todos.

Bajo sus pies la tierra estaba mojada y el viento empezaba a ser más intenso. Poco a poco, dio un paso al lado y situó la máquina en la posición adecuada. Sumergir la parte del tambor no le fue complicado. Ahora solo le quedaba atornillar la placa de la maquinaria a la fachada de la casa.

Dejó la caja de herramientas cerca, se agachó con cuidado y sacó el destornillador. Cuando cerraba la caja, una ola lo embistió y barrió toda la fachada. Harold logró aferrarse al alféizar de la ventana antes de desequilibrarse, pero la caja de herramientas no corrió la misma suerte y desapareció, engullida por el oleaje.

Estaba empapado de pies a cabeza. La sangre manaba de la herida reabierta. El balanceo de la casa era cada vez más fuerte, pero ahora que la máquina estaba casi instalada no quería dar marcha atrás. Atornillar las tuercas que anclaban el tambor a la fachada fue mucho más complicado de lo que esperaba, pero finalmente lo consiguió. Después, empalmó los cables que iban del motor al transformador y dio la instalación por terminada. Ahora solo tenía que entrar y ver si el invento daba resultado. Apoyó el pie derecho sobre el alféizar de la ventana y, al hacerlo, otra ola chocó contra la fachada. Un torrente de agua se precipitó sobre la espalda de Harold e hizo que perdiese el equilibrio sin poder aferrarse a ningún sitio. Entonces cayó al agua.

LA SERPIENTE DE ACERO

El frío y la oscuridad lo engulleron por completo. Al emerger de nuevo, todo a su alrededor seguía igual de negro que bajo el agua. Con la caída había perdido las gafas y las zapatillas. Mareado y confuso, se afanó en buscar la casa a su alrededor, pero por más que forzaba la vista solo conseguía ver las manchas negras y grises de las olas, que no paraban de zarandearlo, hundirlo y golpearlo. La desorientación duró poco; entre las tinieblas vio un punto de luz, un faro en medio de la nada. Era la vela que había encendido en el comedor. Sin pensarlo dos veces, comenzó a nadar hacia la luz con las pocas fuerzas de que disponía, pero el oleaje lo hundía o lo arrastraba en otra dirección. Al igual que su vista, sus brazos y piernas ya no eran igual de ágiles y enérgicos que en su juventud y, pese al empeño que imprimía a cada movimiento, advertía, desesperado, cómo el punto de luz iba empequeñeciéndose cada vez más. Por cada metro que avanzaba, la luz se alejaba dos, y sus músculos iban agarrotándose bajo el peso del pijama mojado. Finalmente, la casa se convirtió en poco más que un punto amarillo en la distancia, que aparecía y desaparecía por encima de las crestas de las olas cada vez con menos frecuencia. Harold sabía que había cometido un grave error al subestimar el mar, y no era la primera vez.

Una ola le golpeó el costado y durante unos segundos quedó aturdido. Al volver a mirar a su alrededor, vio que la luz había desaparecido y de nuevo revivió el miedo que había sentido años atrás al perder a su hijo, al perder el contacto con lo que más quería. Terror al ver que la luz se apagaba.

Empezó a gritar, pero, al igual que aquella noche, los gritos se los llevaba el rugir del mar y solo servían para hacerle tragar agua y fatigarlo aún más. En ese momento se dio cuenta de que aquel sería su final, de que no llegaría hasta la casa y moriría ahogado, sin poder despedirse de Mary Rose, sin poder decirle todo lo que debería haberle dicho a lo largo de su vida.

De pronto una ola rompió sobre él, lanzando toda su furia sobre su espalda y engulléndolo bajo un torrente de burbujas. Su cuerpo se sacudió bajo la tromba de agua como si fuera un muñeco de trapo, arrastrado por una fuerza imposible de vencer que lo hundía en un abismo de tenebrosidad. Pero a medida que el ardor se expandía por sus pulmones sin oxígeno, el rencor que sentía hacia sí mismo se fue diluyendo. Sabía que por fin el destino había venido a cobrarle el precio de su irresponsabilidad. En ese momento abrió los ojos y, frente a él, vio una presencia más oscura y sólida que la propia tiniebla que lo envolvía. «¿Dylan?», pensó cerrando los ojos. Pero justo cuando creía que sus pulmones estaban agotando la última bocanada de oxígeno, algo le rozó el brazo. El miedo instintivo le hizo recuperar la consciencia y empezó a dar fuertes brazadas para alejarse.

Aire. Harold consiguió sacar la cabeza a la superficie y el aire se deslizó por su garganta y hasta sus pulmones. La adrenalina le había dado fuerzas renovadas y de nuevo comenzó a nadar hacia la húmeda nada que lo rodeaba. Buscó el punto de luz de la casa sin tener muy claro qué había sucedido bajo el agua. Entonces una aleta oscura y larga pasó frente

a él. Harold no tuvo tiempo de reaccionar. Notó un fuerte co-
letazo en la espalda que lo hundió de nuevo. Al volver a
emerger, sintió pánico de lo que se escondía entre el oleaje.
Harold comenzó a patalear con todas sus fuerzas, avanzando
sin dirección, con la única idea de alejarse del animal, de
aquella puntiaguda aleta. Entonces se percató de que ya había visto esa aleta antes, frente al porche junto a Mary Rose.
Harold sintió cómo la adrenalina se mezclaba con una sensación de miedo irracional; sabía que la herida de su mano
estaba manando sangre y, si lo que merodeaba junto él era un
tiburón, estaba condenado.

Sus brazos desfallecían, todo esfuerzo por avanzar parecía inútil en medio de la marejada, que lo hundía y zarandeaba sin piedad. Otro golpe lo empujó hacia delante. El animal
lo estaba acechando. Harold notó un dolor punzante en el
costado, pero no se rindió y siguió pataleando por su vida.
Entonces, tras la cresta de una ola vio un punto brillante y
borroso. Estaba tan fatigado que apenas sentía su cuerpo,
pero aquella luz amarilla le infundió la esperanza necesaria
para no rendirse.

Una furia pareció surgir de su interior, una furia contra el
mar, contra todo lo que contenía y que quería acabar con su
vida. Volvió a notar el cuerpo del animal rozando su abdomen y, sin pensar en las consecuencias, lo golpeó.

—¡Vete! —gritó, al tiempo que se hundía y se atragantaba.

Y justo cuando volvía a emerger ocurrió lo que tanto temía. El tiburón lo agarró por el brazo, tiró de él y lo arrastró a
gran velocidad. La piel del brazo se le desgarró.

El miedo volvió a infundirle fuerzas, pero al intentar golpear al animal solo consiguió que la presión en su brazo
aumentara. Sabía que, si no hacía nada, moriría allí, ahogado
y destripado por aquel ser. El cuerpo del animal se arremolinó a su lado y lo golpeó con tanta fuerza que Harold avanzó

varios metros y se hundió bajo una espesa estela de espuma. Al salir a la superficie, notó cómo la presión en su brazo desaparecía lentamente. Con ayuda del brazo que le quedaba libre se soltó y entonces reparó en la extraña forma serpenteante que lo había sujetado. Era estrecha y fría como una serpiente, pero dura como...

Su corazón dio un vuelco: lo que le había agarrado el brazo y había tirado de él no había sido un animal, sino uno de los tirantes de la casa.

El cordón de acero se aflojó y se separó de su brazo, pero Harold reaccionó rápido y se aferró al cable con todas sus fuerzas. Un penetrante dolor en la mano lo hizo gritar por el tirón del metal. Todo su cuerpo se precipitó hacia delante y sintió cómo volvía a ser arrastrado. El oleaje no dejaba de romper a su alrededor, pero el señor Grapes seguía aferrado al cable como si de una cuerda se tratase, avanzando centímetro a centímetro hacia su otro extremo.

Poco a poco, la silueta de la casa fue materializándose frente a él y la seguridad de estar conectado a ella le insufló ánimos. Sabía que debía darse prisa. Pese a estar agarrado al tirante, sabía que el animal continuaba acechándolo bajo la oscuridad, aguardando el momento preciso.

Al cabo de unos minutos interminables, Harold tocó las rocas que bordeaban la casa. Al igual que cualquiera de los antiguos barcos que había construido, las maderas de la casa chirriaban bajo el vaivén de las olas que golpeaban contra el círculo de tierra que la protegía y mantenía a flote. Harold intentó subir, pero resbaló y volvió a caer al agua.

El señor Grapes estaba más que exhausto. No tenía apenas sensibilidad en ninguna parte del cuerpo salvo en las manos; especialmente la mano herida le hervía por el roce del cable metálico. Ahogó un grito de dolor al tirar de nuevo de él para alzarse y subir al margen de tierra, pero antes de sentir la roca bajo su cuerpo, una ola barrió todo el porche y el torrente de agua lo volvió a empujar hacia atrás.

Sin soltar el cable, sacó la cabeza del agua y volvió a reanudar la marcha hacia delante. No podía rendirse ahora, no cuando estaba a unos centímetros de su salvación. Volvió a tirar del extremo de acero y entonces notó que algo no iba bien. El cordón pesaba y lo sentía flojo. Horrorizado, comprobó que el tirante acababa de romperse y que de nuevo nada lo mantenía unido a la casa. Un momento después, la roca empezó a alejarse de él.

Harold no titubeó; soltó el cable y se lanzó a nado. La adrenalina corría por sus venas como un vigoroso fuego, que lo empujaba hacia delante sin permitirle flaquear. Las olas no le daban tregua, pero el borde rocoso seguía acercándose más y más. Lo tenía a menos de dos metros cuando la oscura aleta volvió a reaparecer frente a él.

Harold no vaciló, no consentiría que el animal siguiera jugando con él ahora que estaba a punto de salvarse. Pasó rozando su oscura piel y, batiéndose con todo su espíritu, consiguió tocar tierra con las dos manos. Se aferró como una lapa a una roca saliente y empezó a avanzar hacia arriba, aleteando con las piernas para subir, pero sus músculos ardían, incapaces de realizar más esfuerzo. Y entonces, justo cuando creía que estaba a punto de volver a hundirse, notó cómo su peso se volvía ingrávido.

Una fuerza proveniente de las entrañas del mar lo empujó desde los pies y todo su cuerpo se impulsó hacia delante hasta caer rodando sobre la roca frente al porche.

UNA SOMBRA ESCURRIDIZA

Era como si su cuerpo formase parte de aquella roca empapada de agua en la que yacía tumbado. Se quedó allí largo rato, meciéndose con la casa, con la marejada que iba remitiendo y calmándose. Lentamente abrió los ojos y, con el movimiento de un perezoso, consiguió incorporarse. Se agarró a la barandilla y empezó a subir, tambaleante, los tres escalones que lo separaban del porche. Sin darse cuenta, iba dejando un rastro de sangre en el pasamanos por el corte reabierto de su mano izquierda. El brazo derecho también sangraba, allí donde el cable de acero le había oprimido, pero apenas era consciente del dolor; todo su cuerpo estaba entumecido por el frío y el agua. Solo el incesante castañeteo de sus dientes parecía dar algo de vida a su piel violácea. Pese a todo, al llegar al porche y notar por fin los tablones de madera bajo sus pies desnudos, no pudo sentirse más afortunado.

Harold se acercó a la puerta y miró de nuevo el oscuro mar, preguntándose de dónde había procedido aquella extraña fuerza que lo había empujado desde los pies y lo había lanzado sobre la roca de la casa. Volvió la vista a la puerta y, antes de poder girar el pomo, esta se abrió de sopetón. Al otro lado apareció Mary Rose, ataviada con su batín de flores y una vela en la mano. Sus ojos verdes se perfilaban inquisitivos

tras el centelleante reflejo que dibujaba la llama en los cristales de sus gafas.

—¡¿Se puede saber qué has estado haciendo?! —exclamó,
furibunda.

Con la oscuridad de la noche, Mary Rose apenas veía la
silueta de su marido recortándose tras el oscuro oleaje que
empezaba a amainar.

—¡Pero si estás empapado! —gritó con la cara desencaja-
da—. ¡¿Vas descalzo?! ¡¿Y sin gafas?!

—Una ola me ha salpicado en el porche. Supongo que se
me habrán caído sin darme cuenta... —dijo, intentando sonar
convincente para que no se preocupara más de la cuenta.

Mary Rose le cogió el brazo, pero Harold lo apartó instintivamente al sentir el roce de su mano contra las heridas que
le había causado el cable.

—Y, además, ¡vuelves a sangrar! —dijo Mary Rose con la
voz trémula.

Harold entró en la cocina y la señora Grapes cerró la puerta tras él. Sin pensárselo, se quitó el batín y, con cuidado, cubrió con él el cuerpo de Harold, que no dejaba de temblar.

—Estoy bien... —Fue todo lo que Harold consiguió decir
con la mandíbula engarrotada.

Mary Rose le ató el cinturón para que el batín le quedara
bien ajustado y, con la tenue luz de la vela, distinguió con
más detalle su aspecto demacrado.

—Venga, subamos y me cuentas qué ha pasado. Tienes
que quitarte toda esa ropa empapada.

Con paso vacilante, cruzaron la cocina y avanzaron hacia
el pasillo que conducía al recibidor. Mary Rose no dejaba de
mirar con preocupación los labios morados de Harold. Al pasar frente a la puerta principal y empezar a subir el tramo de
escaleras, Harold se detuvo en seco.

—¿Te encuentras bien? —preguntó Mary Rose.

Pero Harold no escuchó la pregunta, apenas si escuchó su voz. Se acercó a la puerta principal y giró el pomo con lentitud. Mary Rose se acercó y, cuando Harold abrió, una brillante luz amarilla cegó sus miopes miradas.

—Ha funcionado... —murmuró el señor Grapes.

Mary Rose vio que la pequeña lámpara que había en el porche estaba encendida. Contempló la centelleante bombilla como si fuese la primera vez que veía luz eléctrica; con la misma incredulidad que en el momento en que descubrió que su casa flotaba en medio del mar. Salió al porche junto a Harold y, al hacerlo, quedaron bañados por la luz que proyectaba el farolillo de forja.

Harold parecía tan sorprendido como Mary Rose, pero lentamente toda la fatiga y el dolor que sentía en cada uno de sus huesos empezaban a cobrar un nuevo sentido para él.

—Harold... ¡lo has conseguido! —exclamó Mary Rose, aún incrédula.

Harold miró a su esposa como si aquella frase lo devolviera a la realidad. Todo su cuerpo tembló, no solo por el frío o el cansancio, sino también al comprender que aquella pequeña bombilla encendida les podía salvar la vida.

—¡Vamos a sobrevivir! —gritó el señor Grapes.

Entonces sintió que el entumecimiento y el cansancio iban desvaneciéndose, como si la electricidad que poco a poco se esparcía por todo el circuito de la casa también lo hiciese por su cuerpo y por su mente; se sentía revivir.

—Tengo que comprobar que el resto del sistema eléctrico funciona correctamente —dijo, recuperando la energía en la voz.

—¿Ahora? —protestó Mary Rose, escandalizada—. Pero si apenas puedes sostenerte en pie.

Harold sabía que Mary Rose tenía razón, pero tenía miedo de que el invento tuviera fallos y no quería arriesgarse a malgastar la oportunidad de encender la desalinizadora y empezar a producir agua potable. Entonces, un fuerte chapoteo los sobresaltó. Los señores Grapes giraron sus cabezas a la vez hacia el lugar de donde provenía el sonido y, pese a que la oscuridad que se extendía fuera del radio de luz era absoluta, vieron una aleta surgir entre las olas.

—¡Ahí está! —exclamó Harold, corriendo hacia el borde de tierra.

—¡¿El qué?!

—¡Lo que me ha acechado todo el rato...! —Pero entonces enmudeció. Harold no quería preocupar a Mary Rose—. Es el animal que vimos el otro día frente al porche —rectificó.

Mary Rose miró a Harold con cierto recelo, pero de nuevo el agua volvió a removerse. Mary Rose bajó las escaleras del porche y, con cierta aprensión, se acercó al borde. Aunque la lámpara conseguía iluminar el oleaje más cercano a ellos, por más que se esforzaran, no lograban ver nada aparte de oscuridad.

—Harold, entremos, hace mucho frío y estás empapado —dijo Mary Rose.

Pero al terminar de pronunciar esas palabras, una larga y oscura forma empezó a materializarse bajo el agua. Mary Rose dio un paso atrás, aunque la curiosidad le hacía mantener la mirada firmemente clavada al mar. La forma parecía acercarse hacia la superficie y poco a poco iba definiéndose. Cada vez estaba más cerca de ellos y, cuando Mary Rose empezó a intuir un largo hocico, la silueta se desvaneció como tinta china diluyéndose en un jarro de agua. Y de repente, cuando creían que había desaparecido definitivamente, un borbollón de espuma y burbujas surgió de las profundidades con la fuerza de un géiser y el animal saltó al exterior.

—¡Es el tiburón! —chilló Mary Rose.

Entonces dio un bote hacia atrás, su pie chocó contra la contrahuella del escalón y cayó sentada en la escalerilla mojada del porche. Al volver a levantar la vista, pudo ver cómo el animal emergía de nuevo entre el oscuro oleaje y saltaba con gracia en el aire. Era apenas una silueta, una sombra contorneada por los reflejos de la amarillenta luz del porche contra su resbaladiza piel.

—¡Es un delfín, Rose! —gritó Harold, sin percatarse de que Mary Rose ya no estaba a su lado.

El animal entró en el agua con la delicadeza de una sirena y de nuevo volvió a saltar, más alto, con más fuerza, como intentando alcanzar las estrellas. Y entonces, Harold comprendió que ese delfín era el animal que lo había salvado, que lo había empujado hasta la casa. Sabía que era una locura pensarlo, pero también que debía darle las gracias, porque, sin él, esa pequeña bombilla que ahora brillaba a sus espaldas no tendría sentido.

LAS LUCES DE LA NOCHE

Mary Rose se levantó lentamente del escalón y se acercó de nuevo al lado de Harold. Ya no temblaba y el ritmo de su corazón había vuelto a normalizarse. Sus ojos estaban fijos en aquella maravillosa criatura marina que parecía danzar con el propio mar. Su cuerpo se deslizó por la cresta de una ola, se zambulló para coger impulso y saltó tan alto que parecía imposible. Y justo en el momento en el que el cuerpo del animal se contorneaba en el cielo, algo situado mucho más arriba de donde el delfín podía llegar captó la atención de Mary Rose.

Primero creyó que no era más que un efecto óptico, un deslumbramiento del farolillo que iluminaba el porche, pero al fijarse bien se dio cuenta de que lo que iluminaba el cielo era algo diferente.

—¿Ocurre algo? —preguntó Harold. Mary Rose se limitó a cogerle con suavidad de la barbilla para guiar su mirada hacia la dirección en la que aparecía y desaparecía una débil y fantasmagórica banda dorada en el cielo estrellado—. ¿Qué es?

—Creo que son auroras... —susurró Mary Rose.

Harold sintió como si de pronto hubiese perdido la capacidad de escuchar, de oler y de palpar, y solo pudiera ver. Su mirada miope quedó petrificada ante aquella luz tan irreal que parecía emanar de otro mundo, hipnotizado por el suave vaivén de sus colores, que ondeaban por la cúpula celestial como difusas cortinas de un lugar encantado. Pero entonces un fogonazo de luz cegadora lo sacó de su ensoñación.

Miró hacia atrás y se percató de que la bombilla del farolillo parpadeaba. Harold volvió la vista hacia el cielo, pero apenas conseguía intuir ligeramente las auroras, a causa de los fogonazos de luz eléctrica a su espalda.

Se volvió hacia la casa y, bajo la atenta mirada de Mary Rose, subió los tres escalones del porche. Al detenerse frente al farolillo, escuchó el crujiente e inconfundible sonido que produce la electricidad cuando la rosca de una bombilla está floja.

Harold levantó el brazo y empezó a enroscarla, pero entonces vio el hilo de sangre que manaba de la herida de su mano. De pronto sintió el bilioso color de la luz eléctrica como si cayera sólida sobre sus hombros. Bajó la mano, temblorosa, manchada de sangre, arrugada por el agua y la vejez, notó los arañazos del acero contra el rugoso batín y la humedad de los tablones subiendo a través de sus pies desnudos. Y, pese a la radiante luminosidad que lo bañaba, se sintió de nuevo engullido por la gélida oscuridad en la que había estado a punto de perecer, volvió a ver la difusa silueta de Dylan acercándose a él, a sentir el miedo cuando lo perdió entre el oleaje de la tempestad y el que había sentido hacía menos de una hora al pensar que nunca más volvería a ver a Mary Rose. Volvió la mirada hacia ella, pero la parpadeante luz eléctrica era tan deslumbrante que apenas distinguía su oscuro contorno fundiéndose con el mar. Luego observó de nuevo la bombilla. Levantó con lentitud el brazo y, con suavidad, comenzó a girar el bulbo candente. Y entonces, la luz que tanto esfuerzo le había costado encender y que casi pone fin a su propia vida, se apagó.

Cuando sus pupilas se acostumbraron de nuevo a la oscuridad, pudo ver a Mary Rose bañada por la luz dorada de las auroras.

—¿Por qué has apagado la luz? —preguntó Mary Rose.

—No lo he hecho —contestó Harold, señalando el cielo—. Acabo de encenderla.

Mary Rose volvió a mirar en dirección al mar y entonces las extrañas palabras de Harold cobraron sentido. Sin los intermitentes parpadeos de la bombilla, todo el cielo se iluminó con mayor intensidad y la difusa luz amarilla que hasta ese momento había sido un residuo fantasmal bañó por completo la noche. El delfín volvió a emerger del agua y Mary Rose creyó por un segundo que había aprendido a volar. Con la nueva luz, parecía que el cuerpo del animal se definía. Vio con detalle la fuerza de los músculos de su cola, el agua escurriéndose por su lomo encorvado y su hocico sonriente. Harold bajó con sigilo la escalerilla y se situó de nuevo al lado de Mary Rose mientras las ondeantes estelas de la aurora iban cambiando de tonalidad.

Esas extrañas luces bañaron el mar y el cielo, y la noche prendió. Harold y Mary Rose nunca habían presenciado algo tan bello. Y a pesar de sus ropas empapadas y del aire helado que traía el mar, no sentían frío. Aquellas ondeantes luces que se mecían de un lado a otro del firmamento parecían arroparlos con una familiaridad que no conseguían explicar. Harold y Mary Rose se abrazaron, acurrucándose uno junto al otro como solían hacer muchos años atrás, embriagados por una calma y una felicidad que apenas eran capaces de recordar.

LA ISLA FLOTANTE

El tiempo fue avanzando sigiloso, arrastrando a los seño-res Grapes con el mismo influjo con que lo hacían las co-rrientes marinas, que, impasibles, los conducían a un lugar desconocido. Esa misma energía inagotable era la que hacía girar el tambor y generaba electricidad. La mayor parte de los electrodomésticos, luces y enchufes habían vuelto a fun-cionar como si nunca hubiesen abandonado el acantilado de la Muerte. Pero de entre todas las mejoras que había traído con-sigo el invento, sin duda la más trascendente había sido el agua. Después de dedicar largas horas al secado de los en-granajes del motor y a reparar el canal que recogía el agua del mar, Harold consiguió que la desalinizadora se encendie-ra por fin. Antes de que el tanque de agua empezara a llenar-se, los señores Grapes bebieron sin parar vasos y vasos de insípida agua que les sació la sed y les embriagó de una feli-cidad que ni el exquisito licor de uvas que guardaban celosa-mente les hubiese podido proporcionar. Por primera vez des-de la caída de la casa pudieron darse una ducha y, aunque no estaba tan caliente como hubiesen deseado, la sensación del agua dulce cayendo sobre su cara y el jabón limpiando la sal, la sangre y la mugre les ayudó a sentirse por un momento en un hogar normal.

Harold encontró su viejo par de gafas. No eran de su graduación exacta, pero su visión mejoró. Las heridas de su cuerpo acabaron curándose sin apenas dejar rastro; solo en la mano se intuía una larga cicatriz que pronto quedó oculta por los guantes de lana. Las auroras habían sido el presagio del frío que poco a poco fue penetrando en la casa. Harold y Mary Rose no tuvieron más remedio que sacar la ropa de invierno de las cajas de la mudanza que seguían precintadas y poner mantas sobre la colcha de la cama. Pero por más capas de vestimenta que se sobrepusieran, cada vez notaban la ropa más holgada. Los pómulos de Mary Rose fueron marcándose más de lo habitual, casi con cierta angulosidad, mientras que Harold tenía que ceñirse cada día algo más el cinturón. Las ínfimas reservas de comida prácticamente estaban agotadas y la pesca se convirtió en su única manera de conseguir alimento.

Con ayuda de un palo tronchado de fregona habían construido un par de rudimentarias cañas de pescar a las que ataron sedal que el señor Grapes usaba en sus maquetas de barcos y agujas retorcidas en forma de anzuelo.

El primer día consiguieron pescar un par de pececillos plateados parecidos a las sardinas. Aquel bocado apenas les llegó para cenar una noche y se fueron a dormir con el estómago rugiendo de hambre. Los siguientes días no fueron mejores, apenas comieron en varias jornadas y Harold empezaba a desesperarse.

Mary Rose fabricó una pequeña red que sumergieron con una cuerda y que dejaron arrastrando durante horas con la esperanza de que algún pez quedase atrapado en su interior. Al sacar la red solo encontraron algas, un trozo de plástico y un pez de tamaño mediano de color rojo. Pero al cocinarlo, un olor pútrido intoxicó toda la cocina y se dieron cuenta de que, si no querían morir envenenados, lo mejor era no comérselo.

No fue hasta días más tarde cuando consiguieron capturar por primera vez una presa decente: un rechoncho bacalao que surgió del agua como un tesoro resplandeciente. Harold y Mary Rose gritaron de alegría, como si aquel pez hubiese sido un regalo del mar, un mar que parecía mantenerlos en un delicado equilibrio entre la vida y la muerte.

Con ese pez lograron alimentarse durante un par de días, racionando muy bien las porciones y sin dejar de salir a pescar. Pero las largas horas de espera sentados con la caña, confiando en que algún pez mordiese el anzuelo, cada vez eran más duras de soportar. El tiempo siguió empeorando y, pese a las capas, abrigos y mantas que llevaban encima, irremediablemente el aire se colaba por los resquicios de sus ropas hasta entumecerles todos los huesos. A medida que el frío aumentaba, las apariciones del delfín que había estado merodeando alrededor de la casa también fueron menguando y, al final, dejaron de verlo justo el día en que las rachas de viento comenzaron a traer unas molestas y finas gotitas de lluvia que cristalizaban allí donde caían.

A partir de entonces, Harold y Mary Rose decidieron hacer turnos: mientras uno pescaba, el otro entraba dentro a reponerse del frío. Durante esas idas y venidas los señores Grapes aprovecharon para poner algo de orden en la casa. Poco a poco remendaron las patas de algunas sillas y de la mesa de la cocina, volvieron a colocar los sofás en su sitio, pusieron a secar la ropa y las alfombras empapadas, y también enjugaron los charcos de agua que aún cubrían partes del suelo. Sacaron de las cajas de la mudanza todos los utensilios y la ropa que les podían ser útiles y las volvieron a llenar con todo lo roto e inservible que iban recogiendo por el suelo. Los cubiertos, los platos, los vasos y las copas que milagrosamente no se habían roto volvían a reposar en los armarios de la cocina. Limpiaron las encimeras, barrieron y fregaron bien los suelos, y Mary Rose trasplantó las tres únicas hortensias que habían sobrevivido en tres descantilladas macetas junto a la ventana. Se acercó a ellas y acarició con suavidad los frondosos pompones que tanto le hacían recordar. Por un momento se sintió aliviada de todo, pero al volver la vista fuera vio a Harold encogido de frío en el porche, sosteniendo la caña de pescar con las gruesas mantas sobre sus hombros y con la mirada fija en el agua que había frente a él. La señora Grapes no podía dejar de sorprenderse de la extremada amplitud del mar. Una parte de ella no podía evitar maravillarse por su salvaje belleza, por su imperturbable fuerza, pero, al notar el dolor de su estómago vacío u oír el sonido de las maderas de la casa crujiendo a su alrededor, se sentía pequeña, indefensa frente a aquellos kilómetros de azul que parecían extenderse hasta el infinito, sin barcos ni otras tierras, solo llenos de una vasta soledad.

Mary Rose miró al cielo en busca de algún claro de sol, pero en él solo vio el homogéneo gris que desde hacía días los acompañaba. Se percató de que poco a poco la línea del horizonte estaba virando de posición a causa del viento que volvía a levantarse y que hacía girar la casa sobre sí misma.

Mary Rose se acercó hasta la desvencijada nevera y la abrió. La luz del fluorescente interior le iluminó la cara y acentuó sus facciones demacradas, mientras el frío surgía del interior como intentando helar aún más el ambiente de toda la casa. Mary Rose miró con preocupación sus estantes vacíos. En ellos solo había un lánguido pez tornasolado que aguardaba sobre un plato medio roto. No era una gran captura, apenas les daría para comer otro día. «Un día más», pensó al tiempo que alargaba el brazo y se lo acercaba a la nariz. El olor a mar se mezcló con el ligero ácido de la comida a punto de pudrirse y, aunque no sabía cuándo conseguirían pescar otro, no podía permitirse desaprovechar ese bocado. Cogió el plato, cerró el frigorífico y cruzó la cocina hasta llegar a la encimera.

Tras la ventana vio que el horizonte seguía girando y, algo resignada, empezó a cortar con delicadeza el pez en canal. Minúsculas gotas empezaron a cristalizarse en el vidrio y Mary Rose miró con preocupación a Harold, que cada vez estaba más hundido en las mantas.

Justo cuando estaba apoyando el cuchillo sobre la encimera para salir a decirle que entrase en casa para recuperarse del frío, algo en el horizonte captó su atención. El corazón le dio un vuelco al verlo surcando el agua.

—¡Un barco! —gritó, sin pensar que no había nadie que la escuchase.

Un barco que se dirigía directo hacia ellos. Pero, al seguir girando la casa, se dio cuenta de que lo que veía era demasiado grande, demasiado irregular y demasiado blanco para ser un barco. Mary Rose se quedó momentáneamente petrificada por el terror. Y entonces un golpe sacudió la casa. El cuchillo resbaló de la encimera y cayó a pocos centímetros de sus pies. Mary Rose fue lanzada hacia un lado y sus costillas chocaron directamente contra el borde de la encimera. El golpe la dejó sin respiración mientras el dolor se expandía por el costado como fuego. Algunos objetos cayeron de nuevo de los estantes, de las mesas y de los armarios; la casa se mecía violentamente. Mary Rose se incorporó tambaleándose por el dolor y el miedo, abrió la puerta y salió al porche.

Nada es lo que parece

Harold había conseguido agarrarse a una de las columnas del porche para evitar caer al agua. Al virar la casa, se había dado cuenta de que algo no iba bien. Primero vio pequeños fragmentos de hielo flotando en el agua, después placas lisas y grandes, y finalmente el gigantesco iceberg que avanzaba directo hacia ellos. Su instinto le hizo dejar la caña y levantarse. Justo al empezar a subir las escaleras, una afilada placa de hielo chocó contra un costado de la casa. Se aferró con todas sus fuerzas a la columna del porche, mientras la silla, las mantas y la caña caían al agua y el mar las engullía. Segundos después, en mitad del vaivén que mantenía toda la casa en una inestabilidad constante, se abrió la puerta y apareció Mary Rose.

—¡Entra en casa! —gritó Harold, al ver a Mary Rose acercarse a él con paso vacilante.

Mary Rose se aferró a la mano enguantada de Harold mientras toda la casa se zarandeaba. Harold la agarró con más fuerza por miedo a que en cualquier momento un nuevo golpe consiguiera empujarlos al mar, pero poco a poco el balanceo fue suavizándose. Aunque más relajados, seguían con las manos agarradas a la columna y con sus miradas ancladas a la estampa que tenían ante sí. Mirasen en la dirección en la que mirasen, todo el mar estaba atestado de hielo. Harold y Mary Rose sintieron como si hubiesen sido abducidos al interior de uno de aquellos documentales de viajes que veían durante sus monótonas tardes de domingo. Pero a diferencia de lo que percibían a través de la pantalla, lo que se extendía frente a ellos era del todo real. Como si de gigantescos ríos se tratase, las placas de hielo fluían a través de los invisibles caminos labrados por las corrientes marinas; se resquebrajaban, se amontonaban y se hundían a medida que iban chocando contra la roca que rodeaba la casa.

Harold sintió como si todo el frío del ambiente se hubiese concentrado en su pecho e intentase helar su corazón, que latía desbocado. Mary Rose notó cómo la mano de Harold temblaba sobre la suya y la agarró con fuerza. Apenas iba abrigada para combatir el gélido viento que soplaba a rachas, pero, aun así, sentía el sudor resbalando por su espalda.

—¡¿Cómo no lo habré visto antes?! —exclamó Harold con la voz temblorosa—. Hasta este momento no había visto nada de hielo...

Pese a que la oscilación se había detenido, toda la casa vibraba como si de nuevo volvieran a estar sometidos a los temblores del acantilado cuando las placas de hielo chocaban contra la roca que los mantenía a flote.

Harold soltó la columna y atrajo a Mary Rose hacia la puerta de la cocina, lejos del agua.

Al volver a mirar el iceberg, calculó que, con toda seguridad, era tres o cuatro veces más alto que su casa y al menos diez más ancho. Nunca antes habían visto algo tan grande y amenazador. En aquel momento, Harold y Mary Rose hubiesen deseado que la imagen que estaban viendo perteneciera a uno de esos documentales. Hubiesen deseado tener el poder de cambiar de canal; pero no podían hacer nada de eso. El gigantesco iceberg avanzaba hacia ellos imperturbable.

—Debe de estar a menos de un kilómetro... —murmuró Harold.

Mary Rose no era muy buena calculando distancias, pero por la magnitud del iceberg hubiese dicho que estaba mucho más cerca.

—¿Y qué podemos hacer? —preguntó, tartamudeando.

Harold la miró a los ojos y en ellos vio reflejado el miedo que sentía él mismo. Un miedo tan desproporcionado como el iceberg, pero, por más que le doliese admitirlo, no sabía cuál era la respuesta a esa pregunta. El iceberg se acercaba demasiado rápido, sabía que no había tiempo para pensar ideas complejas o construir algo que les ayudara a desviar su rumbo. Navegaban a bordo de una casa a la deriva hecha a partir de piezas de barco, pero no en un barco. El sol apareció tras las nubes grises, pero no tardó en ocultarse tras el iceberg, cuya azulada y monumental silueta se recortaba sobre el cielo y proyectaba una larga y ancha sombra que ennegrecía la superficie de mar que seguía separándolos.

—Tenemos que esperar a que la dirección del viento o de las corrientes cambie... —murmuró con tono amargo.

Mary Rose pasó de tener una mirada expectante a otra mucho más oscura y aterrada.

—¡¿Y eso es todo?!

—Rose, aquí no hay timón ni velas con las que podamos maniobrar. ¡Esto es una casa!

—Pero habrá algo que podamos hacer, ¿no? —exclamó con desesperación—. ¡No puedo creer que esperar sea una alternativa!

Harold soltó un largo suspiro. Esquivó la mirada de su esposa y observó el iceberg, que, implacable, seguía avanzando sin preocuparse de todo lo que se interponía en su camino, aunque ese algo fuera la casa de una pareja de temblorosos jubilados perdidos en el mar. Harold se daba cuenta de que

era como ver la propia muerte acercándose sigilosamente hacia ellos, sin poder hacer nada para esconderse. Sabía que, aunque sobrevivieran al golpe, si caían al agua helada no tardarían en morir congelados. Empezó a sentir náuseas.

Entonces una placa de hielo chocó contra la roca que circundaba la casa y los empotró contra la fachada. Mary Rose notó el golpe seco de la madera contra su cabeza. La lámina de hielo se astilló con el ruido de las ramas secas y lanzó una ola de agua gélida y fragmentos de hielo que rodaron sobre el suelo del porche como canicas megalíticas.

Justo cuando la casa empezaba a estabilizarse, otra placa de hielo chocó contra la casa. Esta vez lo hizo por el costado derecho y, como si de dos marionetas se tratase, los señores Grapes salieron catapultados hacia la barandilla del porche con brutalidad. Uno de los barrotes se partió contra la rodilla derecha de Mary Rose y las astillas de la madera rasgaron con facilidad su pantalón y se le clavaron en la piel.

Mary Rose gritó de dolor mientras la casa seguía dando tumbos y giraba sobre su propio eje. Harold se abalanzó sobre su esposa y, con un rápido movimiento, la atrajo hacia él. Aferrados a la columna, esperaron a que la casa dejara de girar. Tras unos minutos, se detuvo y, al hacerlo, la luz del sol los cegó por completo.

—¡Tenemos que entrar! —dijo Harold, mirando con preocupación la sangre que manaba de la rodilla de Mary Rose.

—¡¿Para qué?! —gritó, furibunda—. ¡¿Para morir como dos viejos asustados?!

Mary Rose se secó las lágrimas y volvió la mirada hacia el enorme bloque de hielo. El iceberg seguía avanzando, imponente, sin desviar su ruta lo más mínimo. Entonces, Mary Rose se percató de que en ese lapso de tiempo algo había cambiado.

—¡Estás herida! —exclamó Harold, señalando su rodilla ensangrentada.

Pero Mary Rose no estaba escuchando a Harold, ni siquiera parecía sentir el dolor que trepanaba su rótula. Algo no encajaba. Los rayos de sol atravesaban el iceberg. La señora Grapes no daba crédito a lo que estaba viendo.

—Tiene un agujero... —balbuceó Mary Rose.

Harold la miró desconcertado y entonces lo entendió.

—No es posible... —susurró Harold.

A medida que el iceberg iba girando, la luz incidía más sobre ellos, atravesando una monumental abertura a modo de pasadizo.

—¿Crees que podemos cruzarlo? —preguntó Mary Rose con renovadas esperanzas.

Harold seguía observando el túnel con atención. Estaba seguro de que la casa podía caber en su interior, pero entonces se percató de que la dirección de giro del iceberg no iba exactamente sincronizada con la casa.

Otro fragmento de hielo impactó contra la roca. Harold y Mary Rose se mantenían fuertemente agarrados a la columna mientras la casa se balanceaba y las rachas de viento gélido les abrasaban la piel.

—Cada vez avanzamos menos alineados —dijo Harold, sin apartar la mirada del iceberg.

—¿Y no podemos cambiar el giro de ninguna manera?

Harold sabía que si querían salvarse debían actuar rápido; el tiempo corría en su contra y, si dedicaban esfuerzos a algo que no daba resultado, podían pagar su error con su propia vida. Por más vueltas que le diera al asunto, solo se le ocurría una posibilidad, sin embargo, le dolía decirla en voz alta.

—La única opción que tenemos es abandonar la casa...

—¡¿Qué?! —gritó Mary Rose.

—Cuanto más tiempo perdamos aquí, peor será, Rose.

—¡¿Y dónde pretendes ir?! ¡No hay dónde ir! —gritó, señalando el mar—. ¡Moriremos congelados, Harold!

Una racha de viento levantó una nube de agua pulveriza-da que cortó la respiración de Mary Rose. Apenas sentía sus manos temblorosas y violáceas, que se agarraban con todas sus fuerzas a la robusta madera de la columna. La sombra del iceberg finalmente llegó hasta la casa y, con el sigilo de la muerte, empezó a subir las escaleras del porche y avanzó hasta sus zapatos.

—¡No! —exclamó la señora Grapes, mientras Harold la miraba, desconcertado—. Hemos sobrevivido hasta ahora para algo, ¿no crees? —siguió diciendo con aplomo—. Y no creo que haya sido para morir congelados en medio del mar. Tiene que haber algo que podamos hacer... —Mary Rose le tomó la mano y, mirándolo serenamente a los ojos, añadió—: Confío en ti, Harold.

Entonces un eco del pasado cayó sobre Harold y lo atra-pó mucho más fuerte que cualquier embestida del mar. Vol-vía a sentir el zarandeo de la barca, la luz del tarro lleno de luciérnagas luchando contra la oscuridad, la lluvia interpo-niéndose entre ellos, la angustia de no saber qué hacer para salir de la tormenta y el arrepentimiento por haber desobe-decido a su instinto. De reojo vio la ola que chocaría contra el lado de la barca y los haría caer al agua. No podía hacer nada para evitarlo, pero justo antes de que el agua impactara contra la madera, Dylan miró a Harold, una mirada ilumi-nada por la luz de las luciérnagas y por una extraña sereni-dad. Después todo se oscureció en un remolino de burbujas negras.

La sombra azulada y fría del iceberg finalmente había cu-bierto toda la casa.

—¡Rápido, acompáñame dentro! ¡Tienes que ayudarme con algo! —gritó Harold.

En el interior todo tintineaba. Harold llegó frente a las es-caleras y se detuvo.

—¡Hay que abrir las ventanas! ¡Pero solo las del lado derecho de la fachada! Tú te encargas de esta planta y yo iré a la de arriba, ¿de acuerdo?

Pero Mary Rose no tuvo tiempo de contestar a Harold, que ya subía a toda prisa los escalones. La señora Grapes tampoco se lo pensó demasiado. La adrenalina hacía que apenas sintiera el dolor en la rodilla, así que corrió, tambaleándose, hacia la sala de estar y empezó a abrir las ventanas. El viento gélido del exterior penetró en la habitación como un espíritu rabioso y llenó el aire de gotas heladas que no dejaban de revolotear a su alrededor. Salió de nuevo al recibidor y se dirigió por el corto pasillo hacia la cocina para abrir la única ventana que daba a la fachada derecha, pero justo antes de atravesar el marco de la puerta toda la casa se levantó y Mary Rose cayó de espaldas al suelo. La madera que mantenía firme la estructura de la casa crujió como si estuviera a punto de partirse, mientras los muebles y los objetos caían al suelo con estruendo. Harold no tardó en aparecer, tambaleándose y con un hilo de sangre deslizándose por su frente.

—No te preocupes, estoy bien —dijo el señor Grapes.

Harold la ayudó a levantarse, abrieron la ventana que faltaba y salieron otra vez al porche. El hielo machacado cubría gran parte de la tarima y las maderas de dos de los escalones estaban levantadas. La titánica montaña de hielo se encontraba a escasos quinientos metros de la fachada de la casa y desde aquella distancia sus proporciones aún parecían más exageradas. Un frío mucho más glacial empezó a llegarles como irradiado por el propio bloque de hielo. Sintieron como si se tratase de un hálito de muerte, surgiendo de las fauces de una bestia jurásica que estaba a punto de devorarlos sin que pudieran hacer nada para evitarlo.

El viento soplaba con fuerza, pero sus efectos no eran perceptibles en la casa. La altísima muralla de hielo azul seguía

girando hacia el lado contrario de la casa y el túnel que lo perforaba cada vez estaba más desalineado.

—¿Crees que lo conseguiremos? —murmuró Mary Rose, sin apartar la vista del iceberg.

—El túnel es lo bastante grande... Solo necesitamos un poco más de tiempo —susurró mientras se agarraba a la cintura de su mujer.

El traqueteo de la casa creció. Pequeños fragmentos de hielo seguían resquebrajándose alrededor de la roca mientras los remolinos de agua y las olas aumentaban debido al empuje del iceberg. Harold sabía que, si chocaban con otra placa, no habría ninguna posibilidad de cruzar el túnel sin estrellarse contra sus paredes. Tampoco tenían tiempo para un plan B.

Quedaban cien metros para el inevitable encuentro, ochenta... cincuenta... De manera casi imperceptible, Harold notó cómo la casa cambiaba de dirección. Necesitaban girar unos grados más para estar alineados a la perfección, pero parecía imposible conseguirlo a esa distancia. Cuarenta... treinta y cinco... treinta... De repente sucedió lo que tanto temía. Una placa de hielo chocó contra la roca y la dirección en la que avanzaban cambió bruscamente. Harold agarró a Mary Rose, abrió la puerta principal y, mientras se aferraba con todas sus fuerzas a la barandilla de la escalera, el iceberg impactó contra la casa.

A TRAVÉS DEL ESPEJO

La fachada izquierda de la casa golpeó contra la pared de la entrada de la gruta, lo que provocó que los cristales de las ventanas estallaran con la potencia de una bomba. Toda la casa se estremeció mientras el hielo de la parte superior de la galería se resquebrajaba y formaba cientos de grietas azules. Pedazos de hielo se desprendieron del lateral del iceberg y cayeron como una lluvia de meteoritos. Algunos caían a pocos centímetros de la casa y saltaban como géiseres de agua helada a su alrededor. Otros, en cambio, impactaban directamente sobre el tejado, descuartizando parte del voladizo de madera. La casa, empotrada contra la pared de hielo, se movía ahora hacia atrás arrastrada por el colosal empuje del iceberg. Una ola se formó frente al borde de la roca, salpicó toda la fachada y entró a través de las ventanas rotas. Entonces, un fuerte crujido resonó por todo el túnel y la pared del iceberg se desmoronó. Un enorme hueco se abrió en el iceberg y una exhalación glacial congeló toda la atmósfera justo cuando la casa se deslizaba con torpeza hacia las profundidades de la gigantesca garganta de hielo.

La luz, filtrada entre toneladas y toneladas de hielo compacto, lo tiñó todo de un azul perlado. El estruendo del agua quedó reducido a un reverberante eco sin fin. Las paredes

cortantes y pulidas del interior del túnel reflejaron por un momento la imagen de la casa como un enorme espejo deformado. Pero entonces el costado derecho de la casa impactó contra la otra pared. La roca que circundaba ese lado era mayor y paró parte del golpe, pero un puntiagudo saliente de hielo azul como el zafiro se abrió paso y tocó la fachada. Toda la estructura de madera se tambaleó y, a medida que el puñal de hielo desgarraba las lamas amarillas, se dibujaba una cicatriz cada vez más profunda. Finalmente, la presión de la fachada hizo que el hielo se partiera y la casa dio un fuerte tirón hacia delante.

Los témpanos gigantescos y puntiagudos que llenaban la caverna de hielo iban tintineando, agrietándose y soltando una fina capa de escarcha que helaba el ambiente. Conforme el iceberg giraba sobre sí mismo, la luz iba disminuyendo de intensidad hasta sumergir la atmósfera bajo una azulada tenebrosidad. El frío era cada vez más sólido, penetraba por todos los resquicios de la casa hasta congelar el agua que se había colado en el comedor, la sala de estar y los pasillos.

La fachada volvió a golpear contra el muro del corredor y un fragmento de hielo se derrumbó a unos metros de la casa, lo que originó una ola gigantesca que zarandeó toda la estructura sin piedad. El trayecto por el que navegaban se había convertido en un rápido, que bullía con las turbulencias que formaba el hielo al sumergirse en el agua. Toda la galería se estaba resquebrajando y los témpanos que colgaban del techo del túnel empezaron a romperse y a caer como afiladas lanzas sobre el agua y el tejado de pizarra.

Finalmente, la boca de la salida de la galería apareció a pocos metros. El iceberg siguió girando sobre sí mismo y la luz volvió a ganar intensidad. Esta rebotaba por las paredes y originaba sinuosos y centelleantes destellos en el agua. Apenas quedaban un par de metros para que la casa saliese de

nuevo a mar abierto cuando la roca que la circundaba golpeó un saliente de hielo y lo fracturó. El agua tragó con glotonería el pedazo de hielo que se desprendió y se formó una ola que empujó la casa unos metros hacia el interior del túnel. La grieta se ensanchó, serpenteando hacia los costados hasta juntarse con otras hendiduras más profundas que habían aparecido por todo el hielo. Y entonces, un rechinamiento ensordecedor se extendió por toda la galería.

Las fisuras comenzaron a desgajarse y fragmentos de hielo tan grandes como la propia casa empezaron a desprenderse. El sonido del hielo quebrantándose era tan fuerte como si una mano gigantesca estuviese partiendo troncos de árboles con la misma facilidad que si fuesen ramas. El techo del túnel empezó a desplomarse en un efecto dominó. Una placa cayó y colisionó contra el tejado de la casa, e hizo estallar la chimenea de ladrillos y los desparramó por el voladizo de pizarra hasta que estos cayeron al agua.

Los impactos del hielo contra el agua eran cada vez más ensordecedores, ya que reverberaban en una catedral de hielo que se desplomaba sobre sí misma. La salida del túnel apareció frente a la vivienda, pero entonces un fragmento de hielo dos veces mayor que la casa se desprendió a escasos centímetros de la fachada. La mole penetró en el agua con una parsimonia hercúlea y atrajo la casa hacia el remolino que poco a poco se la estaba tragando.

En el interior, Harold y Mary Rose sentían flaquear sus manos, que con tenacidad se agarraban a la barandilla tronchada de la escalera mientras cientos de fragmentos de cristal y hielo resbalaban pasillo abajo y chocaban contra sus pies. Apenas sentían los golpes, el dolor, el frío o cómo los cristales se les clavaban en la piel. Sabían que ya no podían hacer nada más para salvar sus vidas y, mientras la puerta principal se abría con violencia y una gélida exhalación de viento y nieve

irrumpía en toda la casa como un huracán, se abrazaron y cerraron los ojos a la espera del envite final.

El agua comenzó a desparramarse por todo el porche y llegó al vestíbulo hasta tocar sus pies, pero justo cuando la casa estaba a punto de ser succionada, el bloque de hielo dejó de hundirse y empezó a ascender hasta la superficie con la misma fuerza con la que se había sumergido. Así, se generó un titánico borbollón de agua que catapultó la casa con violencia fuera del túnel del iceberg.

Harold y Mary Rose percibieron cómo toda esa energía se propagaba a través de sus cuerpos y los inclinaba hacia el lado contrario. Mary Rose notaba resbalar sus manos en los barrotes, pero Harold se aferró a su cuerpo y a la escalera con más tesón. Estaba decidido a aguantar hasta el final.

Un segundo después, el corredor de hielo que acababan de abandonar terminó derrumbándose sobre sí mismo y levantó una altísima nube de agua y hielo pulverizado que penetró por toda la casa como un espíritu iracundo. Formó una ola expansiva que llegó hasta ellos con rapidez y los alejó. El agua alrededor de toda la casa se removió con furia, pero poco a poco los restos del iceberg empezaron a alejarse, quedaron difuminados en la lejanía con una espesa bruma que resbalaba sobre la superficie del gélido mar y que finalmente se tragó la casa por completo.

VOLVER A EMPEZAR

Harold soltó con lentitud sus anquilosadas manos de los barrotes tronchados de la escalera y abrazó a Mary Rose, oprimiendo su cuerpo contra el de ella para intentar contener las lágrimas. Mary Rose hundió su cara en el pecho de Harold, sintiendo cómo el temblor de sus cuerpos y los vertiginosos latidos de sus corazones se mezclaban en una estentórea percusión, casi al unísono, y aspirando el olor de su cuerpo como si fuera el perfume de la primera flor que brota después de un duro invierno.

—¿Estamos vivos? —murmuró al fin.

Harold abrió poco a poco los ojos y tras la puerta abierta intuyó el mar, que se escondía bajo la bruma y la nieve. El ensordecedor ruido del hielo fracturándose ya no se escuchaba, tampoco los golpes de los fragmentos chocando contra el agua, y el movimiento de la casa volvía a ser un ligero vaivén. Harold cogió aire hasta llenar sus pulmones y exhaló un largo suspiro mientras una ligera sonrisa se dibujaba en su helada tez. Y, librándose de una vez de toda contención, rompió a llorar. Las gruesas lágrimas brotaron con libertad, desparramándose por sus mejillas mientras la sutil sonrisa se convertía en una risotada cada vez más escandalosa.

Mary Rose lo miró desconcertada y también empezó a reír de pura felicidad.

—¡Estamos vivos, Rosy! —gritó Harold.

Y entonces, pese al dolor y al cansancio que sentía, agarró a Mary Rose de la cintura y la levantó del suelo dándole media vuelta en el aire.

—¡Suéltame, Harold! —dijo Mary Rose sin parar de reír.

Harold la posó con suavidad en el suelo y, antes de que pudiera seguir protestando, la besó. Mary Rose sintió que un escalofrío recorría su cuerpo, y el dolor en su rodilla y el frío de la habitación se mitigaron. Hacía años que no se besaban con esa intensidad.

Ni los copos de nieve que entraban por la puerta, ni el agua que calaba sus zapatos, ni siquiera la sangre que manaba de sus cuerpos importaba. Poco a poco separaron sus labios y, sonrientes, se miraron el uno al otro como si aún tuvieran toda la vida por escribir.

Entonces una racha de viento cerró la puerta principal con un golpe que asfixió sus sonrisas, la casa volvió a quedar sumida en un tenso silencio.

La puerta poco a poco volvió a abrirse y, antes de que golpeara de nuevo el marco, Harold se acercó y la atrancó. Bajo sus pies crujieron fragmentos de cristal, hielo y objetos rotos que se esparcían sobre largos charcos de agua. Mary Rose miró el recorrido de los charcos con cierta resignación y los siguió hasta llegar a la cocina.

Los platos, las copas, los cubiertos, el mobiliario... todo volvía a estar tirado por el suelo como si hubiesen vuelto a caer por el acantilado. Mary Rose sintió una punzada de desolación mucho peor que la que notaba en su rodilla cuando vio, mutilado y sucio en el suelo, el pez que había empezado a cocinar esa mañana. Se agachó y, con delicadeza, retiró los fragmentos más grandes de vidrio que lo rebozaban con la esperanza de poder salvar unas migajas. Pero la suciedad y los miles de astillas de cristal que habían penetrado en su jugosa carne lo hacían incomestible.

—No te preocupes por eso ahora, Rose.

Mary Rose asintió sin fuerzas y se levantó notando el penetrante dolor en la rodilla. Estaba rendida, tan exhausta que era incapaz de articular palabra.

Harold la abrazó y se dio cuenta de que todo su cuerpo tiritaba con intensidad.

—Estás helada —dijo, apretando su abrazo—. Subamos y descansemos.

Al subir las escaleras, vieron que el panorama no era mucho mejor. Mary Rose se sentó en la cama y Harold sacó de la cómoda un par de mantas gruesas que puso sobre los hombros de su esposa. Después, rompió en tiras una camiseta vieja y la utilizó como venda para detener la sangre que manaba de la rodilla. Al igual que en la cocina, la mayoría de los cristales de las ventanas de la habitación estaban rotos y por ellos se colaba un incesante remolino de copos de nieve. Harold fue hasta las ventanas y las tapó con mantas. Así, la estancia quedó iluminada por la luz que conseguía filtrarse por las estrechas lamas de madera y por el resquicio de la puerta.

El señor Grapes se acercó al interruptor más cercano, pero al pulsarlo todo siguió igual de oscuro. Con paso vacilante, esquivó los cristales del suelo y probó con el segundo interruptor, pero tampoco sirvió para encender ninguna de las luces.

—No hay electricidad —concluyó, mirando la oscura bombilla que se mecía sobre sus cabezas.

—Déjalo, Harold —susurró Mary Rose mientras se sentaba en la cama.

Harold volvió a mirar la rodilla de Mary Rose y de repente sintió cómo el peso de la culpabilidad caía sobre sus hombros. Sin decir nada más, fue hasta la cama y se acurrucó junto a su mujer. Pero pese a la cercanía de sus cuerpos y el grosor de las mantas, el frío en la habitación era insoportable. Una corriente gélida conseguía filtrarse por el resquicio de debajo de la puerta y las contraventanas. Por encima del silencio de sus voces solo se alzaba el tenso sonido de las placas de hielo cuando se estrellaban contra la roca y el crujir de toda la estructura de madera de la casa. Al igual que el frío, el hambre y el dolor en sus cuerpos eran cada vez mayores, pero el cansancio poco a poco empezó a hacer mella en ellos.

—Estamos vivos... —dijo Mary Rose sin apenas fuerzas.

Harold se percató de que Mary Rose estaba hablando en sueños, y, con delicadeza, la recostó en la cama. Él también se tumbó y se quedó observando a su esposa mientras luchaba inútilmente con el aplastante peso de sus párpados. Con la mortecina luz de la habitación, su rostro parecía más demacrado, más pálido que nunca, y entonces sintió miedo. Miedo a la muerte.

ALGO SE ESCONDE TRAS LA BRUMA

En medio de la espesa bruma, la vivienda de los señores Grapes seguía su inexorable viaje a través del helado mar por el que se internaba. Parecía que solo la casa sabía hacia dónde se dirigía. La noche llegó y el frío se intensificó hasta que la fina cortina de nieve empezó a cuajar sobre el tejado de pizarra y la roca circundante. Las placas de hielo se compactaron e incrementaron su grosor, amontonándose poco a poco alrededor de la roca que rodeaba la casa, hasta que al fin algo sucedió. Algo casi imperceptible cambió en el exterior sin que los señores Grapes se percataran de nada.

Mary Rose empezó a sentir una molesta punzada en el cuello que la despertó. La imagen del barco en el que había estado navegando en su sueño comenzó a borrarse hasta desvanecerse. Con pereza abrió los ojos y descubrió que tenía el codo de Harold clavado en la nuca. Al apartar el brazo del señor Grapes, la molestia del cuello desapareció, pero un nuevo dolor mucho más intenso comenzó a despertar a la vez que ella. Todos sus huesos rabiaban de dolor y la cara le ardía. Con pesadez, consiguió deshacerse del ovillo de mantas en que estaba enredaba y el intenso frío de la habitación se coló de nuevo en su cuerpo. Al incorporarse, percibió un calambre penetrante en la rodilla derecha que la obligó a sentarse otra vez. Con cuidado, se subió el pantalón y retiró la venda repleta de sangre reseca. Aunque la herida ya no sangraba, Mary Rose se asustó al ver que la rodilla había duplicado su volumen. Creía que al levantarse todo habría mejorado, pero ahora se sentía más débil y cansada que nunca. Suspiró y, aguantándose las lágrimas de dolor y frustración, se bajó el pantalón y, con gran dolor, se incorporó de la cama. Harold se removió bajo las pesadas mantas.

—¿Te encuentras bien? —murmuró mientras abría los ojos.

Mary Rose se agachó frente a una pila de ropa que había en el suelo y tuvo que esperar unos segundos antes de poder responder.

—La herida ya no sangra y apenas me duele —dijo, intentando disimular su sufrimiento.

Harold se levantó y ayudó a Mary Rose a recoger el montón de ropa. Lo pusieron sobre la cama. Cogieron jerséis de lana, pantalones gruesos y chaquetas, y se lo pusieron todo encima para mitigar el frío, pero al abrir la puerta de la habitación todo esfuerzo fue en vano.

Harold y Mary Rose se quedaron helados, no solo por el frío, sino por cómo vieron la casa. Las paredes, el suelo, el pasamanos, los escalones, incluso las lámparas que aún colgaban del techo estaban cubiertos por una capa blanca de escarcha que brillaba en miles de destellos con la luz del sol que entraba por los cristales rotos de las ventanas. Parecía como si la casa fuera la obra de un escultor de hielo de manos prodigiosas.

Mary Rose estaba mareada, confundida por lo que veía. A duras penas conseguía reconocer su hogar. Ya no quedaba nada que la hiciera sentir a salvo, todo lo que veía le inquietaba.

Harold dio un paso al frente y al hacerlo la suela del zapato resbaló sobre el hielo hacia delante.

—Tenemos que caminar con mucho cuidado.

Mary Rose miró el brillante suelo con desconfianza. La rodilla le palpitaba de dolor solo con el peso de su cuerpo, y no quería imaginar qué podría pasar si daba un mal paso.

Harold y Mary Rose avanzaron con cautela hasta llegar al primer escalón. Se cogieron del pasamanos y lentamente fueron bajando los pétreos escalones hasta llegar al vestíbulo. Allí la situación era aún peor que en la planta de arriba. Pilas de nieve se acumulaban frente a las paredes donde las ventanas se habían roto y la escarcha era más gruesa. El señor Grapes probó los interruptores que encontraba a su paso, pero ninguna luz se encendió. Cada vez se sentía más abatido, convencido de que el tambor había sido arrancado de cuajo en alguna de las embestidas contra el iceberg.

Llegaron a la cocina, donde todo permanecía en una extraña calma. Apenas se escuchaba el rumor del viento tras las ventanas rotas o se percibía el suave vaivén de la casa.

Harold se acercó a la puerta y, al abrirla, un montón de nieve entró en tropel hasta cubrirle los zapatos, pero, en lugar de apartarse, dio un paso al frente.

—¡¿Dónde vas?!

—Es necesario saber si el generador sigue funcionando.

Mary Rose observó la impoluta capa de nieve que cubría el porche hasta fundirse con la espesa bruma que seguía envolviéndolos. Era difícil saber dónde empezaban las escaleras.

—Harold, es demasiado peligroso, puedes resbalarte y caer al agua. —Volvió la vista a la opaca niebla y añadió—: No estamos preparados para todo esto.

Harold sabía que tenía razón. Caminar sobre medio metro de nieve a pocos centímetros de un mar helado y calzando unos zapatos comunes no era la manera idónea de enfrentarse a esa situación; era evidente, pero ¿qué podía hacer?

—Necesitamos la electricidad más que nunca, Rose. Iré lo más deprisa que pueda, te lo prometo.

Y frente a la atónita mirada de Mary Rose, el señor Grapes dio media vuelta y empezó a caminar despacio sobre la blanda nieve. Al llegar a la altura de la barandilla, redujo su marcha e inspeccionó en qué punto de la montaña de nieve se escondían los escalones. Harold avanzó alrededor del estrecho margen de roca bien agarrado a los barrotes del porche para evitar dar un traspiés y caer al mar gélido que los rodeaba. El agua helada le había calado los zapatos y comenzaba a sentir punzadas en los pies. Sabía que era peligroso, pero se obligó a acelerar la marcha. Llegó a la esquina de la fachada y empezó a caminar por la roca sin poderse sujetar a ningún barrote. Algunas maderas sobresalían de la fachada como púas de erizo y, sin perder el equilibro, las apartó para poder pasar sin clavárselas.

Cuando Mary Rose lo perdió de vista, cerró la puerta de la cocina y, tan rápido como le permitieron el resbaladizo suelo y su rodilla, fue hasta el salón. De las dos ventanas que había en la estancia solo una permanecía intacta, pero al acercarse se dio cuenta de que el cristal estaba repleto de grietas y no se atrevió a abrirla. Fue hasta la otra ventana y con cuidado de no cortarse con los cristales que se adherían al marco, sacó la cabeza por la abertura y vio aparecer a Harold.

Harold se detuvo. Si la memoria no le fallaba, el tambor debería estar más o menos en ese punto. Se agachó y con premura comenzó a quitar la nieve que tenía delante. La primera capa era blanda, pero al seguir excavando se dio cuenta de que poco a poco la nieve se endurecía, y sus dedos no tardaron en quedar entumecidos. No tuvo más remedio que sacar durante un momento las manos enguantadas del agujero y darles algo de calor con el vaho de su respiración. Pero la lana no estaba hecha para la nieve y el agua había calado sus manos. Tenía que darse prisa.

Volvió a meter las manos en la nieve y siguió excavando. Sus dedos rasgaron con fuerza la dura capa de nieve y no tardaron en llegar a la roca. Nada, ni rastro del cableado ni de la platina de metal. Dio un paso al frente y empezó a excavar más adelante. A los pocos centímetros la nieve se endurecía, pero no había rastro del tambor.

—¿Consigues ver algo? —preguntó, impaciente, Mary Rose.

Los dientes de Harold castañeteaban con tanta fuerza que le fue imposible contestar a su esposa. Avanzó un paso más, sin saber en qué punto se terminaba el límite de nieve y empezaba el agua. Sus dedos eran garras rígidas que movía de un lado a otro sin poderlos cerrar. La nieve que seguía cayendo poco a poco se acumulaba sobre él y el frío parecía treparle las fosas nasales a cada respiración. Aun así no se dio por vencido y siguió escarbando en la nieve. Entonces notó algo mucho más duro y frío. Sacó las manos medio paralizadas del agujero, acercó la cabeza y vio un pedazo de metal plateado. El corazón le dio un vuelco de alegría y empezó a excavar con más arrojo. Como si de un fósil se tratase, el gran tambor plateado apareció entre la nieve. Harold sentía que con cada palmo de nieve que sacaba su esperanza iba creciendo. Finalmente, el tambor y el cableado que conectaba a la casa quedaron expuestos. No podía creer que después de todos los golpes que se había llevado la casa el tambor siguiera firmemente agarrado; pero aun así no giraba.

Harold se acercó más al límite de tierra con la mirada de Mary Rose siguiendo sus pasos. Alargó el brazo en dirección al agua y notó cómo el hielo rodeaba la parte sumergida del tambor. Harold sabía que sin herramientas le sería imposible romper el duro hielo, así que se levantó para ir a buscar todo lo que necesitaba.

Pero al hacerlo dio un traspiés y desapareció tras la bruma.

—¡Harold! —chilló Mary Rose.

De repente no sentía ni frío, ni dolor ni tampoco miedo a caerse, y salió tambaleándose hacia el porche. Sin pensarlo, avanzó a trompicones por la nieve, bajó los escalones y esquivó las puntiagudas maderas que sobresalían de la fachada hasta llegar al punto en el que Harold había caído.

—¡Harold! —volvió a gritar con desesperación.

El aire helado sopló con fuerza hasta internarse en sus dilatados pulmones como un torrente mientras su cuerpo se convulsionaba por el pánico. El viento disipaba lentamente la espesa capa de niebla, pero los lagrimosos ojos de la señora Grapes no conseguían ver más allá del límite de roca.

—¡¡Harold, por favor!! ¡¡Dime algo!!

Mary Rose se agachó y notó bajo sus desnudas manos el corte de tierra que marcaba el límite entre su casa y el agua. Alargó el brazo, pero con la bruma y la nieve no conseguía ver nada. No sabía qué hacer, ¿saltaba al agua? Entonces una voz se alzó en la lejanía.

—¡¿Rose?!

La señora Grapes sintió un vuelco de alegría al escuchar la voz de Harold.

—¡¿Harold?! ¡¡Harold, estoy aquí!!

Mary Rose extendió todo lo que pudo su brazo hacia la bruma y entonces vio algo que se perfilaba entre la espesura y que se acercaba poco a poco hacia ella.

—¡¡Harold, aquí!! ¡¡Sigue mi voz!!

Pero de repente Mary Rose se percató de que el contorno que se acercaba era demasiado alto, demasiado voluminoso para ser Harold. El miedo y la confusión volvieron a calar en ella.

¿Qué era lo que se estaba acercando? ¿Dónde estaba Harold?

—¡¡Harold, dime algo!!

La forma era cada vez más densa y definida, zigzagueaba de un lado a otro a medida que se acercaba a la casa. Pero por más que forzase la vista, Mary Rose no conseguía saber de qué se trataba.

—¡¿Rose?! —gritó Harold desde la lejanía.

—¡Harold, date prisa, por favor! ¡Algo se acerca!

La forma dejó de ser un borrón para Mary Rose. Pero eso no la tranquilizó. Pensaba que lo que estaba viendo no era real, sino una alucinación causada por el agotamiento. Parecía una silueta humana caminando hacia ella, pero... ¡estaban en medio del mar!

—¡¿Rose?!

La corriente de aire siguió soplando hasta que, ante la estupefacta mirada de Mary Rose, se materializó la silueta de Harold, que avanzaba dando tumbos hacia ella. La niebla que envolvía la casa siguió alejándose y, delante de las manos de la señora Grapes, empezó a aparecer una pátina de hielo azul que parecía extenderse hacia el infinito. Harold caminaba lentamente, concentrado en dónde ponía sus pies para no resbalar, pero, cuando quedaban pocos metros para llegar al corte de tierra, resbaló y cayó de bruces sobre el hielo. La placa de hielo resonó bajo el peso del señor Grapes, pero no se rompió.

—¡Harold!

Mary Rose dio un paso al frente, pisó el hielo y con cuidado avanzó hacia él. Le tendió una mano para ayudarlo a levantarse, pero al hacerlo también ella resbaló y cayó. Mary Rose sintió un doloroso latigazo en la rodilla, pero poco importaba ahora que sabía que Harold estaba vivo. Los dos, tendidos en el suelo, se abrazaron mientras la brisa seguía barriendo los últimos bancos de niebla que se perfilaban más a lo lejos. Las nubes grises también empezaron a fragmentarse con rapidez y un rayo de sol amarillento brilló por un instante a través de una brecha azul. Fue entonces cuando Harold y Mary Rose vieron tras el último velo de bruma el negro y brillante pico de una montaña.

BAJO LA MONTAÑA

Harold y Mary Rose no tuvieron más remedio que entrar en casa. Tenían todo el cuerpo entumecido y temblaban no solo por el frío, sino también por lo que acababan de ver.

Entraron en la sala de estar y con una manta tapiaron la ventana. Se situaron frente al cristal resquebrajado mirando embelesados cómo la bruma seguía retirándose de la oscura cordillera mientras finos copos de nieve empezaban a caer alrededor de la algarabía de conjeturas que revoloteaba en sus cabezas. Por fin, después de largas semanas a la deriva, con la única visión del vasto mar, veían tierra. Pese a que la montaña les recordó a la roca del acantilado, Harold y Mary Rose nunca habían visto una cordillera tan alta como aquella. En la isla de Brent la montaña más alta era el monte San Andrew, el antiguo volcán extinto que había moldeado miles de años antes la isla y que ahora no era más que un montículo achaparrado y yermo.

—Qué sensación tan extraña... —dijo Mary Rose con la mirada perdida en algún rincón de la montaña—. Se me hace muy raro ver un horizonte tan firme y próximo. ¡Nunca había visto montañas tan grandes! —exclamó, riendo.

Harold la miró y sonrió al ver la esperanza que destilaba el brillo de sus ojos verdes.

—De verdad que pensaba que nunca más volvería a ver tierra, Harold —añadió, observando, embelesada, el paisaje.

Harold volvió la vista hacia la montaña que se recortaba tras el vidrio de la ventana, en el que poco a poco iban apareciendo cristales de hielo producidos por el vaho de sus alteradas respiraciones. Se sentía aliviado, arropado por su grandiosa sombra y por la sensación de estar firmemente amarrado a puerto seguro.

Su mirada recorrió la gruesa capa de nieve que cubría el lateral en penumbra de la ladera y lentamente fue avanzando hacia el lado opuesto, donde largas lenguas de hielo descendían entre pesadas rocas caídas. Harold empezó a escudriñar cada uno de sus recovecos en busca de algún camino, de algún poste de luz o de alguna construcción. Su corazón iba acelerándose a medida que sus ojos ascendían por la empinada cuesta helada, a la espera de distinguir lo que tanto deseaba ver. Pero, por más que se esforzaba en rastrear aquel paisaje helado, solo conseguía ver hielo, nieve y rocas.

Las horas fueron pasando sin que Harold y Mary Rose se dieran cuenta. Cogieron un par de mantas y bajo su precaria protección siguieron observando las montañas en busca de alguna señal, algo que les indicara que esa tierra podía estar habitada. Ni el hambre ni la sed, ni siquiera el frío o el cansancio eran motivos suficientes para apartarlos de la helada ventana. Tenían miedo de perder la oportunidad de ver algo importante si lo hacían. Pero poco a poco la luz del sol fue disminuyendo de intensidad, ocultándose tras un espeso alud de nubes que habían ido desparramándose por el cielo con rapidez. Los copos de nieve empezaron a caer con intensidad y la vista de la montaña se hizo más difusa, pero aun así ninguno de ellos se movió de su posición. Harold siguió el descenso de la sombra ladera abajo, observando con desesperación cómo el relieve de la montaña poco a poco quedaba oculto bajo una capa de oscuridad impenetrable. Entonces, antes de que la sombra los cubriese por completo, algo se movió.

Harold dio un brinco y se acercó a la ventana hasta que la punta de su nariz rozó el cristal resquebrajado.

—¿Qué hay? ¡¿Has visto algo?! —preguntó Mary Rose.

—No estoy seguro... —contestó, agudizando la vista.

Mary Rose miró hacia el punto que estaba observando Harold. Se quedaron en silencio unos minutos más, hasta que la oscuridad finalmente ocultó las montañas por completo.

—Habrá sido algún montículo de nieve derrumbándose... —murmuró Harold, sin atreverse a apartar la vista del punto, pese a que ya no podía ver nada.

La nieve aumentó en intensidad y la oscuridad avanzó a través de la planicie. Y entonces un chillido reverberó a través del cristal.

—¿Qué ha sido eso? —preguntó Mary Rose.

Harold también lo había oído, pero no estaba seguro de qué o de quién lo había proferido. Debido a la cortina de nieve, apenas veía unos metros frente a la casa.

—Puede que haya sido el silbido del viento...

Pero el chillido volvió a llegar a sus oídos mucho más intenso. Harold y Mary Rose se miraron sin saber muy bien qué pensar.

—Subamos, a ver si tenemos mejor vista —dijo Harold.

Tan rápido como se lo permitió el resbaladizo suelo, Harold y Mary Rose subieron los dos tramos de escalera hasta llegar al desván. Sus mentes estaban tan concentradas en la voz que apenas se fijaron en el enorme agujero que un fragmento del iceberg había abierto en el tejado y por el que la nieve se colaba. Se dirigieron raudos hacia la gran ventana circular y se cubrieron bien con las bufandas para evitar que la ventisca helara aún más sus cuerpos.

Pese a que la luz era cada vez más pobre, desde aquella altura podían vislumbrar mucho mejor el helado paisaje que los rodeaba. Por un momento se sintieron extasiados por su enormidad, por la vasta llanura de hielo y nieve que los envolvía, tan impresionante como el mar que habían surcado. Pero, aunque desde aquella privilegiada posición eran capaces de otear una extensión mayor de paisaje, no conseguían ver de dónde procedía el grito que habían oído. Pasaron unos minutos en los que solo se escuchaba el sonido de las ráfagas de viento arrastrando la nieve de un lado al otro del desván, cuando escucharon un segundo grito más grave.

Los señores Grapes se acercaron más a la ventana, pero el viento cada vez soplaba con más rabia y les lanzaba los espesos copos de nieve contra el rostro, lo que empeoraba aún más la visibilidad. Mary Rose notaba cómo la escarcha empezaba a acumularse en sus pestañas; sus ojos eran apenas dos líneas prietas que luchaban por distinguir algo en medio de la penumbra y la nieve.

Y entonces, en medio de la llanura, vio aparecer dos siluetas.

—¡Harold, ahí!

El señor Grapes miró en la dirección que marcaba el brazo de Mary Rose y sintió cómo el corazón se le aceleraba incontrolablemente.

—¡Estamos salvados! —gritó Mary Rose—. ¡Corre, vayamos abajo!

Mary Rose se dirigió a trompicones hacia la escalera, pero Harold se quedó frente a la ventana, observando cómo las dos siluetas se hacían cada vez más nítidas. Había algo en aquella escena que no le encajaba y su alegría se transformó en desconfianza.

—Focas... —murmuró Harold.

—¿Qué dices? —preguntó Mary Rose, al tiempo que se acercaba de nuevo a la ventana.

Entonces, al llegar frente al cristal, vio aparecer a dos de ellas arrastrándose raudas sobre la nieve. No se trataba de dos personas, sino de dos focas; una adulta y una cría. Las dos del mismo tono gris perlado, las dos con la misma mancha negra en el ojo derecho. Mary Rose nunca había visto a esos animales en persona, pero su asombro no conseguía aplacar su decepción.

Apoyó la espalda contra la pared y entonces miró con desconsuelo la larga columna que se levantaba en el centro de la sala. Pese a las marcas de quemado que recorrían sus vetas, Mary Rose tuvo la sensación de que era lo único de toda la casa que se mantenía firme. Quería sentirse tan fuerte como aquella columna, pero notaba cómo su esperanza se desmoronaba como el tejado agujereado de aquel cochambroso desván. No entendía por qué no podían tener de una vez por todas algo de suerte.

—Esto no es el fin... —dijo Harold, acercándose a ella y secándole con delicadeza las lágrimas—. Cuando deje de nevar y la visibilidad sea buena, ya verás como alguien nos encuentra.

Mary Rose asintió con cierta aflicción y entonces otro grito mucho más grave volvió a captar su atención. Harold y Mary Rose se asomaron de nuevo a la ventana y algo apareció entre la niebla: un oso blanco.

Nunca antes habían visto focas y mucho menos un oso polar. El animal rugió y el eco de su voz reverberó por toda la planicie con una fuerza ensordecedora que les erizó el vello del cuerpo. Mary Rose se agarró con sus temblorosas manos al marco de la ventana, aterrada al percibir su debilidad frente a aquel paisaje salvaje y feroz en el que no encajaban, al sentir el rugido de una bestia que parecía haber surgido de la nada para venir a devorarlos. El oso empezó a correr en dirección a las focas con una sorprendente agilidad, rugiendo y levantando una nube de escarcha bajo sus fuertes pisadas, que retumbaban con un sonido hueco sobre el hielo que rodeaba la casa.

Y antes siquiera de comprender qué estaba sucediendo, el oso se abalanzó sobre las rechonchas focas con un mortal abrazo. La señora Grapes gritó y apartó la mirada justo antes de que la fiera diese su zarpazo final y la sangre de su víctima quedara desparramada sobre el lienzo de nieve. Harold se quedó paralizado, tembloroso y con el aliento contenido. La pequeña de las focas se escabulló entre las zarpas que la mantenían atrapada y huyó tan rápido como su flácido cuerpo le permitió. El oso rugió con tanta ira que levantó de nuevo el vello de la nuca de Harold. El animal, en lugar de seguirla, decidió no moverse y acabar definitivamente con la vida de la mayor, a la que se llevó colgando bajo sus afiladas fauces hasta perderse entre la niebla, dejando un reguero rojo sobre la impoluta nieve.

Mary Rose no podía dejar de temblar y, volviendo finalmente la mirada hacia Harold, preguntó:

—¿Dónde estamos, Harold?

Harold no se atrevía a mirar a Mary Rose. Le resultaba imposible desviar la mirada de aquella mancha roja que con pasmosa rapidez desaparecía bajo el fino barniz de nieve que seguía cayendo, y entonces una idea aterradora le vino a la cabeza. Una idea que le removió el estómago aún más y que fue incapaz de pronunciar en voz alta. El señor Grapes se preguntaba si aquella tierra a la que habían llegado no era sino un lugar más salvaje y aún más solitario que el propio mar en el que durante semanas habían navegado a la deriva.

La señal

La nieve dejó de caer y la visibilidad había vuelto a ser tan nítida que, tras el frío cristal de la sala de estar, Harold y Mary Rose empezaban a conocer de memoria todos y cada uno de los rincones de la montaña. Pero, pese a las largas horas que pasaban frente a la ventana, no habían visto más focas u osos polares, como tampoco ningún humano. La sospecha de que estaban solos era cada vez más inquietante. Las reservas de comida se iban agotando: les quedaba un puñado de frutos secos, una lata de fruta en almíbar y el agua del depósito, que prácticamente se había convertido en un pétreo bloque de hielo. Sabían que en ese yermo páramo de hielo, la pesca era la única esperanza de conseguir alimento, pero todos los intentos habían fracasado. El hielo se extendía en todas direcciones y era demasiado grueso para perforarlo con las herramientas de que disponían.

Harold había dejado la reparación de la instalación eléctrica por imposible: el frío en el exterior era insoportable y sabía que, sin el movimiento del mar, cualquier tentativa de reparar el sistema era inútil. Para combatir ese frío, tapiaron todas las ventanas rotas con tablones y mantas, y encendieron un fuego en la chimenea del comedor con los muebles rotos que se acumulaban por toda la casa. Pero a los pocos minutos de que el fuego empezase a arder, una humareda negra llenó toda la estancia. Harold y Mary Rose tuvieron que apagar la hoguera con rapidez y abrir de nuevo las ventanas para deshacerse del humo. Cuando Harold inspeccionó el conducto de la chimenea, descubrió que estaba completamente taponado por los ladrillos que el iceberg había arrancado de cuajo, así que improvisaron una nueva hoguera mucho más modesta en el interior de la carcasa de metal de la secadora que Harold había destripado y la situó al lado de una ventana rota, con un tubo de fabricación casera para que el humo saliera al exterior y no volviera a ahogarlos. El pequeño fuego que generaba no conseguía calentar lo suficiente, por lo que apenas salían de la sala de estar. Ya no subían ni a dormir a su cama, lo hacían acurrucados en los sofás hechos jirones, muy juntos, con varias mantas sobre sus lánguidos cuerpos y con un duermevela que les hacía estar alerta para evitar que se extinguiera el fuego que los mantenía con vida.

—El fuego está a punto de apagarse —dijo Mary Rose.

—Esta era la última silla rota que quedaba —contestó Harold—. Tendremos que quemar los muebles que están en buen estado.

Mary Rose suspiró y, con cierto rencor, observó la oscura montaña que se recortaba tras el cristal resquebrajado.

—¿Crees que habrán celebrado un bonito funeral en nuestro honor? —preguntó Mary Rose, ensimismada.

—No creo que existan funerales bonitos.

—Sí, tienes razón... No existen —contestó, mientras un oscuro recuerdo cruzaba su mente.

—Y, además, que yo sepa, aún no hemos muerto.

Las llamas finalmente se extinguieron y la cálida luz que bañaba sus rostros se desvaneció. Mary Rose se incorporó y, con esfuerzo, removió las moribundas brasas con ayuda del badil.

—¿Y crees que tardaremos mucho en hacerlo?

—No, si seguimos aquí dentro esperando a que suceda un milagro.

Mary Rose volvió la cabeza y miró fijamente a su esposo.

—Es una locura salir ahí fuera.

—Seguramente tienes razón, pero ¿acaso estar aquí no lo es también?

Mary Rose suspiró y vio cómo el sol iba ocultándose tras la desafiante montaña.

—¿Y crees que no lo haremos si salimos fuera?

—Al menos fuera se nos abre una oportunidad, Rose —dijo el señor Grapes, señalando la ventana—. Puede que tras las montañas haya algún pueblo escondido.

—¿Y si no es así? ¡¿Y si solo hay más hielo, más fieras y más muerte?!

Las brasas chisporrotearon y unas cuantas pavesas saltaron, iracundas, fuera del hogar hasta los pies de Harold. Mary Rose soltó el badil, que cayó al suelo con un golpe seco, y rompió a llorar.

—Tendríamos que haber muerto cuando la casa se despeñó por el barranco —balbuceó.

Harold se incorporó y se sentó en el suelo junto a ella.

—No digas eso, Rose —dijo, abrazándola.

Pero al igual que el frío empezaba a penetrar poco a poco en la habitación, Harold sentía cómo la desesperación iba calando en su interior. Mary Rose recostó su cabeza sobre los huesudos hombros de Harold y sus sollozos acabaron convirtiéndose en una profunda respiración. Harold besó su frente y volvió la mirada hacia la montaña, que desde aquella perspectiva parecía más alta y escarpada. El sol había quedado oculto finalmente tras la fantasmagórica bruma que se esparcía por la cima y que, como los vapores de un volcán, se desparramaba a lo largo de sus faldas en finos y largos tentáculos translúcidos.

147

El señor Grapes se percató de que tras uno de esos bancos de niebla empezaba a ascender algo hacia el cielo. Agudizó la vista tras sus viejas gafas, concentrándose en ese punto.

Mary Rose levantó la mirada hacia la ventana y, con la manga del jersey, se secó las lágrimas que aún se deslizaban por sus mejillas. También ella había visto algo extraño en la montaña. Con paso vacilante, se dirigió hacia la ventana y Harold la siguió, rodeándole la cintura con delicadeza. Mary Rose lo miró y vio el brillo de sus ojos. Entonces fue ella quien lo abrazó. Entre lágrimas y risas saltaron de alegría. Una difuminada línea gris trepaba hacia el cielo del atardecer con parsimonia y se disipaba entre las nubes en un esperanzador rastro de humo.

EL PEQUEÑO PUNTO AMARILLO

El frío despertó a Harold y Mary Rose. El fuego se había extinguido en algún momento de la noche y ninguno de ellos se había percatado. Con pereza, retiraron de encima de sus entumecidos cuerpos las pesadas mantas entre las que se acurrucaban en el sofá y se acercaron a la ventana con cierto temor. El vaho de sus respiraciones quedó rápidamente plasmado sobre el cristal mientras los largos rayos rosáceos del amanecer asomaban tras la bruma que mantenía el pico de la montaña oculto. Pero lo que buscaban entre las nubes no era el contorno de la montaña. Tras unos largos y angustiosos minutos, la neblina más baja descendió por una de las laderas y Mary Rose sonrió al ver el rastro de humo.

—No podemos perder más tiempo —dijo Harold con calma.

La sonrisa de Mary Rose se dibujó y sus músculos se tensaron. Su mirada recorrió los escarpados riscos, las heladas cordilleras y la fría bruma que seguía protegiendo celosamente la montaña hasta detenerse de nuevo en el serpenteante humo gris que subía sin parar hacia el cielo.

—¿A cuántos kilómetros crees que está? —preguntó Mary Rose.

—Puede que a unos ocho o diez...

—¿Ocho o diez kilómetros? —exclamó Mary Rose.

De repente la montaña le pareció más abrupta, lejana y fría que antes. Pese a que no sentía tanto dolor en la rodilla como el día anterior, no podía imaginar siquiera cuán difícil podía llegar a ser el trayecto.

—No es mucha distancia, Rose...

—No estoy preocupada por la distancia, Harold, sino por lo que podamos encontrarnos en el camino. —Y, tras una breve pausa, añadió—: ¿Y si no lo conseguimos?

Harold desvió su mirada hacia las dos mochilas que habían preparado la noche anterior y que descansaban a los pies del sofá. En su interior no había utensilios de supervivencia, tampoco víveres o equipamiento que les ayudara a avanzar por la nieve y el hielo. Entre sus raídas costuras solo había un par de mantas, alguna muda seca, una linterna, un puñado de frutos secos y una cantimplora con agua. Eso era todo lo que tenían para enfrentarse al camino que les esperaba.

—Hasta ahora tampoco creo que lo hayamos hecho tan mal, ¿no crees? —dijo, intentando sonar convincente.

Pero en el fondo ni él mismo estaba seguro de que esa expedición fuera a salir bien. No sabía qué se escondía tras esas cordilleras, ni siquiera sabía si conseguirían llegar hasta ellas. Pero, en su situación, ¿qué otra opción les quedaba?

Al abrir la puerta principal, una racha de viento helado barrió la nieve del porche de lado a lado. Los señores Grapes salieron de la casa y Mary Rose cerró la puerta con lentitud, como si no se decidiera a hacerlo. Al sonar el clic de la cerradura, se detuvo un segundo. Llenó sus pulmones de aire y avanzó siguiendo las huellas que Harold dejaba sobre la nieve virgen del entarimado. Al bajar los escalones, notó un pequeño pinchazo en la rodilla derecha. La hinchazón prácticamente había desaparecido y, aunque le había dicho a Harold que también lo había hecho el dolor, lo cierto es que no era así. Cada vez que apoyaba el pie sentía molestias, pero no quería que por su culpa tuviesen que cancelar aquella expedición.

—¿Vamos allá? —preguntó el señor Grapes con la voz algo amortiguada por la bufanda que cubría su cara.

Pero Mary Rose no contestó, simplemente se limitó a asentir, intentando disimular el dolor y el miedo que sentía al ver la yerma planicie de hielo que se extendía frente a ellos. Un segundo después, sus viejas botas de pescar se hundieron más de medio metro bajo la mullida nieve y, con dificultad, empezaron a avanzar a través de la extensa llanura que los separaba de la falda de la montaña. A cada paso que daban la nieve se hacía más profunda. Sus respiraciones no tardaron en acelerarse y el frío del ambiente empezó a colarse a través de la lana de sus bufandas.

Mary Rose dio un mal paso y la bota se le quedó enganchada, perdió el equilibrio y cayó de bruces sobre la nieve. La rodilla le dio un calambre tan fuerte que apenas notó la caída. Harold se apresuró a ayudarla, pero al hacerlo no logró alzarla y cayeron los dos. La humedad no tardó en filtrarse a través de todos los resquicios abiertos de sus ropajes. Harold se incorporó torpemente y, anclando con fuerza los pies en la nieve, ayudó a Mary Rose a levantarse.

La señora Grapes consiguió ponerse de pie, pero sentía cómo el dolor palpitaba con furia en su rodilla. Se esforzó en mantener a raya las lágrimas, pero Harold la miraba con preocupación. Se sacudió la nieve del abrigo, los pantalones y el gorro.

—Aún estamos a tiempo de regresar... —dijo el señor Grapes.

Mary Rose volvió la vista hacia la casa y vio que apenas se encontraba a quinientos metros de ellos. No podía creer que hubiesen avanzado tan poco y con tanta dificultad. Se sentía exhausta y torpe. Sabía que aún quedaba mucho viaje por delante y en su interior no deseaba más que volver. Pero era consciente de que esa no era una buena solución. Si querían tener alguna opción de sobrevivir, necesitaban actuar, seguir el zigzagueante rastro de humo hasta su origen y pedir ayuda.

—Estoy bien —dijo—. Continuemos, por favor.

Volvieron a retomar la marcha y fueron avanzando a través de la pastosa nieve. Harold caminaba muy cerca de Mary Rose, atento a sus pisadas y a la expresión de dolor de su cara cada vez que daba un paso.

A medida que iban acercándose a la falda de la montaña, el viento iba levantando una punzante capa de escarcha que poco a poco iba acumulándose sobre sus ropas.

La nieve comenzó a compactarse y el terreno empezó a ascender en una larga lengua salpicada por las rocas afiladas de la montaña. En un primer momento Harold se alegró de que sus botas no siguieran hundiéndose, pero poco a poco la nieve se convirtió en hielo y la suela de plástico comenzó a perder agarre.

Mary Rose sentía cómo su ansiedad aumentaba a cada paso que daba, con el miedo constante de resbalar sobre la traicionera cuesta de hielo. El dolor en la rodilla ya era uno más en el viaje.

Al cabo de unas horas de continua marcha, la pendiente por la que ascendían empezó a acentuar su desnivel, lo que los obligó a caminar más encorvados y con más lentitud. Harold miró hacia arriba y, tras el escarpado risco que los flanqueaba, reconoció a lo lejos el rastro de humo que aparecía y desaparecía. Se sentía turbado. Habían recorrido un buen tramo del camino, pero tenía la sensación de que el serpenteante hilo gris seguía estando igual de lejos.

Finalmente llegaron a la cima de un peñasco y se detuvieron a descansar. Se sentaron sobre unas rocas caídas que los protegían de la nieve y, mientras comían unos pocos frutos secos y bebían algo del agua de la cantimplora, que lentamente se estaba congelando, miraron hacia la planicie que como un abanico se abría frente a ellos. Y, en medio de aquel terreno helado que se extendía desde la falda de la montaña hasta el mar que quedaba oculto tras los bancos de niebla, vislumbraron una mancha de color amarillo. Una casa de color amarillo que desentonaba con el blanco que lo cubría todo.

Harold y Mary Rose estaban desfallecidos y doloridos, pero cuando vieron por primera vez su casa desde aquella perspectiva se sintieron asombrados al darse cuenta de que habían recorrido toda aquella distancia ellos solos.

—Qué pequeña parece desde aquí arriba... —dijo Harold.

Mary Rose nunca había observado su casa desde aquella distancia. Parecía un grito en medio de la nada, algo fuera de lugar. Un diminuto punto amarillo que exaltaba su propia pequeñez, la pequeñez de un mundo del que apenas había salido y que contrastaba con la inmensidad de aquel lugar. Y entonces se sintió más vulnerable que nunca. No comprendía cómo habían pasado de la tranquila vida de San Remo a encontrarse en aquella situación. Si no hubiese sido por el frío viento que le cortaba la piel de la cara o el dolor que sentía en la pierna, Mary Rose habría pensado que estaba soñando, que todo formaba parte de una extraña pesadilla. Levantó la mirada del suelo hacia el rastro de humo, pero apenas consiguió ver una borrosa mancha gris que surgía entre la nieve. En ese momento entendió que ese era un camino sin retorno. Si no lograban llegar al origen del fuego antes de que sus fuerzas se agotaran por completo, no habría nada que los pudiera salvar. Volver a la casa ya no era una opción.

Harold se levantó de la roca y ambos continuaron caminando en silencio. Sus ojos eran dos líneas cubiertas de escarcha y una gruesa capa de nieve y hielo se acumulaba sobre sus hombros y mochilas. Harold miró a Mary Rose de reojo y vio que cada vez andaba más lentamente y más encorvada. Él mismo se sentía más torpe a cada paso que daba. Sus piernas le pesaban más y una tos ronca empezó a desgarrar sus pulmones. Vio que, aunque el humo se había vuelto más difuso, también parecía estar más cerca de ellos. Eso le infundió fuerzas, sabía que no podían desfallecer. Debían continuar.

Al volver la vista al suelo, no se percató de la roca que sobresalía de la estrecha pared por la que avanzaban y un tirón lo frenó en seco. Harold se quedó paralizado, sin entender qué había sucedido.

—¡¿Estás bien?! —exclamó Mary Rose, alarmada.

Pasados esos segundos, un frío veloz y penetrante empezó a calar en sus costillas. Vio el largo desgarro en la tela de su abrigo.

—Por suerte solo ha rasgado el abrigo —dijo Harold entre toses.

Mary Rose lo miró inquieta. No le gustaba nada la tos de Harold. Con dificultad, se desabrochó la mochila y la dejó sobre la nieve. Al agacharse sintió de nuevo el latigazo en la rodilla. Respiró profundamente y con las manos entumecidas sacó las mantas.

—Toma —dijo, ofreciéndole una de ellas a Harold—, pongámonoslas encima.

Se colocaron las mantas a modo de capa y, agarrando bien sus puntas para que el viento no se las llevara volando, emprendieron de nuevo la marcha.

La nieve del suelo comenzó a engordar de nuevo, lo que hizo que sus botas se hundieran y sus pasos se volvieran aún más lentos y pesados.

Mary Rose no sabía cuánto tiempo llevaban caminando, pero no se le escapaba que, si tardaban demasiado en llegar, no lo conseguirían.

Al cabo de un rato, tuvieron que volver a detenerse. El viento era cada vez más fuerte y, pese al pequeño risco que encontraron para guarecerse, los copos de nieve llegaban hasta ellos con facilidad. Sacaron los frutos secos que les quedaban y decidieron comerse la mitad. Al beber de la cantimplora, el agua repleta de trozos de hielo les heló la garganta. Harold y Mary Rose se miraron, consumidos. No podían rendirse.

Harold se concentró en el rastro de humo, pero con la tormenta de nieve era difícil ver nada. La luz del día poco a poco se iba apagando y, tras unos segundos de pánico en los que creía haber perdido el rastro, la humareda reapareció a menos de un kilómetro de ellos.

Sin Retorno

La euforia se propagó por todo su cuerpo como un fuego, reavivando sus agarrotados músculos e infundiendo esperanza a sus desfallecidos ánimos. Mary Rose apenas percibía los incesantes calambres que una y otra vez martilleaban su rodilla derecha; su mente estaba concentrada en avanzar lo más rápido posible a través de la tormenta de nieve que se deslizaba cuesta abajo. Una racha de viento arrancó de cuajo la manta que cubría el cuerpo de Harold, pero este no se detuvo: sus zancadas solo seguían una dirección, y era la del humo.

A su alrededor, las rocas se volvieron más altas y el diseminado rastro quedó oculto tras sus escarpados perfiles. Harold apenas conseguía ver nada a través de la gruesa nieve que golpeaba sin cesar su cara, pero no tenía ninguna duda de que estaban avanzando en la dirección correcta. Sabía que el humo se escondía tras las últimas rocas que estaban rodeando.

Y entonces lo vieron. El desgastado hilo de humo gris que durante tantas horas habían estado siguiendo apareció a unos cientos de metros de ellos, revolviéndose violentamente de un lado a otro por las rachas de viento y nieve que no dejaban de soplar.

Harold cogió a Mary Rose del brazo y aceleraron el paso aún más. Apenas conseguían ver nada entre el remolino de nieve y la cada vez más escasa luz. Gritaron para avisar de su presencia, pero el gélido viento ahogaba cualquier sonido.

La bota de Harold chocó contra el círculo de piedras que delimitaba el perímetro de la hoguera. En su interior estaban las agónicas brasas de un fuego a punto de extinguirse. Harold y Mary Rose empezaron a mirar alrededor del fuego con agitación, pero la nieve caía con tanta intensidad que apenas conseguían ver blanco sobre blanco. Harold comenzó a sentir cómo la sorpresa del primer momento se convertía en pánico. No comprendía qué estaba pasando, no entendía dónde se encontraba la gente que había encendido la hoguera.

—¿Hola? —gritó el señor Grapes—. ¿Hay alguien aquí?

Una ráfaga de viento barrió la planicie, ahogó el grito de Harold y apagó las últimas brasas que chisporroteaban en la nieve.

Mary Rose se alejó unos metros de la hoguera y se acercó a un saliente de piedra con el anhelo de vislumbrar a alguien, pero bajo el cobijo de la roca solo vio una raída manta medio enterrada en la nieve. Todo a su alrededor estaba cubierto por la nieve, una rabiosa nieve que no dejaba de golpearle la cara y rugir en sus oídos. De repente se sintió mareada, confusa por toda la blanca oscuridad que poco a poco los cercaba. Sus piernas empezaron a flaquear, incapaces de sostener por más tiempo su peso.

—Hemos llegado demasiado tarde... —consiguió decir antes de derrumbarse.

Sus manos y sus rodillas se clavaron con violencia en la nieve y un dolor insoportable y rabioso surgió de su rótula hasta estremecer todo su cuerpo. Gritó de dolor y desconsuelo mientras Harold corría hacia ella tropezando con los montículos de nieve. Se agachó y la atrajo hacia sí, abrazándola con

fuerza mientras las lágrimas brotaban de sus ojos descontroladamente y se congelaban antes de llegar a sus mejillas.

—¡Por favor, necesitamos ayuda! —volvió a gritar.

Pero un ataque de tos lo obligó a detenerse. Su pecho se
desgarró de dolor, un dolor ardiente que parecía arañar sus
pulmones.

—Esto no ha sido buena idea... —murmuró para sí mismo—. No sé por qué insistí en salir de casa.

Harold intentó levantar a Mary Rose, pero ninguno de los
dos se mantuvo en pie más de unos segundos. Con torpeza,
el señor Grapes ayudó a Mary Rose a acurrucarse en uno de
los salientes de roca y ambos se internaron entre sus frías paredes. Harold se dejó caer al lado de Mary Rose; se sentía tan
exhausto que ya no podía sostener el peso del remordimiento
que empezaba a crecer en su interior. Había jurado no volver
a poner en peligro la vida de nadie por su irresponsabilidad
y ahora se daba cuenta de que repetía los mismos errores del
pasado.

Un torbellino de viento y nieve removió las cenizas de la
hoguera y las esparció por la impoluta nieve hasta ellos. No
pareció importarles. Harold volvió a gritar, pero su voz solo
consiguió reverberar por las paredes de roca que los rodeaban. Apenas sin fuerzas, abrió la mochila y sacó la cantimplora, pero toda el agua que había en su interior estaba congelada. La expedición había resultado ser un fracaso. Habían
recorrido varios kilómetros sobre la nieve y el hielo solo para
llegar a un campamento abandonado, indefensos y exhaus-
tos como para volver a su hogar. Miró al cielo y, con terror,
vio que la noche se cernía sobre ellos. Se sentía confundido,
no sabía qué debía hacer. Entonces Harold vio la manta que
había en el suelo y, al tirar de ella, un chillido surgió de su interior. Mary Rose abrió sus adormecidos ojos, apenas era consciente de lo que sucedía a su alrededor. Harold volvió a tirar

de la manta con más fuerza y desenterró la tela. La atrajo hacia sí y entre sus pliegues descubrió el cuerpo enroscado y blanquecino de una foca. El animal se incorporó con torpeza y empezó a chillar. Una mancha negra ocultaba uno de sus ojos y en su abdomen se dibujaba el rojo de una profunda herida: era la cría de foca que se había salvado del ataque del oso. Harold y Mary Rose apenas se movieron cuando la foca se deslizó sobre la nieve y se metió bajo la manta que descansaba sobre el regazo de Harold.

—¡Márchate! —gritó el señor Grapes, empujándola hacia fuera.

Pero la foca volvió a acercarse y se arremolinó bajo la manta. Harold notó cómo su pequeño cuerpo temblaba y la sangre de la herida manchaba su abrigo. Sintió compasión y no se vio capaz de apartarla. Mary Rose lo miró como si apenas se hubiese dado cuenta de la presencia de la foca y, con una sonrisa, cerró los ojos con pesadez. Harold se asustó al ver la cara tan pálida y los labios tan morados de su esposa. Sacó toda la ropa que había en la mochila, la extendió torpemente sobre Mary Rose y apretó su cuerpo contra el de ella. Harold notó cómo el cuerpo de su mujer se volvía pesado contra el suyo y entonces sintió terror. La zarandeó para que despertase, pero no se movía, no abría los ojos. Intentó gritar, pero no pudo. Un sueño pesado y amargo atenazaba todo su cuerpo, lo obligaba a cerrar los párpados contra su voluntad. Se sentía derrotado; finalmente, vencido por la irresponsabilidad que se había llevado a su hijo años atrás y que ahora se los llevaba a ellos. La negra culpa, que durante años se había acumulado en su interior, ahora se esparcía como una bolsa de veneno rota y lo ahogaba con la certeza de que moriría sin haberle dicho a Mary Rose todo lo que realmente quería decirle. Harold se sentía acompañado por el dolor y el remordimiento de todos los errores que había cometido a lo largo de su vida.

EL BARCO SIN NOMBRE

Harold sentía su cuerpo inerte, húmedo y sin vida. Por mucho que lo intentase, no conseguía abrir los ojos, tampoco podía mover las manos o los pies ni hacer surgir su voz a través de la garganta. Solo notaba un sudor frío que resbalaba por su sien y una amalgama de ruidos que se mezclaban con el rugido de las olas y de los relámpagos. La vida lo abandonaba mientras el frío dejaba de molestarle. Su cuerpo flotó y de pronto se sintió seco. Una mortecina luz empezó a filtrarse a través de sus párpados.

—¿Dylan? —susurró.

Al pronunciar ese nombre, volvió a notar el embate de la ola cuando chocó contra el costado de la barca, la inercia de su cuerpo al precipitarse al agua y el rostro de su hijo iluminado por aquella luz amarilla, mirándolo con serenidad un segundo antes de que todo su mundo se sumergiera bajo una helada negrura.

Aquel día, al abrir los ojos, se materializaron frente a él una enmarañada melena castaña y unos ojos verdes teñidos de rojo que lo miraban como si fuese transparente. Harold reconoció a su esposa, pero en su mirada no quedaba nada de Mary Rose: era la mirada de una mujer vacía y sin vida, ahogada en un dolor infinito. Arrodillado junto a ella, sintió cómo ese dolor también lo iba atrapando a él. Rompió a llorar.

La imagen se volvió borrosa, pero el dolor persistía en su pecho con demasiada claridad. Poco a poco empezó a percibir el lento balanceo de sus brazos y la húmeda hierba bajo sus pies. Al avanzar, su cuerpo rozaba con indiferencia las parduscas hojas de las vides, que se marchitaban a su alrededor y caían sobre la tierra con el simple roce de sus dedos. La brisa del mar traía consigo gotas heladas que se precipitaban sobre su cuerpo sin que le importase. El frío era la única sensación que le permitía saber que seguía vivo.

Sus pies se detuvieron justo al final de la cuesta. A unos pocos pasos se terminaba el verde de la hierba de manera abrupta. Ese era el límite entre la tierra y el mar, el acantilado de la vida y también el de la muerte. Con cierta aprensión, levantó la mirada. Vio el mar, indiferente, extendiéndose desde el infinito hasta la escarpada roca del acantilado.

—¡Te odio! —le gritó con furia.

Entonces desvió la mirada hacia el viejo astillero. Un largo mástil sobresalía de entre su ruinosa estructura, el mástil del barco al que solo le faltaba un nombre para poder zarpar. Sintió náuseas y tuvo que sentarse en la mohosa tierra plagada de vides. Se tumbó y cerró los ojos, dejándose tragar por las retorcidas ramas, queriendo enraizar todo su dolor en esa tierra putrefacta.

El calor del sol lo despertó. Al abrir los ojos, vio los rayos de luz filtrándose a través de las carcomidas maderas del astillero. Ante él se levantaba el barco a medio construir y el dolor se intensificó. El martillo y los clavos aún reposaban en la misma posición en que los había dejado la última vez, al igual que los fajos de tablones y los botes de brea. Todo permanecía cubierto bajo una fina capa de polvo gris que mantenía el lugar congelado en el tiempo, embalsamado en una hueca y artificiosa copia de lo que había sido. La alegría, la motivación y la ilusión de un sueño se habían esfumado de aquel lugar sin dejar rastro. Esas maderas solo conseguían torturarle y recordarle todo lo que habían perdido.

Escuchó un crujido, pero al volver la mirada se dio cuenta de que ya no estaba en el astillero, sino en el pequeño apartamento de San Remo. Tras la puerta apareció un hombre de grasiento pelo negro y ojos sombríos como los de un cuervo que lo miraba con cierta satisfacción.

—Esto no puede seguir así —dijo el hombre con una irritante voz—. Si no pagáis el alquiler, tendré que echaros.

—No puedes hacernos esto —susurró Harold.

—¡El piso es mío y puedo hacer lo que me venga en gana! —masculló con sus dientes de roedor.

—Solo necesitamos algo más de tiempo...

—No me malinterpretes... —dijo—. Entiendo por todo lo que estáis pasando, pero la gente del pueblo empieza a hablar, ya me entiendes... Toda esa locura de construir un barco, marcharos de la isla y ¡viajar por el mundo! ¡Nada de eso podía salir bien! Ese tipo de vida no está hecha para gente como tú y como yo... Así que acalla todas esas habladurías volviendo al trabajo y pagándome, y ¡olvidad de una vez por todas esas fantasías sin sentido!

Harold suspiró. Cerró la puerta y se acercó a la ventana del comedor. Entonces miró el alto acantilado de la Muerte, que, desafiante, parecía encajar con solidez cada uno de los incesantes embates del furioso mar. El escarpado corte de tierra era la única parcela de la isla que había heredado de su familia, pero sabía que esas tierras repletas de descuidadas cepas estaban demasiado alejadas del pueblo para que alguien quisiera comprarlas. Sus ojos se empañaron y entonces supo qué debían hacer.

Las lágrimas se convirtieron en sudor, que resbalaba por su espalda desnuda. Al levantar la vista, el sol del mediodía delineó el esqueleto de una casa a medio construir. Las gruesas vigas que un día habían sostenido el armazón del barco ahora soportaban el tejado; las maderas que se habían extendido a lo largo de la cubierta eran ahora los suelos; el pasamanos de la borda se había convertido en el de la escalera y el palo mayor, el gran mástil que antaño había sobresalido del velero con orgullo, era ahora el pilar maestro que atravesaba toda la casa y la mantenía unida.

Harold dejó el martillo sobre una pila de maderas y caminó hacia el borde del acantilado. La casa estaba rodeada por un tapiz de jóvenes hortensias de color malva y fucsia que Mary Rose había empezado a plantar por todo el jardín y que lentamente cubrían las retorcidas y moribundas cepas. Harold llegó al límite de la roca y notó la suave brisa soplando de mar a tierra, secándole el sudor. Miró con cierto rencor los apiñados edificios de San Remo frente a la playa. Su vista esquivó con disimulo el viejo astillero y se posó sobre el vasto mar que se extendía frente a él. Una mancha blanca captó su atención. Era un velero, que lentamente izaba sus velas para encarar los vientos y alejarse de la isla. Era un diminuto punto navegando sobre la enormidad. Se imaginó a los tres sobre la cubierta, mirando con cierta añoranza la isla que poco a poco se alejaba con la ilusión de abrazar la libertad que se desplegaba ante ellos. Entonces Harold sintió su insignificancia, la insignificancia de toda la existencia humana y, girándose de nuevo hacia la casa, se preguntó si el precio que habían pagado al renunciar a sus sueños no había sido demasiado alto. Luego, todo a su alrededor se inundó de un deslumbrante blanco.

EL ENCUENTRO

Los ojos de Harold finalmente se acostumbraron a la excesiva claridad y distinguió una mancha blanquecina que se revolvía sobre él. No conseguía ubicarse, pues su mente seguía en el acantilado, aunque su cuerpo le decía todo lo contrario. Un dolor punzante le trepanaba las sienes. Su respiración era ronca y apenas tenía fuerzas para parpadear. Poco a poco comenzó a recordar el frío, la nieve y el viento entrando por cada uno de los recovecos de su cuerpo, y pensó si en realidad estaba muerto.

Lentamente empezó a girar la cabeza hacia un lado. Tardó unos segundos en enfocar con cierta precisión lo que tenía frente a él. Mary Rose yacía tumbada a su lado. Sus pómulos sobresalían como dos protuberancias huesudas, al igual que su nariz, más estrecha y afilada; sus labios eran tan blancos como su piel y gotitas de sangre coagulada rellenaban sus grietas. Harold no conseguía escuchar su respiración y el miedo le infundió la energía suficiente para zarandearla.

—Rose...

Entonces un ataque de tos le sobrevino y un ardor intenso se esparció por todo su pecho. Mary Rose abrió los ojos y se incorporó con un sobresalto. Su respiración acelerada y sus ojos desorbitados hacían pensar que acababa de huir de las puertas de la muerte. Miraba a su alrededor con la angustia de no saber si lo que veía era real o parte de un sueño. Pero el dolor la convenció de que no seguía durmiendo.

Harold consiguió detener el ataque de tos y se acercó a su esposa. La señora Grapes lo miró como si acabara de ver un fantasma. Su piel parecía translúcida y unas violáceas ojeras cubrían sus ojos hundidos por el hambre. Si hubiese tenido más fuerzas, seguramente habría llorado.

—¿Qué es este lugar? —preguntó, mirando, confusa, a su alrededor.

Empezaron a escudriñar el espacio que los rodeaba. Una sucia cubierta de lona blanca llena de pedazos de otras telas se agitaba por el viento a escasos centímetros de sus cabezas. De sus extremos descendían cuatro gruesos palos de hosca madera que se hundían en lo que parecía un muro de hielo y nieve de no más de medio metro de altura que circundaba el espacio por tres de sus cuatro costados. El suelo estaba frío, pero unas maderas toscas a modo de tarima los aislaban de la nieve. Harold y Mary Rose percibieron el fuerte olor a animal que impregnaba todo el ambiente: provenía de las gruesas pieles que se amontonaban bajo sus cuerpos a modo de colchón. Harold miró alrededor en busca de la mochila, pero entre las pesadas mantas no había nada, solo les quedaban los abrigos y las botas.

Pese a su debilidad, se sentían aliviados de estar en un lugar más o menos aislado del frío, del viento y de la nieve. Y, aunque no sabían dónde estaban, ni quién los había llevado hasta allí, sintieron que la esperanza de volver a la isla era más palpable que nunca.

—Creía que este sería nuestro fin... —dijo Mary Rose con la voz temblorosa.

—Por suerte nos equivocamos —murmuró Harold sin apenas aliento.

Mary Rose intentó esbozar una sonrisa, pero sus músculos solo consiguieron reproducir una extraña mueca. Harold levantó sus temblorosos brazos y rodeó el cuerpo de su esposa en un sentido abrazo. Se quedaron largo rato en esa posición, demasiado cansados como para hacer nada más que sostenerse el uno al otro y seguir respirando. Entonces oyeron crujir la nieve.

—¿Qué ha sido eso? —susurró Mary Rose.

Los señores Grapes se removieron nerviosos sobre las pieles que los rodeaban y fijaron sus miradas en la destartalada tela que se agitaba a su alrededor. Luego el crujido se detuvo.

Harold estaba a punto de hablar cuando la nieve volvió a crujir. Mary Rose miró a Harold con cierta congoja, pero el señor Grapes no se percató de ello, pues tenía la mirada y el oído atentos a la lona. La nieve sonó a escasos centímetros de ellos y Mary Rose apretó el brazo de Harold con las pocas fuerzas que le quedaban al ver cómo una sombra empezaba a proyectarse sobre la tela.

Y entonces, la translúcida tela se abrió de un tirón.

Se quedaron paralizados. El grito que Mary Rose había soltado al retirarse la lona no había conseguido producir ningún sonido y Harold apenas era consciente de que se estaba clavando sus propias uñas en las manos, cerradas como garras.

Frente a ellos apareció una persona. Harold y Mary Rose no lograban recordar quién había sido el último ser humano que habían visto antes de que su casa se precipitara por el acantilado y empezara su periplo a través del mar. De repente sentían como si llevasen toda una vida navegando a la deriva.

Pero al observar la cara de ese hombre, una extraña sensación de cercanía y familiaridad los embriagó, era como si en su interior comenzase a reverberar la melodía de una vieja canción que hacía mucho tiempo que no escuchaban y creían olvidada. Harold y Mary Rose no podían dejar de mirar la cara de aquel hombre de piel tostada y curtida. La señora Grapes dio una bocanada grande de aire y lo soltó con lentitud, como si por fin pudiese respirar después de pasar largo tiempo sumergida bajo el agua. Poco a poco aflojó la presión con que mantenía agarrado a Harold y el corazón empezó a latirle con normalidad.

—¿Quién...? —balbuceó Harold—. ¿Quién eres?

El hombre se retiró con lentitud la capucha del abrigo de oscuras pieles y dejó al descubierto las rudas facciones de su cara. Sus ojos eran apenas dos líneas que los miraban con una expresión fría como el hielo. No contestó.

Mary Rose sintió que su corazón se aceleraba de nuevo.

—¿Dónde estamos? —preguntó Mary Rose con la voz quebradiza.

Entonces una ráfaga de viento helado se coló por la abertura y algunos copos de nieve entraron rabiosos en la diminuta tienda. Harold empezó a toser con violencia, pero al hombre no pareció importarle demasiado. Los observaba desde la entrada, impasible, mientras Mary Rose ayudaba a serenar la tos de su marido.

Al fin Harold apaciguó el ataque de tos. Se sentía exhausto y el pecho le ardía de dolor, pero eso no fue suficiente para disuadirlo en su afán de averiguar dónde estaban.

—Usted es el que nos ha salvado, ¿verdad? —preguntó con la voz ronca.

El hombre siguió sin contestar.

—No sabe lo agradecidos que estamos —dijo, con la esperanza de suavizar la expresión del hombre—. Llevamos perdidos en el mar mucho tiempo y buscamos ayuda para volver a...

Entonces volvió a toser.

Mary Rose miró al hombre con gesto implorante.

—¿Usted podría ayudarnos a regresar a casa? —murmuró Mary Rose, sin dejar de mirarlo.

—Creo que... —intentó decir Harold entre las sacudidas de la tos— no nos entiende...

Mary Rose lo volvió a mirar y en su glacial expresión reconoció algo que no supo describir. De repente, el hombre hizo ademán de sacar algo que mantenía escondido detrás. Harold y Mary Rose sintieron la presión de la amenaza e, instintivamente, dieron un brinco hacia atrás. El hombre se percató de su reacción y no pareció gustarle. Sus gruesas cejas negras se fruncieron aún más y entonces empezó a vociferarles. Los señores Grapes no entendían nada de lo que les decía. Pese a sus esfuerzos, no conseguían descifrar ninguna de las palabras. Mary Rose notaba cómo su corazón iba acelerándose más y más, y todo el alivio que había sentido hasta ese momento se esfumaba para transformarse en miedo.

Finalmente, el hombre calló y les ofreció una última mirada de desprecio, cogió lo que ocultaba y lo dejó de mala gana frente a los pies de Harold. Era un plato de comida con un mejunje grisáceo y un cuenco con agua. Los señores Grapes no tuvieron tiempo de reaccionar. El hombre ya se había dado media vuelta y había cerrado con un tirón la abertura de plástico. Un momento después, sus pasos se perdieron entre la nieve y el silencio cayó sobre la estancia. Mary Rose no podía dejar de temblar, no por el frío que había invadido las opresivas paredes de la tienda, sino por la ansiedad que sentía. Entonces se echó a llorar.

Harold entrelazó sus doloridos brazos alrededor de Mary Rose y apretó su abrazo hasta que, poco a poco, el temblor de la señora Grapes se apaciguó.

Un olor putrefacto inundó el claustrofóbico espacio en el que permanecían confinados. Harold miró el plato de comida que les había dejado el hombre y se percató de que el hedor procedía de allí. Lo cogió y, al mirar la mohosa e informe masa que conformaba el plato, se sintió más abatido.

Pero sabía que sus estómagos estaban tan vacíos que no podían permitirse el lujo de desperdiciar la oportunidad de llenarse. Así pues, intentando no concentrarse en el vomitivo sabor, fueron ingiriendo con lentitud la extraña comida hasta dejar el plato prácticamente limpio. El agua los ayudó a deshacerse parcialmente del mal sabor de boca, pero sabían que ese mal sabor procedía de algo mucho más profundo que la comida. Harold sentía cómo su pecho ardía como brasas y reprimió las ganas de toser.

—Todo se arreglará —dijo, mirando fijamente a Mary Rose con la esperanza de infundirle algo de ánimo.

Pero entonces la tos le sobrevino de nuevo. Tardó varios minutos en recuperarse y, cuando lo hizo, un remanente de dolor quedó fijado en su pecho. Harold intentó disimular su malestar y se tumbó sobre las rasposas pieles para recuperar el aliento. Se sentía exhausto y notaba cómo los ojos le ardían bajo los párpados; apenas conseguía mantenerlos abiertos.

Mary Rose lo miró con preocupación y se tumbó a su lado. Como pudo, deslizó un brazo alrededor de la cintura de Harold y se concentró en no pensar en los calambres que le atravesaban la rodilla. El olor a podredumbre de la comida se había mezclado con el de las pieles y el viento no dejaba de zarandear la rasposa lona de plástico contra sus cabezas.

Y en medio del caos de preguntas y pensamientos, se quedaron dormidos.

En algún lugar en medio de la nada

El zumbido del viento contra la lona de plástico despertó a Harold. No sabía cuántas horas llevaba durmiendo, pero la luz que bañaba el lugar era tenue y violácea. Al incorporarse, notó un fuerte entumecimiento en todo el cuerpo, pero ya no sentía el ardor tan intenso en el pecho. De repente le vinieron unas ganas incontenibles de orinar. Necesitaba salir de la tienda, pero a la vez dudaba si hacerlo. El silbido del gélido viento no dejaba de sacudir una y otra vez la cubierta. La nieve chocaba con furia, colándose de vez en cuando. Harold miró con preocupación cómo uno de los cuatro palos que sostenían la estructura se zarandeaba; no conseguía comprender cómo aquella chapucera construcción aún seguía en pie. Con cuidado de no despertar a Mary Rose, empezó a deslizarse sobre las peludas pieles y se acercó al punto en el que el hombre había abierto la lona. Sus piernas estaban tan agarrotadas que lo único que podía hacer era arrastrarlas. Al llegar junto a la rendija, se sentía tan exhausto como si hubiese hecho una larga caminata. Acercó la mano a la lona y notó una brisa helada que le hizo estremecerse.

La vejiga le dio un calambre y sintió cómo un sudor helado empezaba a resbalar por su frente. Sabía que no po-

dría aguantar mucho más tiempo, así que se acercó un poco
más a la salida y permaneció inmóvil sin hacer ruido, a la
escucha de cualquier sonido que le permitiera saber si alguien merodeaba cerca de ellos. La vejiga volvió a darle un
fuerte pinchazo. No podía aguantar más, debía arriesgarse
y salir.

Empezó a apartar la destartalada lona hacia un lado, intentando no hacer ruido, pero el áspero y rígido plástico cru-
jía por cada uno de sus rugosos pliegues. Harold se volvió y
vio que Mary Rose se removía, pero su respiración seguía
siendo pesada y profunda. Siguió retirando la lona hacia un
lado y algunos copos de nieve se colaron dentro de la tienda.
El aire se congeló con rapidez y Mary Rose se despertó sobresaltada.

—¿Harold? —murmuró con los ojos entrecerrados y sin
saber muy bien dónde estaba.

Harold resopló, dejó caer la lona y la pared de plástico
volvió a cerrarse.

—Tengo que salir un momento, necesito ir al baño.

Mary Rose se incorporó con dificultad hasta quedar sentada junto a él. Su pelo parecía más bien un nido de pájaros y
sus ojos estaban tan hinchados que Harold apenas consiguió
distinguir algo del verde de su iris.

—Hace demasiado frío para salir... —dijo con la voz pastosa y pesada.

—Solo tardaré un momento.

Harold empezó a abrir la lona de nuevo.

—¿Y qué hay de ese hombre? —preguntó Mary Rose, agarrándolo del brazo.

Harold se detuvo al escuchar esa pregunta, la misma que
él se estaba haciendo desde que se había levantado.

—Su mirada escondía algo extraño... —continuó Mary
Rose.

Los copos de nieve empezaron a colarse con más ahínco en la tienda a través de la abertura y otro escalofrío recorrió sus cuerpos destemplados.

—Rose, si tuviera malas intenciones, ¿crees que nos habría salvado?

Mary Rose lo miró con cierta aprensión. Él mismo recelaba, pero sabía que no se encontraban en una situación en la que pudiesen escoger qué hacer. Harold volvió a notar otro pinchazo y terminó de abrir la rendija. Al sacar la cabeza fuera, una racha de viento arrojó afiladísimas partículas de escarcha que se colaron a través de los rasgones de su abrigo. Volvió a sentirse transportado al infierno de nieve por el que habían caminado hasta casi morir. Todo el vello de su cuerpo se erizó y por un momento su vista se volvió borrosa.

—¿Ves algo...? —preguntó Mary Rose desde el interior de la tienda.

Harold no respondió. Se sentía confuso, parecía como si estuvieran solos en medio de aquel paraje inhóspito. El señor Grapes sentía que la presión en la vejiga era cada vez mayor, no podía aguantar ni un segundo más. Cogió impulso y se levantó. Por un momento se sostuvo, pero el viento barrió la planicie y cayó de rodillas.

—¡Harold! —gritó Mary Rose.

La señora Grapes se incorporó de golpe y, al hacerlo, la rodilla le dio un latigazo que hizo que se desplomara junto al señor Grapes. Respiró hondo y apretó la mandíbula con fuerza para reprimir un grito de dolor. Entonces Mary Rose miró al frente y vio la inhóspita planicie. Frente a ellos no había nada, solo kilómetros y kilómetros de hielo compacto que se extendían como un mar congelado, el mismo mar por el que habían navegado sin rumbo durante todo aquel tiempo, lleno de la misma soledad y desesperación.

Harold empezó a sentirse mareado; apenas se dio cuenta de la presión que notaba en el abdomen. No entendía nada.

—¿Dónde está el hombre...? —preguntó Mary Rose, mirando fijamente hacia la lejanía emborronada.

Harold la miró desconcertado. Confundido por la pregunta y aterrado por la respuesta.

—Creo que nos ha abandonado.

CUANDO EL VIENTO AMAINÓ

Como dos marionetas maltrechas, Harold y Mary Rose se levantaron con dificultad de la gruesa capa de nieve en la que se habían hundido. El viento reptaba como gigantescas llamaradas de fuego blanco sobre la superficie lisa, yerma y desolada que conformaba el paisaje que tenían frente a sus ojos. A duras penas conseguían mantenerse en pie con los ojos abiertos. Solo sentían cómo el frío penetraba más y más en ellos y congelaba incluso sus palabras y pensamientos. Harold volvió a notar un intenso pinchazo en la vejiga que lo devolvió a la realidad, pero era incapaz de moverse. Sus pies parecían soldados en la corteza de hielo y nieve. Su mirada se paseaba ralentizada por la planicie, a la espera de que algo rompiese esa monótona soledad. Pero no había nada que lo hiciera. Todo era blanco sobre blanco.

Mary Rose se agarró al brazo de Harold y dio un paso al frente para contemplar el paisaje que quedaba a sus espaldas. Al volverse, la escarcha se les echó encima como si intentase desmontarlos a ellos y al roñoso refugio, que no paraba de zarandearse y crujir. Mary Rose cerró los ojos antes de que las afiladas agujas de hielo pudiesen lastimarla. El viento heló cada una de las canosas fibras de su cabello alborotado, removiéndolo como una bandera deshilachada. Una espesa cortina de nieve creaba la ilusión de estar rodeados por un gigantesco muro de humo blanco.

—¿Para qué nos ha salvado la vida? —preguntó la señora Grapes casi para sí misma.

Harold miró con preocupación el color morado de los labios de su esposa, el blanco casi transparente de su piel y las protuberancias de los huesos en su rostro. Se abrazó a ella sin saber qué responder. Se sentía terriblemente confuso y abatido.

—Volvamos dentro —dijo Harold mientras cogía con fuerza a Mary Rose para que no perdiese el equilibrio y cayese sobre la tienda.

Harold se agachó y abrió la entrada de la tienda. Mary Rose miró un momento más a su alrededor y entonces captó algo. Fue solo un instante en el que el viento abrió un boquete en el torbellino de nieve.

—¡Harold! —gritó—. ¡He visto algo!

Harold se levantó de un brinco y se situó al lado de Mary Rose. Pero los minutos pasaron y no vio nada.

—Estoy segura de que había algo... —dijo, sin apartar la vista del banco de escarcha que una y otra vez cambiaba de forma.

—Puede que haya sido...

Pero Harold no pudo terminar la frase, pues empezó a toser con violencia. La vejiga le punzaba con cada espasmo. Mary Rose lo agarró con fuerza y lo atrajo hacia sí para calmarlo. Entonces el viento amainó.

Harold consiguió controlar su ataque de tos y, lentamente, levantaron la vista para mirar a su alrededor. Un cálido y rosáceo rayo de luz se filtró a través de las nubes de escarcha que se deshinchaban a su alrededor y teñían con una cálida pátina roja la nieve que se acumulaba sobre la planicie. A lo lejos, un círculo perfecto de luz roja captó su atención. Era el sol. Los señores Grapes pudieron notar la cálida luz del amanecer sobre sus pieles cubiertas de hielo, desesperación y soledad. Volver a contemplar el sol les hizo sentir por un momento como en casa, como si vieran un faro en la oscuridad después de largas noches perdidos en una tormenta. La bruma siguió disipándose y, frente a la intensa luz roja del sol, apareció un extenso grupo de construcciones que surgían de la nieve como caparazones.

AISLADOS

—¿**D**ónde estamos? —murmuró Mary Rose. Harold no sabía cuántas veces se habían hecho esa misma pregunta desde que fueron arrancados de San Remo, pero sabía que cada vez que se la hacían la respuesta era diferente y, como en esa ocasión, casi siempre la desconocían.

Lo que sí sabían era que no estaban solos; al contrario: su refugio, pese a estar mucho más alejado que el resto, era solo uno de los muchos que se levantaban en ese inhóspito paraje. Las construcciones se agolpaban unas junto a otras como si estuviesen protegiéndose del frío, prácticamente camufladas por la nieve que se acumulaba en sus cubiertas. Un rayo de sol deslumbró a los señores Grapes. Harold usó la mano como visera para seguir observando el lugar, pero en ese momento se acordó de que aún no había vaciado la vejiga.

—Necesito orinar... —dijo Harold, al tiempo que daba unos pasos para alejarse de Mary Rose.

Una débil sonrisa se dibujó en el rostro de Mary Rose. No solo causada por la extravagante imagen de Harold intentando encontrar intimidad en medio de la nada, sino sobre todo por la sensación de saber que, por fin, ya no estaban solos. Y aunque no sabían nada de las personas que vivían allí, sentía que la esperanza de volver a San Remo estaba más cerca que nunca.

A los pocos minutos Harold volvió a su lado tambaleándose y tosiendo de nuevo.

—Volvamos dentro —dijo Mary Rose.

—¡¿Qué?! —carraspeó Harold, intentando apaciguar la tos—. Tenemos que saber quién vive ahí.

Mary Rose miró de nuevo el grupo de construcciones y no vio movimiento alguno; todo parecía estar oculto bajo la vasta capa de nieve que las cubría.

Los gritos del hombre que había entrado en la tienda volvieron a su mente y sintió un escalofrío que le heló los huesos.

—No creo que sea buena idea, deberíamos esperar a que vengan ellos —propuso Mary Rose.

Harold percibió el tono de preocupación que contenía la voz de su esposa. Él mismo no estaba seguro de cómo serían recibidos si se acercaban hasta allí.

—¿Esperar a qué? —preguntó Harold—. Necesitamos saber si pueden ayudarnos a volver a la isla, Rose.

—No sabemos nada de las personas que viven ahí —contestó Mary Rose—. Lo mejor que podemos hacer es volver dentro y descansar un poco más.

Harold frunció el ceño.

—Si no quieres acompañarme, puedes esperarme aquí, pero la única manera de saber si podemos volver a San Remo es hablar con ellos.

Mary Rose seguía escudriñando aquellas viviendas camufladas, pero no conseguía ver nada. Suspiró y miró a Harold con nerviosismo. Sabía que tenía razón: si querían volver a casa, necesitaban averiguar dónde estaban y conseguir ayuda.

—De acuerdo —dijo Mary Rose sin estar segura de ello—. Pero solo rodearemos el poblado. Antes de pedir ayuda, necesitamos saber algo más de las personas que viven aquí.

Un momento después empezaron a avanzar con sus chirrian-
tes botas de plástico en dirección a las construcciones que sobresalían entre la nieve. Mary Rose sentía que su corazón
se aceleraba a cada paso. No sabía en qué lugar del mundo se
encontraban ni qué tipo de gente lo habitaba. Desconocía si
lo que había visto reflejado en los ojos de aquel hombre era
hospitalidad u hostilidad. Dejó de elucubrar y se concentró
en sus pasos para no perder el equilibrio, pero apenas llevaban la mitad del camino recorrido cuando tuvo que detenerse a recobrar el aliento. Aún se sentía muy débil para caminar, debido a su rodilla. Mary Rose recordó la desesperación
de la caminata a través del hielo, pero por primera vez le reconfortaba saber que disponían de un lugar seco y seguro en
el que guarecerse.

Harold se acercó a ella y la ayudó a avanzar, zancada a
zancada, tramo a tramo. A Mary Rose le dio un calambre en
la rodilla, pero disimuló cualquier muestra de malestar y se
concentró en observar las viviendas, que cada vez estaban
más cerca.

Finalmente, la primera de las construcciones quedó frente
a ellos. Era una de las más pequeñas. Una punta oscura de
piel marrón sobresalía entre un montículo de nieve. Calcula-
ron que en su interior a duras penas podría caber una persona tumbada. Siguieron avanzando y los habitáculos empezaron a crecer, algunos incluso lo bastante para caminar de pie
en su interior. A diferencia de la roñosa lona que cubría su
tienda, pieles de múltiples texturas y colores recubrían las robustas estructuras de madera de aquellas construcciones.
Había algunos refugios tan pequeños y bajos como el suyo,
erigidos a partir de tres palos largos que se unían en el centro
en forma de tienda de campaña, otros eran circulares, y después había un par que sobresalían por encima del resto: contaban con varios palos largos que sujetaban un techo en forma

de carpa tan alto como dos personas y tan ancho como para albergar una familia entera.

Las pieles que formaban sus ondulantes paredes cambiaban a cada paso: pelo castaño rígido y largo, grises con manchas negras, sucios blancos de pelo corto... Todas las tiendas estaban parcheadas y remendadas hasta la saciedad, algunas de ellas tenían la piel tan gastada que habían perdido todo el pelo. De las más grandes descendían unas tensas cuerdas que se clavaban en la nieve para darles mayor estabilidad. A Harold le recordaron a los tensores de acero que había instalado años atrás para estabilizar la casa.

Pero a medida que iban rodeando las construcciones, lo que más llamó la atención de Harold y Mary Rose fue que no se viera ningún signo de vida. No se oía ninguna voz, ni un paso, no había señal de fuegos encendidos. Solo era audible el chirriar de sus botas, el acompasado resoplido de sus agitadas respiraciones y el aullido del viento zarandeando las tiendas.

—No me gusta nada este silencio... —susurró Mary Rose con voz temblorosa.

Y, justo cuando Harold quiso contestar, un cosquilleo le subió por la garganta como si diminutas hormigas se agitaran nerviosas y empezó a toser con virulencia. Mary Rose sintió que el corazón le daba un vuelco. Se acercó a Harold y le golpeó la espalda para intentar calmarlo.

—Ya te dije que no era buena idea venir, aún estamos muy débiles... —susurró, mientras miraba a su alrededor con inquietud. La tos no parecía detenerse y Harold tuvo que apoyarse en Mary Rose para no caer al suelo—. Será mejor que volvamos... —sugirió, poniendo el brazo de Harold sobre sus hombros.

Los señores Grapes empezaron a deshacer lo andado cuando, en medio del ataque de tos de Harold, alguien chilló.

Se detuvieron en seco y todo el vello de sus cuerpos se erizó.

—¿Qué ha sido eso? —murmuró Mary Rose, aterrada.

De detrás de una construcción apareció una perlada forma que se acercó con rapidez. Mary Rose se asustó, dio un paso atrás y su talón chocó contra el tensor que descendía de una de las viviendas. Harold intentó sujetarla, pero también perdió el equilibrio y los dos cayeron de espaldas.

Mary Rose sintió un agudo pinchazo en la rodilla y, por un segundo, se olvidó de qué estaba sucediendo. Harold la miró preocupado, pero una bola de pelo grisácea se abalanzó sobre sus cuerpos medio enterrados por la nieve.

—¡Quítamelo, Harold! —gritó Mary Rose, aterrorizada.

Harold se incorporó como pudo. La tos se había detenido, pero en ese momento tenía que esforzarse para no reír al ver la cara de pánico de su mujer.

—Es solo una foca, Rose.

Ella se levantó del suelo con ayuda de Harold y apretó la mandíbula con fuerza para no pensar en el dolor que sentía de nuevo en la pierna. Al mirar al suelo, vio que la pequeña foca se movía entre sus pies profiriendo alaridos.

—¡Shhh! —chitó Harold para acallar sus bramidos.

Pero el animal no parecía estar dispuesto a enmudecer, sino más bien todo lo contrario. Cada vez parecía más alterada y profería chillidos más agudos.

—Vámonos, Harold —dijo Mary Rose con nerviosismo—. Con todo el jaleo que estamos armando, no tardará en aparecer alguien.

Pero Harold no se movió del lugar, su mirada estaba fija en el animal, que no dejaba de contonearse a su alrededor.

—Es la misma foca... —susurró.

Mary Rose miró a Harold con desconcierto. Estaba demasiado inquieta como para fijarse en la cría de foca; sus sentidos estaban alerta por si en algún momento aparecía algún habitante de aquel lugar. Al final desvió la mirada hacia el animal y vio que tenía una mancha negra que cubría su ojo derecho y una larga herida rosácea a medio cicatrizar que cruzaba sus costillas.

—¿Es la cría de foca que se salvó del ataque del oso? —murmuró incrédula.

—Y la misma que se cobijó en nuestro regazo antes de que perdiéramos el conocimiento.

Mary Rose recordó el momento en que se habían dejado caer sobre la nieve, los dos solos, sin energía y seguros de que ese era su final. Fue entonces cuando vio una bola blanquecina y peluda agitándose a su lado, sin fuerzas siquiera para temerla. Después de eso todo se volvió oscuro.

Mary Rose volvió a mirar el pequeño animal, que, nervioso, se contoneaba entre sus botas como si de un gato en busca de mimos se tratase. De pronto, el crujir de unas pisadas en la nieve los puso de nuevo en guardia.

Harold y Mary Rose se volvieron y se asustaron al ver a una niña frente a ellos. La pequeña los miraba, paralizada. Al igual que el hombre que les había traído la comida, la niña tenía los ojos rasgados y los observaba con temor. Su cara estaba enmarcada por una capucha de pelo blanco que contrastaba con su tez tostada. Toda su vestimenta era voluminosa, confeccionada con el mismo tipo de pieles que cubrían las paredes de las edificaciones, y en sus manos sostenía una canastilla hecha con mimbre. Mary Rose calculó que no podía tener más de seis años.

Los señores Grapes se miraron sin apenas moverse, sin saber muy bien qué hacer.

—Hola —dijo Mary Rose, intentando aparentar tranquilidad.

La niña abrió un poco más los ojos. Dio un paso atrás y, al hacerlo, el canasto cayó de sus manos y quedaron desparramados sobre la mullida nieve un par de pececitos plateados y una rudimentaria caña de pescar de madera, tan pequeña que solo podía ser de juguete. Al ver los peces, la cría de foca se abalanzó sobre ellos y empezó a devorarlos con ansiedad. Mary Rose dio un paso al frente y, con cuidado, para que la rodilla no le diera un nuevo calambre, recogió la cesta y la caña de pescar.

—No te haremos daño... —aseguró la señora Grapes.

Entonces la niña gritó y huyó por donde había venido. Mary Rose miró a Harold sin saber qué hacer y entonces fue tras ella, y Harold tras Mary Rose.

—¡Espera! —gritó, apenas sin aliento.

Mary Rose avanzó por la nieve. Sorteó un par de construcciones bajas y ante ella apareció una explanada que se abría frente a una de las dos grandes edificaciones. Harold y Mary Rose la rodearon, esquivando los largos tirantes que descendían de los gruesos palos que la soportaban. Continuaron rodeando la vivienda, siguiendo los gritos de terror de la niña, hasta que se quedaron paralizados por el asombro.

Frente a la construcción había un trineo de gran tamaño junto al que se arremolinaban varios perros. Estos empezaron a ladrar. Un grupo de personas los miró con sobresalto. La niña corrió junto a una mujer de mediana edad, vestida con un abrigo de pieles claras. Su melena negra sobresalía a cada costado de la capucha como dos cascadas simétricas. A un lado del robusto trineo, y cogiendo con fuerza las riendas, había un adolescente con una incipiente barba. Sobre el trineo, y mirándolos con rígida expresión, estaba el hombre que les había traído la comida la noche anterior. Todos ellos compartían los mismos rasgos: piel oscura, ojos achinados y caras redondeadas y enmarcadas por trajes hechos de piel y pelo. Harold y Mary Rose nunca fueron altos, pero a su lado lo parecían.

Los incesantes ladridos y aullidos se mezclaron con los alaridos de la foca, que avanzaba a través de la explanada en dirección a todos ellos. La niña gritó algo al animal para que fuera con ella, pero en lugar de hacerlo se precipitó a los pies de Harold y Mary Rose. El hombre miró con dureza al adolescente para que acallara a los perros y unos momentos después todo quedó sumido en un tenso silencio. Algunas personas más salieron de otras tiendas: adultos, viejos y niños se agolparon lentamente alrededor, unos, curiosos, otros, recelosos. Harold calculó que, en total, debía de haber unas veinte personas. Mary Rose se dio cuenta de que aún sostenía el canastillo y la diminuta caña de pescar. Sentía que todo su cuerpo estaba a punto de desfallecer bajo su peso, pero aun así avanzó hacia la niña. El hombre frunció el ceño. Harold seguía con atención cada uno de sus pasos.

—No queríamos asustarla —dijo, intentando encontrar complicidad en alguna de las miradas—. Solo queríamos averiguar dónde estábamos.

Mary Rose se detuvo a un par de metros y alargó el brazo para que la niña cogiera la caña. La niña miró a la mujer a la que se aferraba sin saber muy bien qué hacer. Mary Rose dedujo que era su madre. Entonces la mujer le dijo algo en su lengua y, con cierta vacilación, la niña dio un paso al frente y cogió la caña de las manos de la señora Grapes con un rápido movimiento. Mary Rose dio un paso atrás y, bajo la atenta mirada de todos, se agachó para dejar el canastillo en el suelo. Entonces, al incorporarse de nuevo, su rodilla crujió y se desplomó de bruces en la nieve.

—¡Rose! —gritó Harold, corriendo hacia ella.

La mujer hizo ademán de ayudarla, pero antes de llegar a su lado, el hombre vociferó algo que la detuvo. Harold llegó un segundo más tarde y, con sus escasas fuerzas, se agachó para levantarla del suelo. La foca se deslizó a su lado y volvió a gritar con sus desagradables alaridos, moviéndose a su alrededor con nerviosismo.

—¿Qué sucede? —preguntó Harold con preocupación.

Mary Rose respiró hondo, intentando apartar de su cabeza la insoportable quemazón que recorría su rótula.

—No es nada... —aseguró, mientras trataba de ocultar la mueca de dolor que cruzaba su cara—. Solo me han fallado las fuerzas.

—Déjame ver —dijo Harold, ayudándola a sentarse sobre la nieve.

—De verdad que no es nada...

Entonces Harold arremangó con cuidado el pantalón de su esposa y se asustó al ver la rodilla, roja e inflamada. Mary Rose bajó con rapidez la tela del pantalón y desvió la mirada hacia la nieve. El señor Grapes levantó la vista y, por un momento, la cruzó con la de la mujer. Fue solo un segundo, pero, además de preocupación, a Harold le pareció ver que en sus ojos había entendimiento.

—Por favor, ¿puedes ayudarnos? —le pidió con la voz trémula.

La mujer pareció agitarse. Giró rápidamente la cabeza y, después de susurrar algo en su lengua, entró a toda prisa en la gran construcción. Los demás también se retiraron, con el mismo sigilo con el que habían aparecido. Solo permanecieron donde estaban la niña, el adolescente y el hombre. Entonces Harold miró al hombre, con la esperanza de hallar algo de compasión en sus ojos, pero solo vio frialdad. El señor Grapes se sintió impotente y la rabia empezó a subirle por la garganta como una bilis venenosa.

—¡Solo queremos volver a casa! —gritó.

Entonces la carraspera volvió a inundarle la garganta y la tos le desgarró el pecho. El hombre dijo algo en su idioma y la niña se sentó en el trineo junto a él. Los miró con evidente desprecio y entonces, sin decir nada, silbó con fuerza y los perros empezaron a tirar del trineo. La nieve rechinó bajo las largas cuchillas y el trineo empezó a moverse perezosamente. El muchacho empujó la parte trasera, acelerando su paso a medida que el trineo ganaba velocidad. Finalmente saltó encima con agilidad y se sentó junto al hombre y la niña, mientras el trineo se alejaba velozmente a través de la planicie.

Harold y Mary Rose se quedaron de nuevo solos, observando en silencio cómo el trineo se empequeñecía hasta desaparecer entre la espesa bruma que había ocultado antes la dorada luz del sol. Por un instante la niña volvió la cabeza para mirarlos con curiosidad. El ataque de tos de Harold se calmó y Mary Rose consiguió ponerse en pie. Un alarido de la foca los devolvió a la realidad y, con paso lento y fatigado, encauzaron el camino hacia su diminuto refugio con la frustración de no haber conseguido averiguar nada de aquel lugar ni de aquellas personas. Se encontraban más solos y aislados que en alta mar, una sensación demasiado similar a la que durante años habían sentido en la isla.

UNA VISITA INESPERADA

—Estás herida... —Harold puso sobre la rodilla de Mary Rose uno de sus guantes lleno de nieve—. Y aquí no hay nada con lo que pueda ayudarte. ¡Nada!

—En un par de días volveré a estar bien...

Harold miró el exiguo espacio en el que estaban confinados y se desesperó.

—¿Y cómo pretendes hacerlo? —dijo Harold—. ¿Aún crees que esta gente está dispuesta a ayudarnos?

Mary Rose lo miró desconcertada e, intentando no mover demasiado la pierna, se incorporó a su lado, pero al hacerlo sintió otro calambre en la rodilla que la puso más lívida de lo que ya estaba.

—Debemos confiar en que así sea.

Harold suspiró, quiso calmarse y pensar en lo que acababa de decir Mary Rose, pero al hacerlo volvió a recordar la mirada fría e impasible del hombre y la rabia le subió otra vez por la garganta.

—Esta gente nos desprecia —soltó, rasgando las palabras con los dientes.

—Esta gente nos ha salvado la vida, Harold —replicó Mary Rose, mientras le acariciaba suavemente la cara.

—¡¿Y para qué, para después abandonarnos a nuestra suerte como dos perros sarnosos?! —exclamó furioso.

Mary Rose resopló con fuerza, intentando controlar sus propias emociones.

—¡Nos han condenado, Rose! ¡En estas condiciones moriremos en cuestión de días!

—¡¿Y qué crees que nos habría ocurrido si nos hubiésemos quedado en casa?! A estas alturas ya estaríamos muertos de frío o de hambre. O de ambas cosas. ¡¿Hubieses preferido eso?! —exclamó con la voz temblorosa.

Harold apretó la mandíbula con rabia y miró el abultado guante repleto de nieve que cubría la rodilla de su esposa.

—¡Puede que hubiese sido lo mejor! —rugió con los ojos inyectados en sangre.

Mary Rose sintió como si de repente sus pulmones se hubiesen quedado sin aire. Una presión en su pecho empezó a crecer y, antes de que fuera a más, atrajo la cabeza de Harold hacia ella y lo abrazó sin apenas fuerzas.

—Ni se te ocurra volver a decir eso —le reprendió con la voz rota—. Si no nos hubiésemos arriesgado a salir, nunca habríamos podido sobrevivir.

Al moverse sintió una punzada de dolor que le atravesó la rodilla. Entrecerró los ojos para que las lágrimas no se derramaran y permanecieron largo rato en silencio, abrazados. La tamizada luz del sol empezó a escasear, pero la nieve seguía subiendo y bajando por las pendientes de tela como arena en el desierto. Ese ruido transportó a Mary Rose a los días de ventisca en la playa de San Remo de Mar y entonces cayó en la cuenta de la cantidad de años que hacía que no bajaba a la playa. Apenas conseguía acordarse de la sensación de libertad que sentía al nadar en sus frías aguas. ¡Cómo le gustaba nadar! Las lágrimas brotaron al pensar en ese tiempo tan lejano y el dolor de la rodilla le pareció poca cosa comparado con ese otro mucho más profundo que de vez en cuando emergía como una súbita resaca.

Harold suspiró, rendido. Con delicadeza, levantó el guante relleno de nieve para ver si la inflamación había disminuido. Un sudor frío empezó a resbalarle por la espalda al comprobar que no era así. La rodilla se había hinchado aún más: la piel brillaba como si estuviera hecha de plástico, con un rojo y unos moratones violáceos que se extendían como manchas de tinta.

Pocas veces había visto Mary Rose esa cara de preocupación en Harold.

—No creo que sea grave —dijo la señora Grapes—. Solo necesito descansar.

Harold volvió a poner el guante sobre la rodilla de Mary Rose y, con cuidado, la ayudó a tumbarse y la besó. Él también se tumbó a su lado, pero, pese a que estaba extremadamente cansado, sabía que no conseguiría dormirse.

La tienda le parecía cada vez más pequeña y asfixiante, apenas le quedaba sitio para moverse sin que la cabeza o los pies rozaran las paredes o la foca, que dormía a sus pies. El viento silbaba entre las costuras como espíritus traviesos que congelaban el claustrofóbico espacio. El crujido del plástico cada vez era más molesto y Harold no podía apartar la vista de los cuatro palos que sostenían todo el tinglado, con el temor constante de que en cualquier momento se derrumbara sobre sus cabezas.

Entonces vio que un tintineante círculo de luz ambarina se dibujaba sobre el plástico. Harold se enjugó las lágrimas que asomaban a sus ojos y, con la vista aún borrosa, se incorporó. Sin querer, le dio un golpe a la foca, que, sobresaltada, empezó a proferir sus característicos alaridos. Se había olvidado completamente de que estaba allí. El animal los había seguido hasta la tienda y no habían tenido más remedio que darle cobijo.

—¿Qué sucede? —preguntó Mary Rose, incorporándose. Pero Harold no necesitó responder, la luz captó su agitada mirada enseguida. Pese al estruendo, no tardaron en escuchar el inconfundible crujir de unas botas acercándose hacia ellos. El círculo de luz se agrandó hasta iluminar todo el frontal de la lona y un segundo más tarde una manopla peluda apareció por un lateral y la lona se abrió.

Por un momento quedaron cegados por la luz que brillaba a un metro de sus caras, pero poco a poco se perfiló ante ellos una negra silueta que sostenía una antorcha. Se trataba de la madre de la niña.

Harold y Mary Rose sintieron cómo los músculos de sus cuerpos se tensaban por el frío y por el recelo ante aquella inesperada visita. La mujer se agachó, clavó el mango de la antorcha en la nieve y apoyó un cesto frente a la puerta. Otra racha de viento barrió la planicie y el fuego fulguró al tiempo que producía el sonido de una bandera agitada por el viento. El aire helado hizo toser a Harold, pero el ataque duró pocos segundos. La mujer sacó un par de humeantes cuencos de madera con una sopa espesa y gris, una jarra con agua y un tercer cuenco con algunos trozos de pez crudo que hicieron callar al fin a la foca. Harold y Mary Rose cogieron los boles como si se tratara de dos tesoros. El calor de la madera traspasó con rapidez sus heladas manos y sintieron un escalofrío de placer.

—Muchas gracias —dijo la señora Grapes, mirándola a los ojos.

La mujer rehuyó su mirada y, con nerviosismo, miró tras su espalda como si temiera que en algún momento apareciera alguien más. Volvió a rebuscar en el canastillo y sacó un pequeño tarro de arcilla y un grueso fardo con rudas vendas que tendió directamente a Mary Rose. La señora Grapes lo cogió y miró el espeso líquido marrón que contenía el tarro sin saber de qué se trataba. La mujer señaló su rodilla y, sin detenerse en nada más, agarró el canasto, desclavó la antorcha de la nieve y se perdió en el silencio de la noche.

La lona volvió a cerrarse y el opresivo espacio empezó a llenarse de un cálido y apestoso vaho que emanaba de los tazones que humeaban a sus pies. Harold volvió la vista hacia su esposa y en la comisura de sus labios agrietados vio una leve sonrisa de triunfo. De repente, al mirar ese pequeño tarro de arcilla y la comida, se sintió terriblemente avergonzado por todo lo que acababa de decir.

Mary Rose se acercó el cuenco de caldo a los labios y empezó a sorber el pastoso líquido lentamente. Harold hizo lo mismo, intentando ahogar el martilleo de sus palabras bajo el agradable calor de la sopa, que recorría su helado cuerpo. Al terminar seguían hambrientos, pero la ligera pesadez con que la sopa y el agua llenaban sus estómagos sirvió para reconfortarlos un poco.

Entonces Mary Rose se quitó el guante lleno de nieve de encima de la rodilla y tendió el tarro con el ungüento a Harold. El señor Grapes hundió uno de sus dedos en la fangosa pomada y comenzó a esparcirla despacio sobre la inflamada y enrojecida piel de la rodilla. Rápidamente un aroma fresco, similar al de la yerbabuena, empezó a combatir el nauseabundo olor que había dejado la sopa, y aunque Harold no tenía ni idea de su composición, deseó que, fuera lo que fuese, la curara. Después, con cuidado de no rozarle demasiado la piel, le vendó la zona y ambos se tumbaron en el estrecho espacio.

Mary Rose no tardó en quedarse dormida. Harold se giró y contempló cómo su melena cubría parte de su cara, tan blanca y delgada que no conseguía acostumbrarse a ella. El señor Grapes se acurrucó un poco más hacia ella y la abrazó para darle calor. Entonces recordó los últimos días que habían pasado en la casa antes de partir hacia el rastro de humo, tumbados uno junto al otro en el sofá, apretando sus cuerpos para no enfriarse, justo como hacían en ese instante. Las palabras de Mary Rose volvían a su mente igual que escandalosas campanadas: «¿Y qué crees que nos habría ocurrido si nos hubiésemos quedado en casa? A estas alturas ya estaríamos muertos de frío o de hambre. O de ambas cosas». Se sintió estúpido, avergonzado por todo lo que había dicho, cegado por la rabia y la desesperación del momento. Sus ojos empezaron a anegarse de lágrimas al imaginar cuál hubiese sido su destino. Sus dos cuerpos acurrucados en el sofá de la casa, sintiendo cómo la reluciente escarcha que cubría las paredes, los suelos, los muebles e incluso los recuerdos también empezaba a envolverlos a ellos. La vida los hubiese abandonado poco a poco, sumergiéndolos irremediablemente en un profundo letargo, congelados para siempre en un eterno abrazo de muerte.

LEJOS DE CASA

Un agudo alarido despertó súbitamente a Harold y Mary Rose. Durante un instante se sintieron desorientados, pero enseguida la foca que se agitaba entre sus pies los devolvió a la realidad. Harold se incorporó con pereza y abrió para que el animal pudiese salir. El frío cortante del amanecer le dio una bofetada que lo despabiló con rudeza. Frente a él se extendía el blanco sin fin. No nevaba. Solo se escuchaba el frufrú de la foca contra la ahuecada nieve y la tela de plástico al ondular por el viento. Entonces Mary Rose se sentó a su lado.

—Deberías quedarte tumbada —dijo Harold, palpando con cuidado el vendaje que cubría la rodilla de su esposa—. Aún está muy hinchada.

—Pero el dolor ha disminuido mucho —contestó con la frágil sonrisa que se dibujó en sus huesudas mejillas.

Harold por fin dejó escapar el aire en un largo suspiro. Entonces, la foca entró de nuevo en la tienda y se escondió bajo las mantas. Harold se acercó a la abertura y con cautela sacó la cabeza para ver qué sucedía.

En un primer momento no consiguió ver nada fuera de lo normal. Pero al cabo de unos segundos, tras el banco de bruma que mantenía oculto el horizonte, empezó a dibujarse

194

una forma fantasmagórica. Harold se tensó al ver que se acercaba a gran velocidad.

La silueta fue definiéndose hasta que finalmente surgió de la neblina y se convirtió en un trineo tirado por un numeroso grupo de perros. Los ladridos de los animales no tardaron en reverberar por toda la planicie y un fuerte silbido hizo que aminoraran la marcha. Mary Rose también se aproximó a la abertura y sacó la cabeza y, como si de dos espías se tratase, observaron la escena desde su guarida.

El trineo se detuvo lejos de ellos y de él bajaron tres figuras. Harold y Mary Rose no tardaron en reconocer al hombre, al chico y a la niña. El hombre desató las riendas y, tras vociferar algo, se alejó entre la bruma seguido por la jauría. Entonces el chico se acercó al trineo y empezó a descargar algunas de las bolsas y cajas que transportaban. Luego siguió el rastro de huellas del hombre. La niña permaneció unos segundos al lado del trineo, a la espera.

Cuando el chico desapareció tragado por la niebla, la niña saltó al trineo y, tambaleándose, descargó un par de cajas. Las dos cajas abultaban más que ella y apenas le permitían ver nada. Caminó por la nieve en la dirección que habían tomado los hombres, pero cayó sobre ella y se esparció el contenido de las cajas.

Harold y Mary Rose dieron un respingo, sobresaltados por el golpe.

—Creo que se ha hecho daño —dijo Mary Rose, mirando cómo la chiquilla se removía entre la nieve.

—Quédate aquí, voy a ver si está bien.

—¿Y si vuelve el hombre?

—Es lo mínimo que podemos hacer —contestó, volviendo la vista a las toscas vendas que cubrían la inflamada rodilla de Mary Rose.

Mary Rose balbuceó algo, pero Harold ya se había levantado y avanzaba por la planicie. El ruido de sus botas se perdía en los profundos agujeros que eran sus huellas mientras, agitada, la niña ponía orden sin darse cuenta de que Harold avanzaba en su dirección.

Al acercarse, Harold se dio cuenta de que las cajas contenían pescado: docenas y docenas de peces desparramados sobre la nieve como brillantes gemas azules y plateadas. El crujido de la nieve alertó a la chiquilla, que al ver a Harold tan cerca, se apartó de las cajas y miró a su alrededor sin saber muy bien qué hacer.

—Solo quiero ayudarte —dijo Harold, sabiendo que no le entendería.

Entonces se agachó junto a una de las cajas y comenzó a recoger los peces que había esparcidos sobre la nieve para ponerlos de nuevo en su interior. Después de unos instantes de duda, la niña se aproximó a él y, sin dejar de mirarlo de reojo, comenzó a hacer lo mismo con la otra caja.

Desde el interior de la tienda, Mary Rose observaba con nerviosismo la escena, pues sabía que en cualquier momento podría aparecer el hombre.

La niña terminó de llenar su caja y al levantarla volvió a caer al suelo. Harold se fijó entonces en la sangre que manaba de su mano. Miró alrededor en busca del hombre o del otro chico, pero no los vio por ninguna parte. Así que Harold apiló las dos cajas y las levantó. Se sentía aún muy débil para hacer tanto esfuerzo, pero intentó no pensar en el dolor. Miró a la niña, le sonrió y, sin mediar palabra, empezaron a andar juntos en dirección al camino de huellas por el que habían desaparecido los otros hombres. Mary Rose los perdió finalmente de vista.

Harold sentía cómo un desagradable hormigueo quemaba cada una de las fibras de sus escuálidos músculos, pero poco a poco avanzó a través de la nieve hasta internarse en el campamento. Los rayos del sol perforaron la espesa capa de nubes y rebotaron con fuerza sobre la explanada que se abría frente a la tienda más grande. Harold no vio ni rastro del hombre ni del otro chico, ni de nadie más. Las huellas se terminaban frente a una pequeña tienda en forma de media esfera. Fueron hacia allí dando tumbos por la inestabilidad del terreno y luego Harold se agachó para soltar la pesada carga. Por un momento sintió como si le hubiesen arrancado los brazos de cuajo. Entonces se levantó y, por el rabillo del ojo, vio que algo se movía tras él. Se giró y vio al hombre y al chico. Los dos lo observaban con aspereza.

—La niña se ha herido con las cajas —dijo, señalando la mano de la chiquilla para intentar explicar lo que había sucedido—. Solo la he ayudado a cargar el pescado hasta aquí.

Harold miró de nuevo a la niña en busca de complicidad, pero desde que había aparecido el hombre se mantenía cabizbaja, con la mirada clavada en la nieve. El hombre se fijó en la mano ensangrentada de la niña y frunció aún más el ceño. Parecía que, en lugar de entender la situación, sucedía todo lo contrario. El señor Grapes no sabía qué hacer o decir, se sentía frustrado por no poder comunicarse.

Entonces el hombre se dirigió a la niña con su voz grave. Esta levantó con lentitud la cabeza y, tras unos segundos de silencio, empezó a hablar con rapidez. Harold no entendió nada de lo que dijo, pero intuyó que le estaba explicando lo ocurrido. Solo esperaba que le estuviese contando la verdad. Al cabo de unos minutos, el hombre volvió la vista hacia el señor Grapes, pero entonces sucedió algo extraño. Su tez se puso pálida y su expresión severa se deshizo por el pánico. Harold se dio cuenta de que no lo estaba mirando a él. Había algo a su espalda. El señor Grapes se volvió lentamente, confundido y temeroso por descubrir qué había.

Pero al darse la vuelta no vio nada. Solo la llanura que rodeaba el campamento y que quedaba recortada contra un rabioso cielo azul. Las nubes y la bruma se disipaban y a lo lejos se alzaba la cordillera de piedra negra que habían visto al quedar varados con la casa en el hielo. Una vasta línea azul oscuro delimitaba el punto en el que el hielo de la banquisa y el mar se encontraban. Miles de témpanos e icebergs se alejaban con parsimonia de la colosal placa de hielo y se internaban en mar abierto como esporas expulsadas de una flor que se marchita.

Harold siguió escudriñando con ansiedad el baldío paisaje glaciar sin entender qué había aturdido al hombre de esa manera. Y justo en ese momento lo vio. Una presión creció en su pecho al comprobar que entre la mezcolanza de colores destacaba un punto amarillo que brillaba como un faro en medio de la noche. Su casa.

El señor Grapes sintió como si una enorme mano aplastara sus pulmones y empezó a toser. Su rostro se puso tan lívido como si hubiese visto un fantasma. Sabía que no había transcurrido tanto tiempo desde su partida, pero al verla de nuevo en medio de aquel rocambolesco paisaje le dio la sensación de que había pasado una eternidad; de que nada de lo que veía podía ser real. Entonces escuchó el crujir de la nieve tras su espalda y volvió a la realidad. Harold controló el ataque de tos y al girarse vio que habían empezado a acercarse más personas. Todos cuchicheaban y señalaban la lejana casa varada en el hielo con miedo y recelo. Volvió a mirar al hombre y percibió que la expresión de sorpresa había desaparecido de su rostro. Ahora sus afilados ojos estaban llenos de una ira y un odio que helaron a Harold mucho más que el viento que soplaba a su alrededor. Se palpaba un silencio amenazador.

No sabía cómo juzgar todo aquello, mientras un profundo temor se instalaba en sus entrañas. Se sintió como una presa acorralada por una manada de lobos hambrientos, y, antes de poder siquiera moverse, dos hombres lo agarraron por los brazos.

SIN PALABRAS

Mary Rose yacía intranquila entre las mantas de la tienda esperando la llegada de Harold cuando la entrada del refugio se abrió de un tirón tan fuerte que parte de la lona se desgarró por una de sus quebradizas costuras. La señora Grapes se incorporó de un brinco, alarmada. Apenas sintió el leve pinchazo de la rodilla o los chillidos de la foca, que se agitaba histérica a su alrededor. Entonces Harold entró de pronto y toda la nieve que llevaba adherida a los pantalones y las botas quedó esparcida por el interior de la tienda.

—¿Por qué has tardado tanto en volver? ¡Empezaba a inquietarme! —dijo Mary Rose, acercándose a Harold.

Harold miró el vendaje que protegía su rodilla. En su frente se dibujaron largas y profundas arrugas de preocupación. Un segundo después levantó la vista y fijó sus ojos en los de la señora Grapes. Mary Rose se estremeció al ver la extraña expresión que había en su rostro. Sus ojos estaban desencajados y se movían de un lado a otro como si estuvieran buscando algo. Su respiración era agitada y una fina capa de sudor congelado bañaba su frente. Entonces escuchó el crujir de la nieve en el exterior y se dio cuenta de que frente a la entrada de la tienda se recortaban tres figuras robustas y cubiertas de pieles. Mary Rose alzó la vista y vio la expresión del hombre, fría como un bloque de hielo y tan punzante como la escarcha, y notó cómo un terror lacerante le subía por las entrañas hasta la nuca.

—¿Qué ha pasado, Harold? —preguntó Mary Rose con la voz temblorosa.

—Ha visto la casa... —murmuró Harold—. Todos la han visto.

—¿La casa? —preguntó sin entender nada.

—Pero antes de poder decir nada, todo se ha torcido —continuó Harold—, han empezado a mirarme como si fuera una amenaza para ellos, Rose. Me han cogido por los brazos y me han traído hasta aquí. Creo que quieren que los acompañemos al campamento.

De pronto, el hombre alzó su profunda voz y con la mano hizo un gesto brusco para indicarles que salieran. Harold y Mary Rose se miraron sin atreverse a apartar demasiado tiempo la vista de aquellos hombres. Salieron a trompicones, sabiendo que no tenían demasiadas alternativas: no podían huir, no podían explicar nada; lo único que podían hacer era seguirlos.

Harold caminó intentando disimular el pavor que crecía con cada paso que daba, sosteniendo a Mary Rose para que no apoyara demasiado peso sobre la rodilla herida.

—Todo va a salir bien... —susurró, mientras se alejaban de la tienda.

Pero Mary Rose percibió un ligero temblor en la voz de Harold. Buscó su mirada, pero él la rehuyó, atemorizado.

A cada paso que daban, Harold estaba más nervioso y tenso. Nunca se había sentido tan frustrado por no poder comunicarse. Habían pasado mucho tiempo solos y, ahora que por fin encontraban una comunidad de personas, se sentía más aislado que nunca. De repente tuvo la sensación de que ese aislamiento era muy parecido a estar viviendo en el acan-

tilado. Siempre se habían dicho a sí mismos que habían dejado el apartamento del pueblo para huir del dolor, que habían
desmantelado el barco para poder afrontar los costes; pero en
el fondo sabían que eso no era del todo cierto. La realidad era
que habían decidido quedarse de forma consciente en la diminuta isla que tanto aborrecían. Instalados cerca del pueblo,
pero lo suficientemente lejos para no escuchar las habladurías de sus habitantes, con vistas al infinito horizonte que
tanto ansiaban alcanzar, pero bien enraizados en la sólida
roca que los mantenía inmóviles. Harold sabía muy bien que
ese aislamiento había sido autoimpuesto por ellos mismos, y
se preguntó si alejarse de las miradas de reproche de aquellas
gentes les había servido para ahuyentar el dolor o más bien
para aislarse más en él.

—¿Qué crees que quieren de nosotros? —balbuceó Mary
Rose, apretando con fuerza la mandíbula para disimular el
castañeteo de sus dientes.

La voz de Mary Rose sacó a Harold del extraño letargo
en el que se había sumido y entonces se percató de que
avanzaban zigzagueando entre las construcciones del poblado. Harold la miró de soslayo y se encogió de hombros.
Escudriñó todas y cada una de las tiendas en busca de mo-
vimientos extraños.

Las personas que hacía un rato se habían agolpado a su
alrededor habían desaparecido y Harold se preguntó si tal
vez permanecían en silencio en sus refugios a la espera de
una señal.

Los tres hombres que los escoltaban dirigieron sus pasos
hacia una de las tiendas grandes. Los señores Grapes se fijaron en que de su rudimentario techo surgía un espeso hilo de
humo que se contorneaba contra el cielo, que volvía a enca-
potarse. Algunos copos de nieve empezaron a caer sobre sus
cabezas, desprotegidas.

El hombre que ya conocían se detuvo frente a la construcción y los otros dos se alejaron lentamente. Asió una agarradera que sobresalía de una de las paredes de piel de la tienda y dejó al descubierto una oscura abertura. El hombre hizo un gesto con la cabeza para indicarles que entraran. Mary Rose miró a Harold con una expresión compungida y descompuesta. Harold le apretó ligeramente la mano para intentar transmitirle calma, pero sabía que no lo estaba consiguiendo. No sabía a dónde los llevaba ni qué había detrás de aquellas pieles. Con todo el valor que fue capaz de reunir, Harold volvió de nuevo el rostro hacia el hombre y le devolvió la misma mirada glacial y severa con la que él los estaba observando, desafiante. El hombre no se inmutó. Entonces Harold observó a través de la oscuridad del orificio y, tras unos segundos, dio un paso al frente y entró.

Cuando el hombre pasó tras ellos, la grieta de luz se cerró a sus espaldas y durante unos instantes sus ojos no consiguieron distinguir nada más que negrura. Pero de repente la voz del hombre sonó en medio de esa burbuja de silencio. Mary Rose apretó con intensidad el brazo de Harold y caminó hacia la voz, que se perdía en la profundidad de la tienda.

A medida que iban avanzando, un olor acre y denso se incrustaba en sus narices congeladas mientras algunas prendas de ropa rozaban sus caras. El suelo era blando, extrañamente blando, pero no conseguían distinguir qué era.

Frente a ellos aparecieron más telas y pieles, que les cortaban el paso y dividían el lugar en pequeñas estancias. Poco a poco una tenue luz rojiza surgió del fondo. El lugar estaba vacío, no vieron muebles ni objetos.

Finalmente, el hombre se detuvo frente a una gruesa cortina de pelo áspero. Su forma era apenas una sombra sin rostro que se recortaba contra el fulgor rojo que emanaba de la brecha de ropa. Harold y Mary Rose esperaron frente a él, muy juntos, temblando y jadeando.

El hombre vaciló durante unos segundos. Entonces se movió y, de un tirón, abrió la entrada de la tienda y se perdió en su interior. Mary Rose dio un paso atrás inconscientemente y a Harold se le pasó por la cabeza la idea de aprovechar que se habían quedado solos para huir. Pero sabía que, aunque consiguieran salir de allí, no tendrían ninguna posibilidad de escapar del poblado sin que los alcanzaran. Respiraron hondo, se miraron durante un breve lapso de tiempo ante la cálida luz roja y cruzaron al otro lado de la gruesa tela.

Por un momento quedaron cegados, pero poco a poco empezaron a distinguir las intensas llamas de un fuego que ardía en el centro de una gran sala circular de techos altos que caían como una pequeña carpa de circo. Al igual que su diminuto refugio, todo el suelo de la estancia estaba cubierto de gruesas pieles, pero estas eran más grandes y peludas. El fuerte olor a humo se mezclaba con el putrefacto hedor que surgía del ennegrecido caldero que hervía sobre el fuego y que viciaba el espacio del mismo modo que lo hacía el silencio. Solo se oía el crepitar de las llamas y el bamboleo de las paredes de piel. Pese al calor del fuego, seguían tiritando. Sus miradas no se detuvieron en las toscas redes de pescar que colgaban de las pilastras de madera que sostenían la estructura, ni tampoco en los largos cuchillos que centelleaban con el fulgor del fuego. Harold y Mary Rose tenían la vista fija en las personas que se sentaban alrededor del fuego y que los miraban con expresión escudriñadora.

El hombre avanzó en silencio por la sala y se sentó al lado del chico que habían visto descargando el pescado del trineo. Justo enfrente del hombre se recortaba el perfil de la mujer que les había traído el ungüento y las vendas, y a su lado estaba la niña, que los miraba con los ojos muy abiertos.

Harold y Mary Rose sabían que esas personas los analiza-
ban con inquisición y recelo, pero ellos hacían lo mismo, de
pie junto a la entrada, sin atreverse a mover ni un músculo.

Los señores Grapes se dieron cuenta de que sus vestimentas eran diferentes: ya no vestían los aparatosos abrigos de
pelaje con capucha, sino unas prendas más finas y ceñidas,
confeccionadas con pieles oscuras y curtidas, combinadas
con retales geométricos de tela blanca. Ninguno de ellos parecía llevar abalorios ni nada decorativo.

Entonces el hombre rompió el silencio y con un gesto
brusco les indicó que tomaran asiento junto al fuego. Harold
y Mary Rose sabían que no tenían más alternativa que obede-
cer. Avanzaron con cautela a través del abultado *collage* de
pieles que se esparcía por el suelo de la estancia. Sintieron
cómo el calor de las llamas enrojecía sus mejillas y les producía una extraña sensación febril. Pese al agrio y espeso líquido grisáceo que burbujeaba en el interior del caldero, sus estómagos bramaban, torturados por el hambre.

Se sentaron, cautelosos, en un hueco grande que había
junto a la niña. Las miradas de los señores Grapes se pasea-
ron con inquietud entre las turbulentas llamas del fuego sin
atreverse a posarse en esas personas. Temían que, si lo hacían,
pudieran ofenderlas, aunque ellos no tenían ningún reparo
en escrutarlos como si fueran dos exóticos y peligrosos animales exhibidos en una jaula. El hombre se removió entre las
mantas, y Harold y Mary Rose se tensaron como si estuviesen a punto de caer en una trampa para ratones. Carraspeó y,
tras una pausa, habló:

—¿Quiénes sois? —preguntó con agresividad.

LA HISTORIA DE HAROLD Y MARY ROSE

Cuando Harold consiguió controlar el ataque de tos, todo volvió a quedar sumido en un silencio profundo y cortante. Se sentían traspuestos, bloqueados ante la revelación de que aquel hombre hablase su idioma, tan confusos y con tantas preguntas que apenas se atrevían a respirar. Mary Rose escuchaba el retumbar de los latidos de su corazón en el silencio asfixiante. El hombre los miraba con sus afilados ojos como si estuviera a punto de cortarles, escudriñando hasta el más ligero movimiento de sus párpados en busca de una reacción.

—¡¿Quiénes sois?! —repitió.

—Mi nombre es... —balbuceó el señor Grapes— Harold Grapes. Y ella es mi esposa, Mary Rose.

El hombre entrecerró los ojos y recorrió con lentitud los rostros de Harold y de Mary Rose como si estuviera poniendo en duda la veracidad de sus nombres. Al ver el mal disimulado temblor de las manos de Mary Rose, frunció el ceño con dureza.

—¿Qué habéis venido a hacer aquí? —dijo con brusquedad.

Harold intentó relajarse.

—Hemos llegado hasta aquí arrastrados por las corrientes del mar.

Entonces Harold se dio cuenta de que esa respuesta era demasiado vaga. Se sentía espeso, con los sentidos embotados por el intenso calor de las llamas y la tensión. Justo cuando se disponía a mejorar su explicación, el hombre volvió a hablar.

—¡¿Y el edificio que habéis construido en la banquisa?! —masculló, como si intentara mantener a raya una cólera desbordante.

—¿Edificio? ¡No hemos construido ningún edificio! —prorrumpió Harold, acalorado—. Hemos llegado navegando a bordo de él.

El hombre frunció el entrecejo y Harold se dio cuenta de que había cometido un error dejándose llevar por la ansiedad.

—Eso es una casa. ¡No un barco! —exclamó, inclinándose ligeramente hacia ellos con la tez enrojecida por el calor y la rabia.

Harold iba a contestarle, pero se lo pensó mejor. Debía mantener la calma y controlar la situación, debía pensar mejor sus respuestas para que esas personas no creyeran que les estaban tomando el pelo.

—Sí, es una casa —intervino Mary Rose con la voz quebrada—. Llevamos viviendo en ella desde hace más de treinta y cinco años. No sobre el mar, sino sobre el acantilado de una remota isla. —Hizo una breve pausa para ordenar sus pensamientos y continuó—: Entonces hubo una tormenta y la casa se despeñó por el acantilado. Al despertar, nos dimos cuenta de que estábamos flotando en medio del mar y desde entonces...

—¡Están mintiendo! —interrumpió con fiereza el chico—. ¡Intentan contarnos una historia sin sentido para que nos apiademos de su locura!

El hombre giró levemente la cabeza y emitió un gruñido que hizo que el chico callara y bajara la mirada hacia las brasas del fuego. Dejó que el silencio se hiciera aún más opresivo y entonces hizo un gesto rápido con la barbilla para que la señora Grapes siguiera hablando.

—Sabemos lo que parece —prosiguió con cautela—, pero no estamos mintiendo.

—¡Es absurdo! —prorrumpió el hombre—. ¡Ninguna construcción así podría resistir una caída desde un acantilado!

Mary Rose no se atrevió a mirar a Harold, sabía que si lo hacía parecería que estaba dudando y no podían permitírselo. Mary Rose respiró hondo y, sin dejar de mirar los ojos amenazantes del hombre, continuó su relato.

—Solo pedimos que escuchéis nuestra historia —dijo Mary Rose.

Pero la precaria barrera que mantenía presa la cólera del hombre se rompió y masculló:

—¡No estoy dispuesto a que un par de extraños sigan faltándonos al respeto a mí y a mi familia contándonos sandeces sin sentido!

Se levantó y la luz centelleante acentuó aún más la expresión amenazante de su rostro. Harold sabía que debían reaccionar con rapidez si no querían que su situación siguiera empeorando hasta un punto de no retorno. Era perfectamente consciente de que aquellas personas no creerían su historia, no si se la contaban a trompicones, no si obviaban detalles o vivencias importantes. Si querían salir de esa habitación sanos y salvos, debían convencerlos de que su viaje había sido real.

—Si al final del relato seguís sin creernos —intervino Harold, intentando poner toda la convicción que le quedaba en la voz—, entonces decidid qué hacer con nosotros. Pero antes, por favor, escuchadnos.

Entonces, antes de que el hombre pudiese responder, la voz de la mujer se alzó por primera vez.

—Os escucharemos —dijo, tranquila pero autoritaria.

El hombre se giró con brusquedad hacia la mujer, pero, pese a la ferocidad con que la miraba, ella no bajó la cabeza. Su expresión no contenía rabia, pero tampoco cercanía. Su semblante era rígido, como el silencio que parecía haber solidificado el aire de la habitación en un duro bloque de granito.

—¿A qué esperáis? —volvió a decir la mujer, con serenidad.

Harold y Mary Rose se miraron y, pese a no decirse nada, supieron lo que estaban pensando. Por primera vez se dieron cuenta de lo inverosímil que resultaba todo lo que habían vivido. No sabían por dónde empezar el relato sin que todo pareciera una locura sin sentido, sin que todo pareciera una gran mentira. Durante todo ese tiempo no habían tenido contacto con nadie, apenas habían tenido tiempo para reflexionar sobre nada de lo que les había pasado; se habían concentrado en seguir con vida. Y ahora se sentían perdidos, desorientados en un mar de pensamientos confusos y a la deriva. La inseguridad y el miedo los atenazó con su mordedura y de pronto ni ellos mismos estaban seguros de que todo lo que habían visto, hecho o vivido fuese real.

—¿Lo ves? ¡Solo son un par de farsantes! —exclamó el hombre con desprecio.

Entonces Mary Rose sintió como si la lucidez hubiese vuelto a su confundida cabeza y los fragmentos desordenados de sus pensamientos formaran un puzle completo y sólido de la historia. Aspiró el aire de la sala con lentitud a la vez que cerraba los ojos para concentrarse y, durante una fracción de segundo, le pareció oler de nuevo el salitre del mar que se esparcía por su jardín.

—Los Grapes, o los señores Grapes —dijo con una repentina seguridad—, es así como todo el mundo nos conoce.

Mary Rose se detuvo un segundo al escuchar el suave rumor de las olas rompiendo en la porosa roca del acantilado, los estridentes chillidos de las gaviotas sobrevolando la casa. Era como si de repente pudiese oír los sonidos atrapados en una de esas preciosas caracolas que se escondían entre la arena de la playa como un tesoro olvidado. Al abrir lentamente los ojos, se encontró con la inquisitiva mirada del hombre.

—A diferencia de las casas y negocios que se apiñan en la parte baja de la playa —continuó—, nuestra casa se encontraba alejada poco más de un kilómetro del pueblo, justo al borde del acantilado más alto de toda la isla: el acantilado de la Muerte.

Harold le cogió la mano con suavidad cuando llegó al punto de la historia en el que recibieron la carta con la notificación del desahucio. En ese momento, la impertérrita expresión de la mujer se resquebrajó un poco. Mary Rose se dio cuenta de ello y comprendió que aquellas personas seguramente no entendían el concepto de desahucio. Mary Rose intentó explicarlo lo mejor que pudo y, cuando vio que el semblante de la mujer volvía a relajarse, continuó. Al llegar a la noche de la caída, Mary Rose sintió que su claridad empezaba a agrietarse y su corazón se aceleraba. Contó con la máxima precisión el instante en que el rayo cayó sobre la casa, el enorme boquete que encontraron humeando en el jardín, la fuerte lluvia que caía y los duros golpes del viento que zarandeaban sus cuerpos. Pero finalmente llegó al momento que tanto temía y en el que la historia surcaba una gran laguna sin información.

—En este punto solo podemos especular —continuó diciendo con un tono más serio—. Creemos que el rayo fracturó la roca en la que se anclaba la casa, y el viento y la lluvia ayudaron a desprenderla del resto del acantilado hasta hacerla caer al agua.

El hombre, que seguía de pie al lado del fuego, cruzó los brazos y la expresión que hasta ese momento parecía haberse suavizado, volvió a endurecerse.

—¡Es imposible! —bufó.

—Sabemos que ninguna construcción podría soportar una caída así —volvió a decir Mary Rose antes de que todo el relato se desmoronase—, pero esta sí lo hizo.

El hombre descruzó los brazos e inclinó su cuerpo hacia los señores Grapes.

—Supongamos que la casa cayera por ese acantilado —rugió—. Supongamos incluso que no se destruyese al impactar contra el agua. ¡¿Cómo es posible que no se hundiera?!

Harold se dio cuenta de que el semblante de la mujer también empezaba a oscurecerse y la rabia ensombrecía el rostro del chico. Mary Rose balbuceó algo, pero se calló. Entonces Harold supo que tenía que intervenir.

—Gracias a la roca en la que se sustenta la casa —dijo, convencido.

Una mueca de cólera se dibujó en la cara del hombre. Pero antes de que pudiera replicar, Harold se adelantó y continuó con su explicación, hablándoles de la composición volcánica de la isla y las propiedades de flotación de esas piedras. Sabía que solo se trataba de una teoría, una mera suposición, pero lo contó con tal convicción que no dejaba margen a ninguna duda. Harold reconocía en las miradas de todos ellos que aún no terminaban de creerse la historia de una casa flotando a la deriva, al menos no todos. La niña era la única que los miraba embelesada, como si estuviera escuchando un cuento en el que podía suceder cualquier cosa increíble. Harold se preguntó si no era precisamente eso, un cuento. Pero, antes de perder el hilo, continuó hablando. Siguió relatando el momento en el que habían abierto la puerta del porche y descubrieron que el gigantesco mar los rodeaba por todos los costados. Continuó con la descripción de los daños que había sufrido la casa y, al llegar al momento en el que se cortó la mano con uno de los salientes de roca, aprovechó para mostrarles la cicatriz. Aunque el rostro del hombre parecía indiferente a esa prueba, Harold estaba seguro de haber visto un matiz de sorpresa en sus escépticos ojos.

Después explicó el funesto momento en el que bajaron al sótano y descubrieron que el agua se filtraba por una brecha en la pared, la angustiosa batalla por taponar la fisura antes de que toda la casa se hundiera y las interminables horas que pasaron achicando agua; la desesperación al comprobar que el depósito de agua se había perforado y no les quedaba agua potable, y cómo al fin habían podido solucionarlo haciendo funcionar la desalinizadora.

—¿La desaliniza... qué? —interrumpió el chico adolescente.

—Desalinizadora —repitió Harold con más lentitud.

Pero el chico siguió mirando a Harold como si no estuviese satisfecho con la repetición.

—Es una máquina que usa electricidad para poder eliminar la sal del mar y así poder beberla —explicó el señor Grapes.

Entonces el chico abrió sus rasgados ojos como si no pudiese creer lo que acababa de escuchar.

—¿Y cómo consiguieron producir electricidad en medio del mar? —preguntó.

Harold lo miró y se sorprendió al ver que por primera vez la expresión iracunda de su rostro se había ablandado. Ahora comenzaba a entrever el débil destello de la curiosidad. Así pues, Harold se permitió relajarse un poco y contó con todo detalle cómo logró transformar el tambor de la secadora en un generador eléctrico. El momento en el que salió por la ventana a instalar su invento y una ola traicionera lo hizo caer al agua. La angustiosa sensación de ver cómo la casa se alejaba de él, arrastrada por las grandes olas, que una y otra vez se empeñaban en hundirlo, y cómo consiguió ponerse a salvo gracias a uno de los tirantes sueltos que arrastraba la construcción y a la ayuda de un delfín. Y justo cuando relataba la sensación de alivio que lo embriagó al volver a notar bajo su cuerpo la dura tarima del porche, Mary Rose carraspeó. Harold la miró y entonces se percató del error que había cometido. La expresión de su mujer era una máscara perfecta de enfado y resentimiento contenidos.

—Me dijiste que estabas mojado porque una ola te había salpicado... —masculló Mary Rose.

—No te lo conté porque no quería que te preocuparas innecesariamente, Rose.

Mary Rose volvió la cara al frente y al hacerlo vio las expresiones de desconcierto con que todos los miraban. Y antes de que Harold consiguiera volver a retomar el hilo de la historia, la señora Grapes se adelantó y prosiguió. Comenzó a relatarles la majestuosidad de las auroras boreales, que surgieron en el cielo como luces de otro mundo, y cómo un frío intenso empezó a penetrar por todos los rincones de la casa. Les explicó con angustia el instante en el que vieron el gigantesco iceberg en el horizonte, el horror que sintieron al darse cuenta de que iban a morir aplastados por su avance, cómo consiguieron atravesarlo y la multitud de destrozos que provocó en la casa.

Entonces Mary Rose vio por el rabillo del ojo que el hombre, que hasta ese instante había permanecido de pie, volvía a sentarse disimuladamente frente al fuego. Mary Rose recorrió con su mirada los demás rostros y sonrió al ver los ojos abiertos de la niña, que escuchaba con absoluta concentración cada una de sus palabras. Pero al proseguir el relato, la expresión de la señora Grapes se ensombreció un poco. Empezó a hablarles del hambre, la sed y el miedo constante a morir por el frío. Cuando llegó al punto en el que la casa quedó varada en la banquisa, pasó de puntillas sobre la historia en la que el oso mató a la foca y describió la alegría que sintieron al ver el hilo de humo en las montañas y la dura decisión que tuvieron que tomar al salir en su búsqueda.

—Lo que visteis fue el humo del campamento que hicimos mis hijos y yo para pasar la noche —cortó el hombre, suavizando su expresión—. Tuvisteis mucha suerte de que estuviésemos cazando por las montañas del sur y os encontráramos —continuó diciendo—, o más bien que os encontrase mi hija Kirima.

Entonces Harold y Mary Rose desviaron la mirada hacia la chiquilla, que, sorprendida, se sonrojó y bajó ligeramente la mirada. Sonrieron.

—Muchas gracias —dijo Mary Rose con tranquilidad—. Te debemos la vida.

La niña sonrió con timidez y levantó la mirada.

—No fue difícil veros —aseguró. Su voz era cantarina—. Los gritos de Nattiq se oían desde muy lejos.

—¿Nattiq? —preguntó Mary Rose.

—*Nattiq* significa «foca» —intervino el chico.

—Cuando os encontramos, teníais la cría de foca sobre las piernas —continuó diciendo el hombre—. No sé cómo llegó hasta ahí, pero os aseguro que gracias a su calor ganasteis unos minutos de vida.

Harold recordó el momento en el que la foca surgió de la manta medio enterrada en la nieve y se sintió culpable al saber que su primera reacción fue ahuyentarla; ahora se daba cuenta de que si lo hubiese hecho, estarían muertos.

Todo volvía a permanecer en silencio. El relato había concluido y ni el crepitar de las ascuas del fuego ni el burbujeo del caldero conseguían llenar ese silencio. Pero se trataba de un silencio diferente. Aquel era el silencio que desprendían las mentes de cada uno de ellos asimilando la historia, preguntándose una y otra vez si lo que habían escuchado era verdad o solo una artificiosa red de mentiras.

Harold y Mary Rose sabían que ya no podían hacer nada más por defender su relato.

Tras unos segundos, el hombre miró a la mujer y su voz volvió a alzarse. Deliberadamente, empleó su idioma para mantener a los señores Grapes fuera de la conversación. La mujer le respondió. Harold y Mary Rose estaban ansiosos. Harold apretó la mano de su esposa al sentir su temblor y volteó ligeramente la cabeza para buscar su mirada. Mary Rose sentía una necesidad intensa de hablar con Harold, pero sabía que debía esperar.

Las voces del hombre y la mujer se elevaron y, aunque los señores Grapes no entendían ninguna de sus palabras, sus expresiones mostraban desacuerdo. Mary Rose recorrió con lentitud los rostros del chico y de la niña, pero ninguno de ellos la miraba directamente. Comenzó a sentirse mareada. De pronto, el hombre alzó la voz y Mary Rose se sobresaltó. Inconscientemente, Harold apretó con más fuerza la mano de su esposa, pero ella ni se dio cuenta. Sus ojos anhelaban una respuesta, una señal de aprobación o de rechazo.

Y entonces la mujer se abalanzó hacia delante con brusquedad. Harold y Mary Rose dieron un respingo. La mujer alargó los brazos y les ofreció dos cuencos de madera con un poco del espeso brebaje que bullía en el caldero. Ese pequeño gesto hizo que la atmósfera de la estancia perdiese algo de tensión. Entonces comprendieron que los habían creído.

UN VELO DE OSCURIDAD

Esa noche, Harold y Mary Rose apenas durmieron. Habían pasado frío y, pese al alivio que habían sentido al comprender que esas personas los creían, aún no estaban seguros de qué pasaría con ellos. El crujido de la nieve fuera de la tienda los alertó y, al mirar a través de la abertura de la lona de plástico, vieron aparecer el pequeño rostro de Kirima. Tras mirarlos con una mezcla de timidez y curiosidad, les pidió que la siguieran.

Al empezar a caminar en dirección al campamento, Harold y Mary Rose sintieron de nuevo un ligero hormigueo en sus estómagos. Varios trazos de humo gris surgían de los techos más altos del poblado y a lo lejos se oía el sordo ladrido de un perro, pero a diferencia de lo que creían, Kirima no los condujo entre las construcciones. Con paso decidido, bordeó el perímetro del campamento mientras los señores Grapes se esforzaban en seguirla. Mary Rose no podía avanzar muy rápido, pero sentía que los latigazos de su rodilla eran menos frecuentes.

Los ladridos del perro aumentaron, mientras las miradas nerviosas de Harold y Mary Rose se colaban a través de los huecos que había entre tienda y tienda para ver si se producía algún movimiento. No tenían ni idea de dónde los llevaba la niña y, aunque se lo habían preguntado, no les contestaba.

Finalmente dejaron atrás las últimas tiendas del campamento y la niña se detuvo frente a una tienda redondeada, cubierta por un grueso manto de nieve que le daba la apariencia de un merengue, justo en el lado opuesto de donde se encontraba la suya. Kirima se acercó a la entrada y susurró algo que no consiguieron oír. Harold y Mary Rose miraron a su alrededor en busca de alguna otra persona, pero frente a ellos se alzaban dos tiendas altas que les tapaban la visión del resto del campamento.

Entonces la rendija de pieles se sacudió y salieron del interior dos figuras ataviadas con gruesos abrigos de pelo. Eran el hombre y la mujer.

Harold y Mary Rose los miraron sorprendidos y, antes de poder escoger las palabras idóneas para dirigirse a ellos, él se adelantó.

—Esta es vuestra nueva tienda —dijo, señalándola con una mano enguantada.

Los señores Grapes volvieron a mirar la construcción. A diferencia de la precaria tienda de lona parcheada en la que dormían, esta estaba confeccionada con gruesas pieles oscuras, su estructura era robusta, con suficiente altura para poder permanecer de pie sin tocar el techo y anchura para dormir sin rozarse contra las paredes.

—Dentro encontraréis ropa más adecuada —añadió la mujer, mirando de soslayo los abrigos manchados y medio rasgados que llevaban.

Y antes de que Harold o Mary Rose pudieran decir algo, el hombre y la mujer hicieron un gesto a la niña y desaparecieron tras las grandes tiendas que se levantaban a pocos metros de ellos. Los señores Grapes volvieron la vista al frente y, apenas sin vacilar, entraron en la tienda.

Al penetrar en el espacio, percibieron el mismo olor agrio que impregnaba la tienda grande, pero no les molestó. El interior habría sido más sombrío si no hubiese sido por la tenue luz de la vela que ardía sobre un plato de cerámica cuarteada en el centro. Gruesas pieles cubrían el suelo de la tienda, además de un par de cojines peludos. Rápidamente notaron cómo el calor de la hermética estancia sonrojaba sus escuálidas mejillas. Mary Rose se dio cuenta de que el frío que se había instalado en su maltrecha rodilla durante la noche desaparecía. Ese espacio le transmitía comodidad y seguridad.

Cruzaron la estancia y se acercaron al único mueble que había. Era un tosco baúl de piel curtida, tan oscuro que parecía negro. Lo abrieron y descubrieron que en el interior había ropa. Dos gruesos abrigos de piel clara con capuchas rematadas con un suave pelo gris, dos pares de pantalones confeccionados con la misma piel que el abrigo, dos pares de botas robustas con el interior de pelo, dos pares de manoplas y su mochila. Se habían olvidado de la mochila. La abrieron y comprobaron que en ella aún estaba el par de juegos de calcetines, el par de mudas de ropa interior, los dos jerséis finos, la manta raída, la linterna y la cantimplora. La linterna no funcionaba y la cantimplora estaba vacía, pero no les importó.

Hasta ese momento no se habían dado cuenta de los días que llevaban con la misma ropa, la única que tenían. Así que con lentitud y agarrotamiento se desnudaron. Al hacerlo se quedaron sin respiración. Por primera vez después de tantos días de hambre y penurias veían una imagen completa de sus maltrechos y demacrados cuerpos. Los huesos de la clavícula, de las costillas y los débiles músculos sobresalían como fósiles desenterrados en un desierto, y los moratones y los arañazos se esparcían por su piel, casi translúcida. Mary Rose tocó con tristeza un enorme cardenal amarillento que se extendía por el hombro de Harold como una mancha de aceite. Se acercó con lentitud y, como si tuviera el poder de sanarlo mágicamente, posó con ternura los labios sobre el moratón y lo besó. Harold notó cómo el vello de todo su cuerpo se erizaba y, con afecto, atrajo a Mary Rose hacia sí para abrazarla. Se quedaron largo rato abrazados, desnudos, sintiendo el latir de sus corazones, el calor de sus alientos, mirándose en silencio bajo el suave tintineo de la vela y sabiendo que, pese a que sus cuerpos decían lo contrario, seguían vivos.

SILENCIO

Por primera vez después de largo tiempo, Harold y Mary Rose no se despertaron a medianoche sobresaltados por algún ruido extraño ni tampoco por el dolor de sus estómagos vacíos o el aliento de una gélida brisa escurridiza. Por primera vez en muchos meses, Harold y Mary Rose notaron cómo la dura corteza de la angustia y la tensión que los había mantenido con vida hasta entonces se resquebrajaba como una cáscara reseca y quebradiza. Por primera vez se sintieron a salvo, protegidos por el cálido caparazón de piel de la tienda y el silencio de sus entrañas.

LOS NÓMADAS DE HIELO

Los días fueron pasando lentos y perezosos. Al igual que los copos de nieve que engrosaban con disimulo la vasta llanura de hielo, las horas de sueño, el suave calor de la tienda y la grasienta comida hicieron que sus consumidos cuerpos comenzasen a recuperarse poco a poco. Sus huesudas expresiones se suavizaron, sus brazos y piernas se fortalecieron y de sus heridas solo quedaron los recuerdos en forma de cicatriz. La ronca tos de Harold desapareció casi por completo y Mary Rose empezó a caminar por la nieve sin miedo a que la rodilla le fallara.

Los habitantes del campamento también comenzaron a comportarse de modo diferente, por lo que Harold y Mary Rose dejaron de verse como dos puntos rojos en medio de un lienzo blanco. Por sus miradas, supieron que su historia se había extendido por todos los rincones del campamento con la facilidad con que el gélido viento transportaba la nieve por la llanura. El recelo, el miedo y la amenaza ya no se reflejaban en sus ojos y, pese a que la mayoría no se atrevía a decirles nada, al menos ya no se apartaban cuando pasaban a su lado.

Kirima se había convertido en la encargada de acompañarlos de un sitio a otro del campamento. Al principio, Harold y Mary Rose pensaron que era una especie de tarea que le habían asignado, pero con el paso de los días se dieron cuenta de que lo hacía porque quería. Como cada mañana, su tímido rostro aparecía tras la brecha de pieles que formaba la entrada de su tienda para darles los buenos días. En sus manos siempre llevaba un par de boles con agua y diminutos peces color plata. No era comida para ellos, sino para la foca, o Nattiq, como también la llamaban los señores Grapes, que se deshacía del ovillo en el que dormía y salía como un torpe misil hacia el exterior. Entonces, mientras escuchaban la amortiguada risa de la niña mezclándose con los agudos alaridos de la foca, Harold y Mary Rose aprovechaban para vestirse con los voluminosos abrigos antes de salir de la tienda.

La distancia que separaba el habitáculo de los señores Grapes del de aquellos que los habían interrogado no era muy grande, pero con el paso de los días se percataron de que Kirima andaba cada vez con más lentitud, como si quisiera alargar el trayecto para poder hacerles más preguntas. Ese momento se acabó convirtiendo en uno de los favoritos del día de Harold y Mary Rose; era su ritual matutino para desengrasar sus adormiladas mentes. La niña quería saber cómo era el lugar en el que vivían, si todos sus habitantes tenían los ojos grandes como ellos, a qué sabía su comida y qué aspecto tenía su paisaje. Harold y Mary Rose sabían que su vida en San Remo de Mar era de todo menos emocionante, pero parecía que para la niña cualquiera de sus respuestas fuera una rareza exótica que la dejaba atónita y pensativa.

—¿Y no hay banquisa de hielo donde pescar? —preguntó con el ceño ligeramente fruncido.

Entonces, al ver la cara de confusión de la niña, los señores Grapes no podían evitar soltar una carcajada que aún la confundía más. La timidez de Kirima iba desapareciendo en su intento por comprender la vida de los señores Grapes, pero, de entre todas las preguntas, el tema que parecía interesar más a la niña eran los meses que navegaron con su casa a la deriva. Con cada nueva explicación, cada anécdota y cada detalle que le contaban, sus preguntas se multiplicaban exponencialmente. Su curiosidad era insaciable, pero a los señores Grapes no les importaba. Les gustaba ver cómo sus pequeños ojos rasgados se abrían como si de esa manera pudiesen absorber más conocimiento. Era una mirada tan inocente, tan llena de vida que parecía capaz de desentrañar cualquier misterio del mundo. Era una mirada que ya habían visto antes: la de Dylan. Y entonces sentían como si su corazón se empequeñeciera, presionado por un dolor escondido y polvoriento, agazapado entre las sombras, demasiado profundo y demasiado enraizado para ser vislumbrado a menos que se mirase con atención el ligero tintineo de sus ojos. Para cuando Harold y Mary Rose penetraron en la gran tienda de la familia de Kirima, ese destello de dolor ya había vuelto a esconderse en lo más profundo de su ser.

Al igual que la timidez de Kirima, la tensión que percibían cada vez que avanzaban por el tapiz de pieles fue menguando día a día. Sin apenas darse cuenta, el calor de las llamas ya no les parecía tan abrasador y agobiante y, aunque no conseguían acostumbrarse al penetrante sabor de sus comidas, al menos ya no les daban arcadas al ingerirlas.

Harold y Mary Rose sabían que el cambio que se respiraba en esa estancia provenía en gran medida de la actitud del hombre. Su mirada glacial y su tono de voz iracundo fueron desvaneciéndose con la sutileza con la que la primavera deshace el duro hielo invernal. Su expresión se suavizó y, sin las arrugas que cruzaban verticalmente su ceño, Harold y Mary Rose se dieron cuenta de que era mucho más joven de lo que habían pensado en un principio.

Al sentarse delante del fuego, la niña, inocentemente, les hizo una pregunta que por primera vez los pilló desprevenidos.

—¿Y algún día volveréis a la isla?

Harold y Mary Rose se miraron sin saber qué responder. Se habían estado haciendo esa pregunta desde el instante en el que despertaron flotando a bordo de su casa a la deriva. Al ser rescatados por esas personas, creyeron que por fin hallarían la respuesta, pero no había sido así. Pese a llevar bastantes días viviendo en el campamento, aún desconocían a qué distancia se encontraban de San Remo o si existía alguna remota posibilidad de volver allí. Harold y Mary Rose sabían que aquellas personas hablaban su idioma gracias al intercambio comercial, pero desde que habían llegado no habían presenciado ningún contacto.

Harold se percató de que el hombre los miraba como si pudiese leer esa inquietud en sus ojos y, antes de que alguno de los dos pudiera decir nada, este habló.

—Hace días que debería haber tratado este asunto con vosotros —dijo el hombre con una extraña serenidad.

Entonces hizo una pausa y los observó como si los estuviera analizando con detalle. Harold y Mary Rose notaron cómo la inquietud seguía creciendo y por un segundo volvieron a revivir el momento en el que entraron en aquella tienda por primera vez.

—Sé que os preocupa no saber si podréis volver a vuestra isla —continuó el hombre—. Pero aún es pronto para poder responderos. Primero debéis coger fuerzas y esperar a que el tiempo cambie.

Tras esas palabras, Harold y Mary Rose se sintieron extrañamente aliviados, aligerados de una presión que llevaban acumulando desde hacía muchos meses. No sabían cuánto tiempo tardarían en conocer la respuesta, pero por primera vez estaban convencidos de que existía una opción real de volver. Por primera vez confiaban plenamente en el juicio de aquel hombre rudo de mirada severa, en la honestidad y la bondad de todas aquellas personas. Así que dejaron que el tiempo siguiera curando sus heridas y que la relación que empezaban a tejer entre todos siguiera fortaleciéndose.

El hombre se llamaba Amak. Con el paso de los días, Harold y Mary Rose descubrieron que era algo parecido al jefe de aquella comunidad de personas que vivían en ese remoto y estéril páramo de hielo. Amak era un hombre parco en gestos y en palabras, pero, con el tiempo, Harold y Mary Rose comprendieron que toda esa dureza solo se debía a la responsabilidad de mantener seguros a su pueblo y a su familia. Casi cada jornada salía a pescar o a cazar; algunas veces no volvía hasta dos o tres días después, pero nunca se marchaba solo. Les explicó que la pesca en el hielo era su mayor fuente de alimentación, pero también una de las tareas más peligrosas, pues el hielo de la banquisa a veces se fracturaba y, si te engullía en sus frías aguas y no había nadie que te socorriera a tiempo, estabas condenado a morir. Así que siempre que se marchaba lo hacía acompañado de Ukluk, su hijo adolescente, o de alguno de los otros hombres del poblado. Kirima quería acompañarlos cada vez que se marchaban, pero no siempre lo conseguía. La pequeña estaba mucho más interesada en la pesca que en jugar con los otros niños del campamento. Tenía las ideas tan claras como su padre, que, tardara lo que tardase en regresar, nunca volvía al campamento con las manos vacías. Traía consigo cajas con docenas de bacalaos relucientes e incluso algún caribú que Harold ayudaba a descargar junto al resto de hombres.

La primera vez que los señores Grapes vieron un caribú fue una fría mañana de ventisca. Nunca antes habían visto ninguno. En la isla no había mucha fauna. Lo más parecido a un caribú que habían contemplado en su vida eran los ciervos que de vez en cuando se atrevían a salir de la protección del bosque para husmear entre las sobras de la basura. Pero el caribú era mucho más grande, más peludo, y tenía una cornamenta más gruesa y pesada que cualquier ciervo. Varios hombres tuvieron que ayudar a descargar el animal del trineo. Comieron carne durante varios días.

Pero lo más sorprendente no llegó hasta unas noches después. Harold y Mary Rose estaban acurrucados en su refugio cuando escucharon gritos. Primero se asustaron, pero al salir vieron que todas las personas del campamento que se arremolinaban con antorchas y farolillos alrededor del trineo de Amak estaban dando vítores, eufóricas. Cuando Harold y Mary Rose consiguieron llegar hasta el grupo, se quedaron más helados de lo que ya estaban: una gigantesca cola de ballena reposaba sobre la nieve. Al parecer, no habían cazado la ballena, sino que la habían encontrado muerta, flotando entre el hielo de la banquisa. La cola fue lo único que consiguieron salvar de un cuerpo medio devorado por los depredadores, pero los Grapes descubrieron que para aquellas personas ese fragmento era tan valioso como el oro. La cola de ballena se repartió entre todos los habitantes y esa misma noche la mujer que le había traído el ungüento a Mary Rose cocinó la carne. Se trataba de Aga, la esposa de Amak. Eran los padres de Ukluk y de Kirima. De modo que, en medio de la euforia colectiva de esa noche, Harold y Mary Rose se sentaron entre las pieles y vieron cómo Aga cocinaba con una gran sonrisa los grasientos lomos de ballena. La tienda se llenó rápidamente de los vapores que despedía la abundante grasa de la carne, una grasa tan amarilla como la mantequilla y que desprendía un olor tan ácido que les mareó. Cuando Aga les ofreció el cuenco, vacilaron durante unos segundos, pero sabían que para sus anfitriones ese era un plato especial; demasiado especial para rechazarlo sin ofenderlos. Así que lo probaron y, sorprendentemente, les gustó. Les gustó mucho.

Pero Aga no solo era buena cocinera, con el paso de los días se dieron cuenta de que su labor dentro de la comunidad era parecida a la de un curandero. Una noche, después de cenar, Harold y Mary Rose se levantaron para retirarse a su tienda cuando la señora Grapes tropezó con una de las pieles y volvió a sentir el eco del dolor en su rótula. No pudo evitar un breve gemido y tuvo que sentarse de nuevo. Aga se acercó a ella y le examinó la rodilla, moviendo la rótula de izquierda a derecha mientras miraba atentamente sus reacciones.

—¿Sigues poniéndote la pomada que te di? —le preguntó.

—La terminé hace unos días —contestó Mary Rose—. Pero ya no me dolía.

Aga torció ligeramente la boca hacia un lado, como si estuviera pensando. A la mañana siguiente, al llegar acompañados por Kirima a la tienda principal, Aga estaba sentada en un rincón de la estancia, apoyada sobre una larga madera con un rudimentario mortero en el que machacaba varios ingredientes. Desde que habían llegado a ese estéril paraje no habían visto crecer ni una sola planta; sin embargo, el cofre de madera oscura que reposaba al lado de Aga contenía pequeños frascos con toda clase de hojas secas, pedazos de cuernos retorcidos y cartílagos gelatinosos. Al poco rato, Aga le ofreció un nuevo tarro con la pomada y al cabo de unos días Mary Rose por fin pudo olvidarse de la molestia.

Kirima también empezó a enseñarles algunas palabras en su idioma.

—*Irniq* es para hijo y *panik* es para hija —les decía, mientras señalaba dos cachorros de perro.

Harold y Mary Rose repetían pacientemente cada una de las palabras, intentando recordar la pronunciación, pero cada vez que las ponían en práctica frente al resto de la familia solo conseguían que todos estallaran en grandes risotadas que los ruborizaban.

Los días siguieron avanzando sin apenas darse cuenta, cada vez más rápido, y en ese tránsito, la sutil fragancia de la culpabilidad empezó a calar en los señores Grapes. Se sentían culpables por no poder agradecer a aquellas personas todo lo que estaban haciendo por ellos; una comunidad que, pese a no tener prácticamente nada, no dudaba en compartirlo con ellos. En comparación, su vida en San Remo parecía opulenta y frívola. Las viviendas del poblado no estaban abarrotadas de pesados muebles imposibles de acarrear, sus paredes no se hallaban decoradas con idílicos paisajes pintados al óleo ni poseían ningún objeto que no tuviera una función esencial en su supervivencia. En todo el campamento no había ni agua caliente ni electricidad. El agua que necesitaban para beber, cocinar y lavarse la derretían de la nieve que caía, y la electricidad era el fuego de sus hogueras y de sus farolillos. Acurrucado en la oscuridad de su tienda, Harold sintió una oleada de rabia al pensar en lo estúpido que había sido al arriesgar su vida por conseguir encender una pequeña bombilla. Una bombilla que brilló en medio de la nada, cegándolos en la oscuridad. Recordó cómo se había acercado con paso lento hacia la bombilla parpadeante y la había apagado. En el cielo nocturno aparecieron las luces doradas más maravillosas que jamás había visto.

Entonces, una tímida voz surgió a través de la rendija de la tienda. Era Kirima, que, como cada mañana, los venía a despertar.

La Gran Brecha

Harold y Mary Rose entraron a la tienda acompañados por Kirima. La niña correteó ágilmente entre las mantas y pieles que cubrían el suelo y tomó asiento dando un pequeño brinco. Alrededor del fuego se recortaban las siluetas de Amak, Aga y Ukluk.

Harold y Mary Rose avanzaron hasta ellos y saludaron a todos antes de sentarse frente a la hoguera, en el hueco que quedaba entre la niña y Amak. El olor a bacalao hervido hizo que sonaran las hambrientas tripas de los señores Grapes. Aga les ofreció un cuenco con un trozo para cada uno y empezaron a comer en silencio, acompañados por el incesante chisporroteo que producían las llamas contra el culo del caldero. Normalmente, a esa hora de la mañana nadie hablaba demasiado, pero, pese a ello, el silencio se estaba alargando más de lo habitual; parecía esconder algo.

Harold miró de reojo a Amak y vio que no comía. Su mirada permanecía fija en las llamas; sus arrugas, largas y profundas, recorrían su frente, quemada por el frío. Amak suspiró, y, antes de que se diera cuenta de que la estaba observando, Harold desvió la mirada a su plato.

—Esta noche mi hijo y yo partiremos a pescar —dijo con lentitud.

Al escuchar esas palabras, Kirima se removió en su cojín.

—¡¿Podré acompañaros?! —dijo con la boca aún llena de comida.

Amak suspiró y la miró sopesando la respuesta.

—¡Solo vienes a estorbar! —masculló Ukluk.

Kirima tragó con rapidez la comida y miró a su hermano con el ceño fruncido.

—¡Eso es porque nunca me dejáis hacer nada! —Desvió la mirada hacia su padre y continuó—: ¡Por favor, hace mucho tiempo que no voy con vosotros!

Harold y Mary Rose vieron que los ojos de la niña brillaban de emoción, mirando a rápidos intervalos la cara de su madre y de su padre en busca de una respuesta. Por un momento, esa mirada vivaracha hizo aflorar el dolor en sus propios ojos, pero, por suerte, ni Amak ni Aga les prestaban atención; sus miradas parecían hablar en silencio.

—Sabes que pescar en la banquisa es peligroso, Kirima —dijo Aga con calma—. No creo que sea una tarea para una niña tan pequeña...

Kirima puso los ojos en blanco e inclinó la cabeza hacia atrás, como si estuviese cansada de oír esa frase una y otra vez.

—¡Ya tengo casi siete años! ¡A mi edad Ukluk ya te ayudaba a romper el hielo!

—¡Pero yo tenía el doble de fuerza y de músculos que tú! —exclamó su hermano.

Los señores Grapes no pudieron evitar sonreír al ver cómo la cara de la niña se ponía del mismo color rojo que la de su padre el día que lo conocieron. No había duda de que Kirima había heredado el temperamento de su progenitor, pero parecía poseer, además, la habilidad de mantenerlo bajo control, igual que su madre. Respiró hondo e hizo como si no hubiese escuchado las palabras de su hermano.

—No está bien que por ser chica me tratéis de manera diferente, vosotros mismos lo dijisteis —manifestó, intentando disimular un temblor en la voz.

Amak suspiró y observó a su hija con preocupación, pero la sonrisa de la niña y la viveza de sus ojos parecían ablandar a cualquiera, y consiguió hacerlo sonreír.

—No te rindes nunca, ¿verdad? —dijo, mirándola fijamente.

La niña ensanchó aún más su sonrisa y negó con la cabeza con energía. Amak miró de reojo a Aga y, aunque no parecía gustarle demasiado la idea, finalmente asintió.

—Está bien, vendrás con nosotros —concedió Amak—. Pero con la condición de que a la vuelta ayudes a tu madre a empaquetar las cosas para la marcha.

Harold y Mary Rose sintieron cómo de golpe sus sonrisas se desdibujaban, arrastradas por la palabra «marcha», y antes siquiera de poder preguntar, Amak habló:

—Ha llegado el momento —dijo, mirándolos fijamente—. En un par de días levantaremos el campamento para partir hacia el norte.

Mary Rose percibió un brusco cosquilleo que le subía por sus entrañas y le cortaba la respiración. Los señores Grapes cruzaron sus miradas y vieron lo atónitas y perdidas que estaban. Era la misma mirada que veían en la niña cuando le daban una respuesta que no terminaba de comprender.

—¿Al norte? —murmuró Harold, como si esas palabras no encajaran.

—En esta época del año la banquisa empieza a derretirse. En pocos meses todo esto será agua —explicó, señalando el suelo de la tienda—. Debemos dirigirnos hacia el norte, donde el hielo aún es sólido y el campamento está seguro.

Entonces, mientras los señores Grapes intentaban comprender la situación, Amak desvió el rostro hacia Aga y la miró como si intentara buscar ayuda. Esta no se inmutó, así que Amak suspiró y prosiguió con la explicación:

—Existen dos rutas para ir al norte. La primera cruza las montañas, que es donde normalmente pasamos estos meses. La segunda lleva a la Gran Brecha.

Harold y Mary Rose fruncieron un poco más el ceño: lo que les intentaba decir Amak les estaba inquietando. Mary Rose sentía cómo su corazón empezaba a palpitar cada vez más deprisa.

—En la época de deshielo —continuó Amak—, al norte de la banquisa aparece una enorme brecha de varios kilómetros de anchura, la llamamos la Gran Brecha. Es un pasadizo de agua que apenas permanece abierto un par de meses, pero que permite conectar los dos mares que durante el resto del año están aislados por la barrera de hielo. —Se detuvo un instante y desvió la vista al fuego—. Se convierte en una ruta marítima por la que transitan miles de barcos cada día, barcos que se dirigen... a las ciudades.

Al oír aquello, Harold y Mary Rose comprendieron qué les estaba intentando decir Amak. Sus corazones empezaron a latir con rapidez, pero, por alguna extraña razón, sus pensamientos parecían moverse muy lentamente.

—Ambos viajes son largos y duros, y es por ello por lo que debo haceros esta pregunta... —Cogió aire y los miró fijamente a los ojos—: ¿Queréis quedaros con nosotros en las montañas o ir a la Gran Brecha y volver a vuestra casa?

Al terminar de pronunciar esa frase, el silencio cayó sobre la estancia como una enorme losa de piedra. Después de varios meses de sufrimiento oteando el mar, escudriñando el cielo, recorriendo kilómetros de agua, nieve y hielo, Amak les estaba ofreciendo la oportunidad de ser rescatados, la posibilidad de volver a San Remo, de regresar a su isla; seguramente la única oportunidad de volver a casa en mucho tiempo. Kirima no tardó en romper el silencio.

—¡Pero si su casa siempre ha estado aquí, papá! ¡La vimos frente a la banquisa! —dijo, enojada, como si intentara poner un poco de sentido común a las palabras de su padre.

Todos miraron a la niña durante un segundo sin dar mayor importancia a lo que acababa de decir. Las lágrimas corrían por las mejillas sonrojadas de Mary Rose, pero esta vez no eran lágrimas de dolor, sino de alegría. Entonces Harold se lanzó sobre la señora Grapes y le dio un abrazo tan fuerte que le cortó la respiración. Sus cuerpos temblaban al unísono, no a causa del frío ni tampoco de la debilidad. Después de tantos meses luchando, sobreviviendo y esperando, por fin había llegado el momento de volver. Kirima se levantó riendo y saltando, impregnada de una alegría que no conseguía comprender, pero que parecía haber transmitido a todos, y, sin pensarlo, se abalanzó sobre las espaldas de los señores Grapes, estrujándolos. Y, de repente, los señores Grapes sintieron que ya los echaban de menos.

Ya anochecía cuando Harold y Mary Rose salieron de la tienda de Amak y Aga. Una suave cortina de nieve cubría los caparazones de pelo y piel que formaban el campamento, pero, por primera vez, a Harold y Mary Rose no parecía importarles demasiado sentir cómo los fríos copos caían sobre sus rostros sonrientes. En el campamento solo se escuchaba el crujir de la nieve bajo sus botas y el sonido del vaho que salía despedido de sus narices enrojecidas. Todas las personas de esa comunidad de nómadas se resguardaban en el interior de sus hogares. El humo flotaba perezosamente sobre una de las últimas construcciones que marcaban el límite del campamento, mientras que en otra se percibía el débil titileo de una vela, que se proyectaba en la pared de piel gastada. No tardó en aparecer su tienda, el cálido refugio que les había proporcionado una calma y un confort que no habían sentido en mucho tiempo.

Entonces, justo antes de llegar a la rendija de entrada, Harold aflojó el paso hasta que se detuvo del todo. El sol hacía rato que se había ocultado tras las gruesas nubes cargadas de nieve, pero su tenue luz, que aún conservaba el ocaso, le permitía ver con bastante claridad. La bruma se apartaba del horizonte, arrastrada por un viento fuerte que empezaba a arreciar. Mary Rose cogió la mano de Harold con fuerza y apoyó la cabeza en su hombro, sintiendo el calor de su cuerpo a través del pelaje de sus abrigos.

Ante ellos se extendía un mar de gigantescos témpanos y placas de hielo que se amontonaban en el borde de la banquisa. Por fin había llegado el momento de abandonar aquel recóndito lugar. Harold apretó un poco más la mano de Mary Rose, observando cómo el hielo se movía sin parar, sigiloso, hacia un mar desconocido. Pero lo que realmente miraban los señores Grapes no era el hielo o el mar, sino un punto distante que había aparecido tras la bruma, justo al filo de la resquebrajada banquisa de hielo. Un punto de color amarillo tan pálido que era fácil confundirlo con el blanco circundante. Era una casa anclada entre toneladas de hielo y nieve, encarada a un mar de posibilidades que parecían extenderse hasta el infinito y que en un par de días dejarían atrás para siempre. Harold y Mary Rose se abrazaron mientras las últimas luces del día desaparecían lentamente y se tragaban la casa bajo el velo de la noche, comprendiendo que había llegado el momento de despedirse de ella y de todo lo que significaba. Entonces recordaron el día en que se mudaron a ella. Les pareció oír el eco de sus pasos resonando por las habitaciones vacías y sintieron una extraña añoranza que los embriagó, la misma que experimentaron al reconocer las partes del barco que conformaban la preciosa casita que habían construido en lo más alto del acantilado. Una racha de viento les heló la cara, y Harold comprendió que, por mucho que le doliese reconocerlo, ese edificio ya no era una casa, sino un simple cascarón vacío y helado, sin vida. Ni siquiera creyó que pudiera seguir en pie mucho más tiempo. Se imaginó el duro hielo de la banquisa oprimiendo lentamente su estructura, cerniéndose alrededor de ella como un titánico puño, estrujándola con lentitud y displicencia. Se imaginó las rocas chirriando por la presión, fracturándose como quebradizos terrones de azúcar; los maderos cediendo por el peso de la nieve, astillándose como ramas secas y viejas, sabiendo que tarde o temprano todo acabaría reducido a polvo barrido por el viento, naufragando como el barco que un día había sido.

LA PARTIDA

Por primera vez, esa mañana Harold y Mary Rose no se despertaron escuchando la alegre voz de Kirima al otro lado de la tienda. Palpando la oscuridad, el señor Grapes cogió una cerilla y encendió la vela. Su débil y anaranjada luz iluminó sus miradas adormecidas, que revelaban el cansancio de una noche en la que apenas habían dormido a causa de los incesantes azotes del viento contra las paredes de piel de la tienda. Se desperezaron e, intentando mantener el silencio para no despertar a la foca, se vistieron. Al abrir la rendija de la entrada, una racha de viento gélido penetró, aullando como un lamento, y apagó de un soplido la llama. Mary Rose sintió que un desagradable escalofrío recorría su destemplado cuerpo.

Salieron e, instintivamente, miraron en la dirección en la que habían visto por última vez la casa, pero una espesa cortina de nieve caía con intensidad y ocultaba toda la banquisa bajo un torbellino de escarcha. Empezaron a caminar a través de la gruesa capa de nieve con lentitud, ligeramente encorvados para protegerse de los puntiagudos cristales de hielo que el viento lanzaba contra sus rostros desnudos. Se les hizo extraño avanzar por la nieve sin hablar, sin la cantarina voz de Kirima preguntándoles sobre el tipo de peces que comían o la forma que tenían sus hogares. Entonces Harold y Mary Rose sintieron añoranza, al comprender que en poco tiempo dejarían de ver a la niña para siempre, dejarían de maravillarse ante la ilusión que desprendían sus ojos o de oír su risa inocente. En unos días se acabaría el caminar por aquella interminable llanura blanca y el sentir cómo el intenso frío trepaba sus orejas, pero también dejarían de percibir el reconfortante calor de sus refugios, de comer sus extraños platos o de escuchar esa lengua indescifrable.

El campamento bullía de actividad, poco habitual a esa hora y más aún con mal tiempo. Decenas de hombres y mujeres se movían raudos entre las construcciones como hormigas nerviosas, mientras algunos perros sueltos ladraban y correteaban. Por su lado pasó un grupo de chicos cargados con largos palos y pieles pulcramente dobladas que colocaron en un enorme trineo. Algunas de las tiendas más pequeñas habían desaparecido. Estaban desmontando el campamento con más rapidez de la que esperaban y sintieron un desagradable cosquilleo en las entrañas, mezcla de la alegría de ser conscientes de que quedaba poco para volver a la isla y de la tristeza por abandonar una comunidad con la que habían conectado como nunca lo habían hecho con nadie de San Remo. Al ver las cajas de madera apiladas en los trineos y los esqueletos de algunas tiendas a medio desmontar, recordaron la mudanza que habían preparado meses atrás. Pensaron en la cantidad de semanas que habían necesitado para empaquetar sus cosas, las cajas y cajas amontonadas con cubertería, ropa de verano o libros de horticultura; la cantidad de rollos de plástico de burbujas que habían usado para proteger los frágiles barcos embotellados o el estridente chirrido que hacía la cinta de embalar al cortarla una y otra vez.

Qué pesada e inmóvil les parecía de repente su vida, en comparación con la de esas personas, que cambiaban de ubicación con la ligereza de una pluma arrastrada por el viento. En pocas horas todos partirían de allí y el oasis de calidez que esa comunidad había construido volvería a ser una gélida y deshabitada llanura, sin los traumas ni los reproches que ellos habían sentido durante el desahucio. Imperaba la ilusión de hallar un nuevo sitio al que llamar «hogar». En ese gigantesco páramo estéril solo quedaría una casa de madera inconexa con todo lo que la rodeaba, repleta de pesados recuerdos que se hundirían como una vieja galera bajo las aguas de un mar de hielo, sin que nadie, ni ellos mismos, pudieran hacer nada por evitarlo.

Siguieron caminando con el cuerpo agarrotado por algo más que el frío. Finalmente llegaron a la explanada donde se concentraban las construcciones más grandes. Todas continuaban en pie y, entre el blanco que emborronaba sus tejados, sobresalían hilos de humo gris que se contorneaban al son del viento caprichoso. Eso les reconfortó un poco, así que se encaminaron hacia la gran tienda de Amak y Aga. Al llegar a la entrada, se detuvieron: era Kirima la que siempre los guiaba al interior de la tienda. Nunca habían entrado solos.

Al penetrar en la estancia principal, el calor del fuego y el dulce olor a gachas hizo que se olvidasen por un momento del intenso frío que aún se adhería a sus rostros. Al mirar a su alrededor, se dieron cuenta de que la habitación estaba vacía. Tampoco estaban los pocos objetos que normalmente se esparcían por la parca estancia. Las gruesas y peludas pieles que cubrían el suelo habían desaparecido y dejaban al descubierto un fino y desgastado aislante parcheado; tampoco había rastro de los dos grandes baúles ni de la tabla que Aga usaba para preparar sus remedios medicinales. Los largos palos que sostenían la estructura de la tienda se mecían por los fuertes azotes del viento en el exterior, sin las redes de pesca, los cuchillos ni las cuerdas que abarrotaban sus ganchos. Solo unos pocos utensilios de cocina se amontonaban al lado del caldero, que burbujeaba en silencio sobre las llamas de la hoguera y creaba la ilusión de que todo seguía igual que siempre. Pero Harold y Mary Rose sabían que no era así. Su tiempo allí finalizaba y el vacío de la estancia les embriagó de una sensación de soledad demasiado similar a la que sentían al pasear por las calles adoquinadas del pueblo.

Los habitantes de la isla no tenían nada que ver con esas personas. En San Remo todo el mundo se encerraba en sus casas sin preocuparse por sus vecinos, solo les interesaba cuchichear y juzgar las vidas ajenas. Ahora se daban cuenta de que ni al alcalde podían considerarlo un amigo de verdad. Ese hombre los había tratado con respeto, pero siempre desde una perspectiva distante y fría, llena de compasión más que de entendimiento o de consuelo. La comunidad de nómadas del hielo era diferente, no necesitaban resguardarse tras el muro de los convencionalismos ni los falsos «¿qué tal está?». Su relación había sido auténtica y real. No habían escondido su recelo inicial, pero tampoco el aprecio que día a día se había ido forjando. De pronto apareció Aga, cubierta de nieve y cargando una gran caja vacía de madera.

—No esperaba que os levantaseis tan pronto —dijo, sorprendida.

—Perdona, no sabíamos si entrar... —contestó Mary Rose, algo abochornada.

Aga dejó la caja vacía en el suelo y se retiró la capucha con cuidado de que la nieve no tocase su largo pelo negro.

—Esta es vuestra casa —dijo, esbozando una sonrisa—. Pero venid, acercaos al fuego, que hoy va a ser un día muy frío.

Aga caminó con presteza hacia la hoguera, se desprendió del grueso abrigo y, a falta de los suaves cojines que normalmente abarrotaban el perímetro de la fogata, se sentó sobre él. Harold y Mary Rose hicieron lo mismo y rápidamente sintieron cómo el calor de las llamas acariciaba sus rostros y los efluvios de las gachas penetraban en sus heladas narices. Cuánto echarían de menos esas sensaciones.

—Ya hemos vaciado la mayor parte de las tiendas —comentó Aga, mientras llenaba los cuencos de madera—. Ahora solo queda esperar a que Amak y nuestros hijos vuelvan esta noche para que mañana podamos desmontar el resto y así emprender el viaje hacia el norte.

Al escuchar esas palabras, el estómago de Mary Rose se empequeñeció. En apenas unos días volvería a estar sentada frente a una mesa cubierta de manteles y acomodada en una de esas sillas de patas cromadas, delante de una comida servida en platos de cerámica, con vasos de cristal y cuchillos, tenedores y cucharas resplandecientes de diferentes tamaños. La señora Grapes cogió el tosco y rudimentario bol lleno de gachas de entre las serviciales manos de Aga y de repente sintió que no necesitaba nada más. El suave calor de la madera desgastada por el uso de los años se esparció por sus manos y sus brazos. Mary Rose miró los ojos serenos de Aga y, sin pensarlo, la abrazó.

—Gracias —susurró la señora Grapes.

Aga se sorprendió, pero no tardó en devolverle el abrazo. Mary Rose sabía que aún les quedaban algunos días que compartir con esas personas, pero sintió que ese momento era una despedida.

Una fuerte racha de viento golpeó con violencia la construcción y unos pocos copos de nieve consiguieron penetrar a través de las capas de tela hasta la gran habitación en la que se encontraban. Aga y Mary Rose deshicieron su abrazo y los tres empezaron a sorber y a hablar animadamente de los preparativos del viaje.

—¿Ya habéis empaquetado todas vuestras cosas?

Harold y Mary Rose se miraron desconcertados, como si esa pregunta no fuera con ellos. En la tienda solo tenían la vieja mochila con una cantimplora vacía, una linterna que no funcionaba y las ropas raídas con las que habían llegado.

—Todo lo que teníamos sigue en la casa o ha desaparecido —dijo Harold con una sonrisa teñida de tristeza—. Ya no nos queda nada.

Aga asintió con pesadez. Cogió una vara larga de hierro y removió los troncos para atizar el fuego, cada vez más mortecino.

—¿Sabéis que la tienda en la que estamos tiene poco más de un año? —dijo, dejando la barra de hierro a un lado—. El frío, el viento y sobre todo montar y desmontar el campamento cada pocos meses las deteriora mucho. Cada poco tiempo tenemos que reconstruirlas o levantar nuevas. Es un trabajo tedioso y duro, pero ¿sabéis qué? —apuntó, volviendo la mirada hacia los señores Grapes—, no nos importa.

Harold dejó a un lado el bol vacío y miró la austeridad de la estancia, totalmente libre de objetos, totalmente ajena a los cientos de aparatos y muebles que abarrotaban hasta los topes las viviendas de donde ellos venían.

—Eso forma parte de vuestra vida —dijo Harold—, sois nómadas.

Aga miró a Harold con seriedad y esbozó una débil sonrisa.

—Todos somos nómadas, señor Grapes.

Esa frase los desconcertó aún más.

—Nosotros creemos que un hogar no se construye a partir de unas paredes o de un paisaje —explicó Aga—. Un hogar se construye a partir de nuestras experiencias, de la gente que nos encontramos por el camino y, sobre todo, de la forma en que decidimos avanzar por la vida. La vida es movimiento. Un equilibrio inestable que puede cambiar en cualquier instante.

Sus últimas palabras helaron la habitación. Los señores Grapes sabían muy bien que la vida podía cambiar en cualquier momento, que los planes podían ser destruidos en un segundo.

—Pero a veces suceden cosas que no te permiten avanzar... —murmuró Mary Rose, desviando su mirada hacia el fuego.

Entonces pensó en su hijo y le faltó el aire al recordar cómo sus grandes ojos azules la observaban con esa misma mirada llena de vida que tenía Kirima. Las lágrimas anegaron sus ojos y la señora Grapes se dio cuenta de que necesitaba compartir con Aga la historia de Dylan. Necesitaba contarle el verdadero motivo del dolor que les teñía siempre el alma.

Aga los miró como si no consiguiera comprender del todo qué estaba sucediendo y, de pronto, cuando Mary Rose se disponía a hablar, una racha de viento glacial penetró por la brecha de pieles y apagó con violencia la hoguera. Toda la estancia quedó teñida del color de la sangre. Un segundo después oyeron una algarabía de ladridos, aullidos y gritos. Aga se incorporó de un salto y salió de la tienda sin siquiera ponerse el abrigo. Mary Rose sintió el mismo escalofrío que cuando la maceta de hortensias se estrelló en el suelo de su pequeño apartamento de San Remo y se rompió en cientos de pedazos. Justo la noche en que Dylan murió.

EL FRÍO MÁS INTENSO

Harold y Mary Rose se hundieron en un insoportable espasmo de dolor. Apenas oían el penoso aullido de los perros o el rugido del viento. A Harold solo le llegaban los gritos y sollozos de desesperación de Aga, mezclados con los de Mary Rose y con los suyos propios. La humedad lo caló por completo; la misma que lo había engullido años atrás. Una humedad que penetraba hasta lo más hondo de su ser y que pudría todos sus pensamientos hasta atraparlo en una telaraña viscosa y rancia que hacía que el frío, el viento o la nieve no fueran nada frente a un dolor mucho más real y profundo. Harold sintió el ahogo de esa noche, el rugido de las olas cuando chocaban contra su cuerpo indefenso, la insondable oscuridad que lo cegaba todo. Cayó de rodillas sobre la nieve, sin fuerzas, mientras las lágrimas se petrificaban en largos regueros sobre sus mejillas. Bajo sus manos desnudas volvió a notar el roce de la cubierta del barco pesquero que lo había sacado del mar, el mismo abrazo opresor de los marineros, que le impedían volver a saltar al agua en busca de su hijo. Pero esta vez fue Mary Rose quien lo rodeó entre sus brazos. No obstante, los gritos y sollozos de Harold y Mary Rose solo eran el eco de la desesperación y el dolor de Aga y su familia, un eco que no había dejado de repetirse una y otra vez durante más de treinta y cinco años y que les carcomía del mismo modo en el que las olas erosionaban el acantilado de la Muerte. Una y otra vez, ola tras ola, embate tras embate. A veces eran mansas caricias de las que parecían olvidarse y otras los golpeaba con la misma ferocidad con la que lo había hecho esa noche de tormenta.

Harold levantó la vista del suelo y tras el velo de lágrimas vio la pequeña manita desnuda de Kirima asomar entre las mantas, arropada entre los brazos de su padre como un pajarillo herido. Amak la mecía una y otra vez, una y otra vez, una y otra vez, como el suave rumor de las olas, como el péndulo de un reloj que no quiere detenerse. Amak contemplaba el tranquilo rostro de su hija con la mirada perdida, como si sus párpados cerrados no fueran sino la señal de que se había quedado dormida entre sus fuertes brazos. Solo era eso, ¿verdad? Solo dormía. Pero Harold sabía que no era así. La tranquila expresión de la niña estaba enmarcada por las temblorosas manos de Aga, que acariciaban el rostro sin vida de su hija con ternura. La nieve y la escarcha cubrían su pelo negro, alborotado por el viento, y sus brazos desnudos sin abrigo, como si el frío no fuera capaz de penetrar en su piel. Nada la protegía, nada la aliviaba de ese terrible frío. Los sollozos de Aga se habían convertido en susurros, susurros en la oreja de su niña, como si intentara despertarla con la dulzura que solo una madre es capaz de transmitir. Entonces, de forma inconsciente, Harold tomó entre sus manos la manita de Kirima. No la soltaría, esta vez no, pese al frío de su piel, un frío mucho más penetrante que el de la nieve y el viento que los azotaba. Sin embargo, el dolor que experimentaba Harold no era sino un espejismo del que sentían los demás. Volvió a mirar a Kirima entre los brazos de su padre y las lágrimas congeladas de su hermano, arropada por los besos y las palabras de su

KIRIMA

El rito funerario duró varios días en los que los cánticos, los sollozos y los largos silencios paralizaron la marcha hacia el norte. Durante todo ese tiempo no dejó de nevar ni un solo momento. La nieve era más pesada que de costumbre. Caía vertical, sin que el viento consiguiera modificar su trayectoria.

Envolvieron el diminuto cuerpo de Kirima en una piel de caribú exquisitamente ornamentada con hilos de colores que Aga había tejido con amor y lo depositaron sobre el trineo. A continuación, Amak se subió también y, en silencio, el trineo se deslizó montaña abajo mientras el resto de los habitantes del poblado lo seguía en procesión hasta que el campamento se volvió invisible a lo lejos.

Amak y su hijo Ukluk cogieron unas palas y empezaron a cavar la tumba en la impoluta nieve de la planicie hasta que el metal chocó contra el hielo azul zafiro de la banquisa, que los sostenía a todos. Entonces Amak se dirigió al trineo y, con ternura, levantó entre sus brazos el fardo en el que descansaba la niña. Aga y Ukluk se aproximaron también y alargaron sus brazos para ayudarlo a sostenerla. Harold y Mary Rose dieron unos pasos atrás junto al resto de habitantes del campamento, para darles mayor intimidad, pero entonces Amak clavó sus ojos en ellos y les hizo una señal para que se acercaran. Mary Rose notó cómo Harold buscaba la complicidad de sus ojos, pero ella le rehuyó. Sabía que si lo hacía, no podría impedir que las lágrimas que con tanto esfuerzo intentaba reprimir saliesen descontroladas de su interior. Ningún miembro de la familia ni del resto del campamento lloraba, y no quería ser ella quien lo hiciese. Avanzaron en silencio y se aproximaron a ellos. Las miradas del resto de los habitantes estaban clavadas en su espalda, pero los señores Grapes no se dieron cuenta.

Mary Rose se obligó a tragarse el sollozo que subía como bilis por su garganta; quería gritar, llorar, salir corriendo de allí, pero debía controlarse. No podía perder los nervios. Así que se acercó, levantó sus manos y las posó junto a las de Harold, Amak, Aga y Ukluk bajo la oscura piel de caribú que envolvía el cuerpo inerte de la niña. Mary Rose sintió el liviano fardo bajo sus dedos y se obligó a pensar en que en su interior no había nada más que mantas y que entre las caras de las personas que los miraban avanzar aparecería en cualquier momento el vivaracho rostro de Kirima, sonriéndole. Pero no la vio, pues nunca más estaría allí. Sabía que no volvería a escuchar jamás su cantarina voz despertándolos por la mañana, no volvería a reírse de su desconcertada expresión al contarle de qué color eran las hortensias, no volvería a verla corretear a través de la nieve con Nattiq, no volvería a ver esa mirada que tanto la hipnotizaba y que tanto la hacía añorar... Notó una náusea de sufrimiento que la hizo temblar, una presión en el pecho y la garganta. No soportó la idea de que sus brillantes ojos, que parecían comerse el mundo con cada parpadeo, estuviesen cubiertos por ese espeso pelaje negro, obligados a no ver más que oscuridad. Sintió rabia y odio hacia la vida. Las mismas preguntas que durante años la habían atormentado una y otra vez volvían a salir a flote como los restos de un naufragio antiguo, enterrado bajo la oscuridad del agua y la viscosidad de las algas. ¿Cómo era posible que una anciana como ella, vieja, triste y rota, siguiera viva y esa pequeña criatura, frágil y llena de esperanza, no pudiera crecer, tropezar, volver a levantarse, aprender, madurar, enamorarse, cumplir sus sueños, en definitiva, vivir? Mary Rose sintió un dolor tan real como el de aquella noche de tormenta, el dolor de perder a un hijo, el dolor de saber que nunca más volvería a abrir sus ojos. Sus brazos empezaron a dar espasmos sin que pudiese hacer nada para controlarlos, era como si de repente el fardo pesara toneladas y no pudiera sostenerlo. ¿Era a Dylan a quien intentaba sostener con todas sus fuerzas? Entonces Mary Rose cayó al suelo. Pero en ese momento todos se arrodillaban para dejar el pequeño bulto en el interior de la fosa y nadie se percató.

Harold la ayudó a levantarse y Mary Rose dejó que el frío congelara las lágrimas que ella no conseguía mantener atrapadas dentro de sus ojos. Amak se acercó a ellos y les tendió una pala. El pánico se apoderó del señor Grapes al ver aquella pequeña pala de metal. Al mirar a los ojos de ese hombre roto, no vio nada más que el reflejo de su propio dolor y, sin vacilar, la cogió. Bajo la atenta mirada de todos, Harold hundió la pala en la inmaculada nieve. Sentía como si esos copos de nieve amontonada pesaran mucho más de lo que deberían. Sostuvo la pala repleta de nieve durante unos segundos sobre el hondo agujero sin atreverse a esparcirla en su interior. Ese agujero contenía cosas que no se atrevía a enterrar. Amak se aproximó a él y lo miró con aflicción. Harold se sintió culpable. ¿No era él quién debía consolar a ese hombre?

Amak posó sus manos sobre la empuñadura de la pala que sostenía Harold y asintió. Entonces el señor Grapes

LA ANCIANA

Harold y Mary Rose siguieron la procesión hasta la tienda de Amak y Aga. Todas las personas que vivían en el poblado fueron sentándose alrededor de las mortecinas llamas que se mecían en el centro de la sala. Pese a lo abarrotada que estaba la estancia, hacía frío, pero nadie se preocupó de echar más troncos al fuego o de avivarlo con la vara de metal. Harold y Mary Rose se sentaron al lado de una anciana que muy rara vez habían visto pasear por el campamento. Su piel oscura parecía mezclarse con el color de las cenizas, tan arrugada que era difícil saber dónde empezaban sus ojos. Estaba encorvada, escondida bajo varias capas de mantas, con la mirada tan perdida en el fuego que parecía que no sentía la presencia de nadie a su alrededor.

Todos parecían mirar las llamas de esa manera, sobre todo Amak, Aga y Ukluk, que se sentaron al otro lado del círculo, frente a ellos, sumergidos en un mundo de oscuridad solamente iluminado por la rojiza luz del fuego. Harold y Mary Rose no tuvieron que preguntarse en qué estaban pensando, pues ellos sabían muy bien qué pasaba por sus cabezas. Mary Rose volvió a sentir cómo crecía esa sensación de ahogo en su estómago al recordar el instante en el que el oscuro fardo había desaparecido bajo la nieve. No pusieron ningún símbolo encima de la tumba, nada que permitiese saber que debajo de ese fragmento de planicie descansaba el cuerpo de Kirima. Simplemente dejaron que los copos cayeran y suavizaran las marcas de nieve removida y la mimetizaran con el resto de la planicie, blanca, fría y sin vida. Al alejarse de allí, Mary Rose miró atrás y no consiguió saber en qué lugar de la vasta llanura la habían enterrado. Sencillamente desapareció, tragada por el gigantesco mar de agua congelada, el mismo mar que se había tragado a su hijo. Entonces Mary Rose sintió cómo sus dedos apretaban con demasiada fuerza la mano de Harold y la soltó de golpe. Harold se volvió hacia ella, pero su esposa desvió la mirada hacia el turbulento caos en el que parecían danzar las llamas, esforzándose para que las lágrimas no resbalaran por sus mejillas.

Fue en ese instante cuando un sonido gutural y apenas audible llegó a sus oídos. En un primer momento Mary Rose pensó que no era más que el siniestro viento aullando entre los pliegues de la tienda, pero el sonido quedó en suspenso demasiado tiempo, sin variar y, de manera casi imperceptible, aumentó de volumen. La señora Grapes volvió poco a poco la cabeza y se percató de que el sonido provenía de la anciana. Sus labios no se movían, pero no había duda de que el sonido surgía de su boca entreabierta. Después vio un destello dorado en sus ojos petrificados. Era una lágrima, una lágrima que parecía capturar en su interior una luz amarillenta que le resultó familiar y que, con lentitud, resbaló a través de los profundos cañones que eran sus arrugas. Su voz se alzó más y no tardó en llenar el espacio. Mary Rose sintió cómo las miradas de todas aquellas personas empezaban a clavarse en su dirección igual que arcos cargados. Mary Rose nunca había escuchado ese tipo de canción. Sabía que no se trataba de ninguno de los cánticos que había oído hasta entonces; era más bien una resonancia, una extraña cadencia primitiva y visceral que provenía de lo más profundo de su alma. Su mente quedó atrapada en una telaraña viscosa, narcotizada por ese hipnótico ritmo que reverberaba en los objetos y en sus cuerpos como si estuviesen hechos de cristal. Sentía como si todo lo que con tanto esfuerzo había intentado mantener bajo el duro caparazón de su ser empezase a resquebrajarse; algo pétreo y oscuro, podrido por el tiempo y el rencor. Todo su cuerpo se estremeció y se dio cuenta de que no era capaz de disimular el temblor que la hacía tiritar. Harold intentó tranquilizarla, pero el tacto de su piel solo sirvió para que el temblor empeorase.

De repente la voz de Aga se unió al cántico de la anciana. Su voz suave parecía empastarse a la perfección con la de la anciana, pero aun así sonaba demasiado ronca, gutural, tosca y oscura. La voz de Amak también se añadió y, gradualmente, el volumen de las tres voces hizo crecer más y más aquella cadencia. Se incorporaron la voz de Ukluk y de un par de mujeres que se sentaban a su lado. El sonido siguió subiendo, llenando la estancia con la grave reverberación de sus voces, a las que se iban uniendo las demás. El cántico se volvió sofocante, intenso y repetitivo como el latido de un gigantesco corazón que palpitara cada vez con mayor fuerza. Era el rugir de las olas, era el viento arrancando las hojas de los árboles, era la lluvia golpeando los cristales, era el trueno rebotando una y otra vez en sus oídos. Mary Rose empezó a sentirse mareada y un sudor frío resbaló por su nuca. Una presión le oprimía el pecho, se sentía atrapada, acorralada por ese estruendo, por esas voces que parecían empeñadas en romper algo dentro de ella, en empujarla hacia un abismo oscuro. Necesitaba salir de allí.

Soltó la mano de Harold e, instintivamente, se levantó y corrió a través de los pliegues de la tienda hasta llegar al exterior. Sus botas se hundieron en la gruesa nieve como si fuera alquitrán. Consiguió alejarse del círculo de tiendas y avanzar por la planicie hasta que su vista se nubló y su cuerpo se desplomó sobre la nieve. Con desesperación, se desabrochó el abrigo: necesitaba que el aire entrase en sus pulmones. Necesitaba deshacerse de todo lo que la estaba oprimiendo. Y entonces la vio. Vio la casa a lo lejos. Tan sola, tan oscura y tan vacía como ella. Y gritó.

Gritó desgarrándose la garganta, sacando de sus entrañas una oscuridad que no podía retener por más tiempo, un dolor que se hacía añicos como un viejo tronco carbonizado, igual que la maceta estrellada contra el suelo de baldosas. Las lágrimas empezaron a brotar descontroladamente, por fin liberadas del dolor que las reprimía, ardiendo como si estuviesen hechas del fuego que contenía la lágrima de la anciana.

Sus manos se hundieron en el hielo. La humedad y el frío calaron en sus huesos, pero nada era comparable al dolor de su corazón. No podía dejar de escuchar el antiguo eco de los truenos de aquella noche retumbando a través de las frágiles ventanas del apartamento, el fulgor de la cegadora luz de los relámpagos iluminando el suelo repleto de fragmentos de loza, tierra y pétalos. Sintió el olor de la tierra mezclado con el del mar, putrefacto, húmedo y salado. Alguien la volvió a abrazar como aquella noche en la que su mundo explosionó, fuerte, y sintió el frío de sus ropas caladas y el olor de la sal de mar y de las lágrimas. Era Harold, volvía a ser Harold el que la abrazaba. Y de repente fue consciente de cómo salía toda la ira que durante años había intentado mantener atrapada.

—¡Vete! ¡Déjame ir con él! —gritó Mary Rose y tiró con fuerza del abrigo de su marido, golpeándolo con rabia—. ¡Te odié! ¡Te odié por haber vuelto a casa sin él!

Harold permaneció firme, como esa noche en el apartamento. Aguantando los envites de sus puños, de sus gritos

y de su dolor, como lo hacía el puerto con las furiosas olas
que rompían contra él.

—¡No puedo soportarlo! —dijo entre sollozos—. ¡Era tan
pequeño...!

A Mary Rose ya no le quedaban más fuerzas para seguir
golpeándolo. Sintió que sus cuerpos ya no estaban en esa
planicie de nieve, sino derrumbados sobre el suelo de losa de
su antiguo apartamento de San Remo. Todo su cuerpo temblaba por el rugido de la tormenta, por el sonido de ese cántico que parecía desgarrar la oscuridad que la había carcomi-
do durante tantos años, que la había empapado con un rencor
hondo y podrido, y que parecía evaporarse con dolor a través de las lágrimas de luz que surgían de sus ojos.

Harold apretó aún más su abrazo, sintiendo cómo el cuerpo de su esposa finalmente cedía sobre la nieve. Entonces,
Mary Rose se calmó y sus lágrimas se congelaron en delica-
das costras de escarcha. Cerró los ojos.

La luciérnaga

Mary Rose intentó abrir sus doloridos párpados, pero una gruesa tela parecía cubrirle los ojos e impedir que pudiera ver nada más que oscuridad. Entonces empezó a sentir cómo su cuerpo se mecía de un lado a otro, rítmicamente y con suavidad. Un chapoteo de agua la alertó y el crujir de la madera en la que estaba sentada comenzó a hacerse más evidente. Mary Rose sabía que se encontraba dentro de una barca, se dirigía hacia algún lugar que desconocía, pero, extrañamente, no se sentía invadida por el pánico o la ansiedad. Una confianza ciega y absoluta la mantenía tranquila, sin intención de deshacerse de la venda que cubría sus ojos.

El avance aminoró y la barca no tardó en detenerse. Alguien se removió alrededor de ella e hizo que la barca zozobrara con mayor intensidad. Entonces notó una mano que la agarraba y la ayudaba a salir de la embarcación. Bajo sus pies sintió el suelo firme y, al cabo de un instante, un par de manos deshicieron el nudo de la venda, hasta que una luz blanca e intensa la cegó.

Lentamente, la imagen se volvió nítida y ante ella se dibujó el rostro de Harold. El pelo negro que le cubría la cabeza revelaba que no tenía más de veinticinco años, y le sonreía y la miraba con unos ojos azules tan profundos que parecían contener el mar que los rodeaba. La joven Mary Rose se percató de que se encontraban sobre un viejo embarcadero, en algún punto desconocido de la isla. Desde allí el pueblo de San Remo parecía un diminuto grupo de moluscos aferrados a una negra roca de mar.

—¿Dónde estamos? —preguntó Mary Rose, mirando, sorprendida, una gran construcción de madera carcomida que se levantaba al final del muelle.

—Es el viejo astillero de la isla —dijo Harold, cogiéndole la mano—. Sígueme, quiero enseñarte algo...

Mary Rose se sentía desconcertada, pero se dejó guiar por su joven marido hasta penetrar en la cochambrosa construcción. Al llegar al centro del astillero, Harold se detuvo y le pidió que se sentara sobre una enorme pila de maderas mientras él iba en busca de algo. Al volver llevaba consigo un enorme pergamino enrollado y atado con un lazo de color amarillo.

Entonces Harold se inclinó hacia Mary Rose y le dio un tierno beso en los labios. La señora Grapes sintió que un escalofrío de placer recorría su nuca. Le encantaba el olor a mar y a madera que Harold siempre parecía desprender.

—Feliz aniversario, Rosy —susurró, al tiempo que le entregaba el pergamino.

Mary Rose deshizo el nudo con suavidad y desplegó el tubo de papel sobre los tablones. Ante ella apareció una gran lámina blanca repleta de detallados esquemas, anotaciones y medidas.

—Son los planos de un barco... —musitó, asombrada.

—Así es —dijo, satisfecho—. Pero no es el barco lo que quiero regalarte, Rose. Es la posibilidad de cumplir nuestro sueño a bordo de él. El sueño del que siempre hablamos, el sueño de salir de la isla y viajar, de explorar, de aventurarnos en lo desconocido.

Mary Rose vio en sus ojos ese brillo que tanto le gustaba, capaz de conseguir cualquier cosa.

—Sabes que me encantaría —dijo, agarrándole suavemente del brazo como si intentara detenerlo—, pero no tenemos dinero para construir algo así, Harold...

—Lo sé —contestó, sentándose a su lado—, pero el jefe del astillero me ha prometido que, si hago horas extras, me dará permiso para usar este viejo astillero y construir el barco con los excedentes de madera.

—¿Así que hablas en serio? ¿Nos iremos de aquí?

—Bueno, hay mucho trabajo por hacer, pero no creo que tengamos ninguna prisa... —Tocó con ternura la barriga de Mary Rose.

Entonces la señora Grapes miró hacia abajo y vio que en su vestido verde destacaba una prominencia. Sus manos temblorosas acariciaron con delicadeza la redondez y las manos de Harold, y sintió un leve movimiento dentro de ella. Mary Rose levantó la vista, pero entonces se dio cuenta de que la luz había cambiado a su alrededor. Frente a ella ya no se encontraba Harold, ni tampoco la vieja estructura del astillero, sino una puerta con varias capas de pintura blanca. La abrió y entró en una habitación solamente iluminada por una fantasmagórica luz amarillenta.

—No hagas ruido, mamá... —susurró una voz desde el otro lado de la habitación.

Mary Rose avanzó hacia la silueta del niño, que se recortaba frente a una de las ventanas, y sintió cómo la suave brisa marina de una calurosa noche de verano se colaba en la habitación y mecía con suavidad las hortensias malva y fucsia que había plantado hacía unos días en las jardineras colgantes.

Al llegar junto al niño, Mary Rose le dio un beso en la cabeza. Él la abrazó sin dejar de mirar los grandes pompones de hortensia en los que revoloteaban nerviosas una decena de luciérnagas que brillaban como brasas incandescentes.

—He descubierto qué les gusta... —susurró el niño.

Mary Rose lo miró desconcertada, sin saber a qué se refería.

—¿El qué les gusta?

—Las flores... —respondió, mirándola como si estuviese contándole un gran secreto—. Antes se marchaban al poco rato de liberarlas, pero desde que plantaste las hortensias se quedan toda la noche aquí, haciéndonos compañía.

Mary Rose sonrió al reconocer en el niño la misma ilusión e inocencia que siempre desprendían los ojos de Harold. La señora Grapes se sentó al borde de la cama y le mostró un gran tarro de cristal que llevaba en las manos.

—Justo esta mañana tu padre se ha terminado la mermelada de uva —dijo, tendiéndole el frasco— y he pensado que querrías conservarlo para poder atrapar más luciérnagas.

El niño se sorprendió y con rapidez se sentó a su lado y alargó las manos para coger el tarro con sumo cuidado, como si sujetase un frágil tesoro.

—¡Aquí cabrán el doble de luciérnagas que en el otro frasco, mamá! —exclamó, levantándolo sobre su cabeza—. ¡Mañana por la tarde iré a ayudar a papá en el astillero y traeré un montón de ellas! ¡Así cuando zarpemos podrán iluminar las noches más oscuras de nuestro viaje!

Mary Rose sonrió al ver la alegría que irradiaban los ojos de su hijo. Entonces el niño dejó el tarro con cuidado sobre la mesilla de noche y se abrazó al cuello de su madre para regalarle una lluvia de besos por toda la cara.

—¡Pero si solo es un frasco de mermelada vacío, hijo! —exclamó, divertida.

El niño dejó de besarla y, tras un largo suspiro, dijo:

—Te quiero.

La señora Grapes lo abrazó y notó el cosquilleo de sus puntiagudos pelos castaños sobre su mejilla y la felicidad de un momento que no quería que se acabara nunca.

—Yo también te quiero, Dylan.

Entonces Mary Rose cerró los ojos y apretó aún más su abrazo, pero en lugar de notar la solidez del cuerpo de Dylan solo sintió el vacío. Un vacío que iba mucho más allá de lo material.

Sobre su rostro caía una fría llovizna que olía a sal y, al abrir los ojos, vio que un montón de gente la miraba. Desfilaban frente a ella sin apenas reconocerlos. Solo conseguía intuir alguna mirada de compasión y el negro homogéneo de sus vestimentas funerarias, mientras descendían por la empinada cuesta embarrada y salpicada de mustias cepas que llevaba al pueblo. Era el funeral de Dylan. Una ceremonia sin cuerpo, sin nadie al que poder despedir. Finalmente se quedó sola, o eso creía. Se percató de la presencia de Harold. Pasó por su lado sin siquiera mirarlo y se acercó al borde del acantilado yermo y agreste. Frente a ella se extendía un mar sin rastro del azul que había brillado en los ojos de su hijo. Mary Rose sabía que Dylan yacía sepultado en algún lugar de aquel gigantesco abismo. Sintió cómo las lágrimas se derramaban quemándole los ojos y entonces notó una caricia en la mano. Era Harold, que le sostenía la mano con ternura. Pero en lugar de sentirse reconfortada por su gesto, experimentó una punzada de dolor y repulsa. No pudo soportar tenerlo tan cerca de ella y se deshizo de su mano de un tirón.

—No podemos rendirnos... —escuchó decir a Harold.

Mary Rose se volvió hacia él con la mirada enrojecida por las lágrimas y cegada por la misma rabia que parecía avivar el oleaje que erosionaba la isla sin cesar.

—¡Nunca más va a volver! —gritó, desgarrándose la garganta—. ¡¡Nunca!!

la vista y vio dos grandes velas blancas que se recortaban contra un cielo azul puro, hinchándose y deshinchándose como enormes pulmones. Mary Rose cogió aire, sintiendo cómo la brisa mecía con suavidad su larga melena canosa. Bajo sus pies descalzos se extendía una larga tarima de madera barnizada y comprendió al instante dónde se encontraba. Estaba en un lugar que nunca había pisado, un lugar que no formaba parte de sus recuerdos, sino de sus sueños. Se encontraba en el barco que habían estado construyendo, el barco sin nombre que nunca había zarpado, y, pese a saber que nada de aquello podía ser real, se sintió feliz. Mary Rose notó cómo la fuerza del barco la empujaba y entonces un fuerte estruendo retumbó por todo su cuerpo. De nuevo percibió el cántico de la anciana, un sonido que parecía emanar de las maderas, una presión que parecía querer romperlo todo. Mary Rose vio que a pocos metros de ella había un timón que giraba de un lado a otro, sin rumbo, y entre sus barrotes danzaba una luciérnaga. Avanzó hacia el timón, que no paraba de girar, descontrolado, y entonces, justo cuando estaba a punto de agarrarlo, escuchó una risa lejana. «¿¡Kirima?!», gritó. El barco se sacudió con fuerza y el agua empezó a empapar sus pies desnudos. Mary Rose volvió a gritar, pero ya no fue capaz de distinguir aquella risa. Todo parecía ser engullido por la reverberación del cántico y el sonido de la madera que se astillaba. Un nuevo estruendo hizo que el barco crujiera y una grieta apareció bajo sus pies. Miles de burbujas ascendieron por la brecha y el nivel del agua empezó a subir más rápido. Entonces volvió a escuchar la carcajada y Mary Rose notó que todo su cuerpo se paralizaba por un segundo. No era la risa de Kirima, era la risa de... «¡¡Dylan!!», chilló. El barco empezó a inclinarse y Mary Rose se agarró al timón. «¡¡Dylan, estoy aquí!!», volvió a gritar, desesperada. La luciérnaga revoloteó a su alrededor y un agradable calor se extendió por sus brazos, por su pecho y por su cara.

Parecía deshacer el hielo, el dolor y el rencor que la oscurecían. Se sentía poderosa, segura y capaz de tomar cualquier rumbo. En sus manos aferradas con fuerza al timón tenía la libertad. El calor seguía aumentando y la luz amarilla empezó a cegarla. Demasiada luz, demasiado calor. Un segundo después se despertó.

Mary Rose se incorporó, sobresaltada, del lecho de mantas que la rodeaban sin saber muy bien si estaba despierta o seguía durmiendo. Un potente haz de luz la cegaba por completo.

—Perdonad por la indiscreción —escuchó que decía una voz ronca.

La molesta luz se apartó finalmente de su cara y pudo ver que frente a la entrada de la tienda se recortaba la silueta de Amak y que este sostenía una antorcha. El contorno de sus ojos rasgados estaba hundido por una ligera oscuridad que la luz del fuego acentuaba aún más.

—¿Todo bien? —preguntó Harold, acercándose a la entrada.

—Sé que aún es muy temprano —dijo Amak—. Pero venía a preguntarte si querías acompañarme a pescar.

Harold no vaciló ni un momento.

—Sí, iré contigo —contestó.

Mary Rose tenía un fuerte dolor en las sienes y, pese a lo terriblemente confundida que se sentía, esas palabras la hicieron volver a la realidad como si hubiera recibido una bofetada.

—Partiremos en quince minutos —dijo Amak.

Después salió y la brecha de la tienda se cerró, de manera que la estancia quedó sumida en una oscuridad absoluta.

—No lo estarás diciendo en serio, ¿verdad? —preguntó Mary Rose en medio de la penumbra.

Harold suspiró y se sentó al lado de Mary Rose. La oscuridad les impedía verse las caras.

—Debo ir —murmuró.

—¿Debes ir? —repitió con desdén—. Hace muy poco que...

Pero entonces se detuvo un momento, intentando contener el dolor que sentía al recordar el silencioso cuerpo de Kirima cubierto de diminutos copos de nieve, arropado por los brazos temblorosos de su padre. En su cabeza volvió a reverberar el sonido de su risa en la cubierta del barco.

—¿Crees que Amak se ha olvidado? —dijo Harold—. Precisamente por eso debo ir, Rose. Es lo mínimo que puedo hacer por un padre que ha perdido a su hijo.

Un segundo después se levantó y desapareció tragado por la brecha de la tienda. Mary Rose se quedó sola, envuelta por una oscuridad que crecía a su alrededor a medida que el ladrido de los perros y el sonido de los esquís del trineo se perdían en la distancia.

Un agujero en el hielo

Los perros jadeaban con intensidad, acelerando a medida que el trineo se alejaba del campamento. Harold volvió la cabeza y miró hacia su tienda, que se emborronaba poco a poco tras la estela de nieve y escarcha que levantaba el trineo. Entonces vio que de la tienda emergía una silueta. Apenas era una mancha grisácea, pero no tuvo ninguna duda de que se trataba de Mary Rose. Un segundo más tarde todo el campamento desapareció, engullido por la niebla, y Harold se sintió culpable por haberse marchado tan bruscamente de su lado.

Volvió la vista al frente y se percató de que a su alrededor no había absolutamente nada con lo que orientarse. Todo era blanco; una infinita pátina en la que el cielo y la tierra se fundían en un diluido abrazo imposible de delimitar.

El gélido viento empezó a soplar con fuerza a través de la extensa llanura, cortando su respiración y la piel de su cara, agitando de un lado a otro el frondoso pelo gris de los perros y golpeando el trineo con enérgicas rachas que hacían chirriar sus maderas. Harold se internó más bajo el abrigo de las mantas que Amak había puesto sobre sus piernas, pero el frío conseguía colarse por todos los resquicios. Solo la fina línea que quedaba entre el gorro y la bufanda permanecía a la intemperie.

Harold se fijó en que a Amak no parecía importunarle demasiado aquel clima. Su rasgada y seria mirada permanecía fija en el borroso horizonte, atenta a los baches y a las grietas que de vez en cuando aparecían al lado de las cuchillas del trineo y que los perros sorteaban con asombrosa agilidad. Harold se preguntó en qué debía estar pensando aquel hombre. Durante todos esos días no le había visto derramar ni una sola lágrima, no había escuchado una sola queja ni un solo reproche, pero una enorme tristeza se reflejaba en sus oscuros ojos. Harold quiso decir algo, pero Amak se le adelantó.

—Empezamos a adentrarnos en la parte más delgada de la banquisa —dijo, tirando suavemente de las riendas para aminorar la marcha—. No tardaremos en llegar.

Y en ese instante apareció ante sus ojos la delgada línea del mar, un mar prácticamente negro, que se extendía por todo el horizonte. Amak gritó algo y los perros viraron hacia la derecha. El terreno se volvió más lechoso, salpicado de grietas que iban esquivando.

—¡Es aquí! —gritó Amak, tirando con fuerza de las riendas.

Los perros se detuvieron con suavidad y el trineo se paró justo al lado de una larga brecha azul. Harold se sentía agarrotado. La bufanda que le cubría la nariz y la barbilla se había endurecido, petrificada por el vaho de su propio aliento. Amak se deshizo con premura de las mantas que los cubrían y bajó del trineo de un salto. Harold lo siguió.

—A partir de aquí debemos ir a pie —informó Amak, desabrochando los arneses de los perros.

Harold se dio cuenta de que el mar estaba muy cerca de ellos, completamente moteado por centenares de placas de hielo e icebergs que se desprendían con parsimonia de la gigantesca banquisa sobre la que andaban. Entonces Amak se acercó a la parte trasera del trineo y descargó un par de bolsas grandes, cajas y cubos de plástico. Harold se acercó a él y se cargó una de las bolsas a la espalda. Era pesada, pero podía con ella. Y así caminaron a través del manto de hielo, acompañados por los perros, que correteaban libremente a su alrededor.

Se percató de que el terreno que pisaban era diferente al que circundaba el campamento. La superficie era mucho más dura y apenas había nieve sobre ella. La tenaz brisa marina que reptaba sobre la banquisa mostraba el resbaladizo y pulido hielo que había debajo.

Al cabo de media hora, Amak detuvo la marcha.

—Este es el lugar —anunció, dando un fuerte golpe de talón contra el hielo.

Harold notó cómo la vibración trepaba por sus pies hasta su cabeza y sintió un escalofrío al pensar en lo que podía sucederles si el hielo se rompía en ese instante.

Amak sacó una pequeña pala y empezó a quitar la fina capa de nieve circundante. Harold descargó su mochila y buscó la suya para imitarlo. Al cogerla, vio que era la misma pala que había usado para enterrar a Kirima.

Al poco rato, el hielo quedó al descubierto como una gran pieza de mármol veteado. Amak volvió a golpear la superficie y un sonido hueco retumbó e hizo estallar en centenares de burbujas perladas una gran bolsa de aire que se adhería bajo el hielo.

—Será mejor que te alejes —dijo, mientras cogía un hacha de la bolsa—. Esta es la parte más peligrosa de todas.

Harold dio unos pasos atrás y se situó al lado de los perros, que descansaban tumbados en la nieve. Amak levantó el hacha y golpeó el hielo tan fuerte que hizo temblar todo el suelo. Los perros se despertaron y empezaron a aullar, nerviosos. El propio Harold notó cómo un sudor helado le bajaba por la espalda. Pensó en que no sabía qué debía hacer si Amak caía al agua. Entonces se arrodilló con rapidez y comprobó que entre la multitud de herramientas que abarrotaban su mochila había una cuerda. Aquello lo tranquilizó. Otro estallido de hielo retumbó y algunas astillas salieron despedidas. Harold se acercó un poco más con la cuerda en la mano. Amak volvió a tomar impulso y el hacha penetró al fin la gruesa capa de hielo, que se resquebrajó, de donde manó agua que encharcó toda la brecha de inmediato. Poco a poco, Amak ensanchó el boquete hasta alcanzar un metro de diámetro, que, según él, era espacio más que suficiente para poder pescar los dos sin molestarse. Harold dejó la cuerda a un lado y cogió la pala para ayudar a su amigo a sacar los pedazos grandes de hielo que seguían flotando en el agujero.

—Ahora ya solo queda pescar —dijo.

Harold y Amak sacaron las cañas de las bolsas. Parecían de juguete, y Harold pensó en la diminuta caña que había caído del canasto de Kirima el día que la conocieron. Se sentaron en torno al agujero sobre los cubos de plástico y ensartaron en el anzuelo un viscoso cebo hecho con grasa de ballena que Amak traía envuelto en un trapo. Hundieron el hilo en el agua.

Las horas fueron pasando lentas, arrastradas por el viento que soplaba con fuerza a su alrededor y que los zarandeaba sin piedad mientras intentaban mantener las cañas estables. El agua que asomaba a través del agujero era tan oscura que, por más que forzase la vista, Harold no conseguía distinguir el cebo de ninguna de las dos cañas. Era un abismo lúgubre y desconocido, un pozo en el que cabía cualquier criatura que pudiera imaginarse. Entonces Harold volvió a pensar en Kirima. La imaginó allí sentada, sobre uno de aquellos cubos, mirando con sus inquietos ojos algún pez suficientemente confiado como para picar en su anzuelo danzarín. Harold recordó el primer día que llevó a Dylan a pescar. Tenía poco más de cinco años. Una sonrisa se dibujó en su cara al recordar que apenas fue capaz de sostener durante unos minutos la pequeña caña que le había fabricado; así que se limitó a mirar cómo pescaba su padre. Recordó sus manitas, bien agarradas al borde de la barca, mirando el agua con aquellos enormes ojos que parecían contener el propio mar, buscando la silueta de algún pez monstruoso.

La caña vibró en la mano de Harold. Miró dentro del pozo en busca del pez que la había movido. Pero no vio nada; solo había sido una racha de viento. Harold sintió el temblor del cubo bajo su cuerpo, ¿o era al revés? Recordó la tormenta que azotó el campamento el día de la muerte de Kirima e imaginó la fuerza con que el viento debía de haber soplado en aquella yerma llanura, sin nada que pudiera protegerlos. Harold no sabía cómo había muerto Kirima, pues no se atrevía a hacerle esa pregunta a Amak. Él había sufrido mucho cuando todo el pueblo lo avasalló a preguntas y más preguntas a las cuales no conseguía responder sin sentirse aún más culpable y más miserable. Entonces Amak habló:

—No tuve tiempo de salvarla, ¿sabes? —Amak permanecía absorto en el imperceptible movimiento del agua—. Me insistió durante todo el viaje en que quería hacer ella el agujero, que ya era mayor. Yo me reí, le contesté que aún no tenía suficiente fuerza en los brazos para partir el hielo.

Una débil sonrisa se dibujó en los labios de Harold al recordar el día en el que a Kirima se le cayeron las cajas de pescado del trineo por querer imitar a su padre y a su hermano.

—Al dejar el trineo y soltar los perros —continuó Amak—, la ventisca empezó a arreciar con fuerza, así que nos dimos prisa en descargar el material para poder pescar algo. Entonces, al llegar aquí, me di cuenta de que me había olvidado el cebo en el trineo. Le pedí a mi hijo Ukluk que me acompañara a buscarlo. Cuando nos disponíamos a regresar, escuchamos los ladridos de los perros. Corrimos tan rápido como pudimos, pero al llegar ya no estaba. En su lugar había una enorme brecha, justo aquí mismo —dijo señalando la abertura en la que se hundían sus cañas—. La placa se rompió bajo sus pies y, entre los pedazos de hielo, vi su cuerpo con el hacha aún sujeta en su mano. Salté dentro sin pensarlo. Pero ya era tarde. Al sacar su cuerpo del agua, su corazón ya no latía. Estaba muerta.

Harold notó que una presión crecía en su estómago y, antes de pensar siquiera en lo que decía, surgieron de su garganta aquellas palabras como una boya escupida por una ola.

—Yo también perdí a mi hijo —murmuró.

Amak se sobresaltó. Levantó la vista del agujero y miró fijamente a Harold. El señor Grapes vio que sus afilados ojos estaban teñidos de rojo, anegados de unas lágrimas que hasta ese momento aún no había visto. Entonces se sintió estúpido; culpable por haber pronunciado esas palabras.

—No debería haber dicho eso —se disculpó, volviendo la mirada al tenebroso pozo.

—¿Qué pasó? —preguntó Amak con la voz ronca.

Harold suspiró sin atreverse a mirarlo a la cara. Su mirada estaba fija en el agua, perdido en el mismo abismo de oscuridad en el que se perdía el hilo de su caña de pescar.

—Fue hace tantos años ya... —dijo, apretando con fuerza el mango de la caña—. Pero no hay día que no me acuerde de esa noche como si hubiese ocurrido ayer. Una y otra vez siento el golpe de la ola en el costado de la barca, el frío del agua succionándome y, sobre todo, la insoportable oscuridad que me envolvió al salir a la superficie. No fue el mar, sino mi ingenuidad al infravalorar su poder, mi estupidez al creer que a mi lado estaría siempre a salvo... Fue culpa mía que esa noche Dylan muriese. Y no puedo dejar de torturarme un día tras otro pensando en todo lo que se ha perdido. Nunca pudo terminar el barco que construíamos juntos, nunca pudo hacer el viaje que tanto deseaba.

—¿Y vosotros? ¿Vosotros subisteis a ese barco?

Harold lo miró con desconcierto.

—No pudimos hacerlo sin él —balbuceó.

Amak frunció ligeramente el ceño y sus ojos se achinaron aún más.

—Fíjate en todo lo que nos rodea —dijo, levantando la vista hacia el cielo—. El movimiento de las nubes sobre nuestras cabezas, el incesante soplo del viento, el hielo fragmentándose, el mar deslizándose sigilosamente bajo nuestros pies... Nada se detiene. —Amak bajó lentamente la cabeza y volvió a fijar la mirada en Harold. De repente se sentía mareado, aterrorizado por todo el movimiento a su alrededor—. La vida es un camino de nómadas, señor Grapes —continuó diciendo—. Un camino sin árboles en los que esperar a que la lluvia deje de mojarnos, sin márgenes por los que escapar, sin faros que nos indiquen cuál es la mejor senda cuando estamos perdidos. No puedo desperdiciar la vida que se me ha otorgado quedándome quieto, lamentándome del pasado hasta que se agoten mis días. Debo levantarme y luchar, debo seguir alimentando al resto de mi familia, debo seguir avanzando, no solo por mí, sino por mi hija y por todos los que ya no están aquí para poder vivirla. Porque, al final, para eso estamos aquí, ¿verdad? La vida solo tiene un propósito, y es vivirla.

Un destello de luz brilló sobre las tenebrosas ondas del pozo. Harold vio que una de las nubes se rompía y dejaba que un largo tentáculo de sol avanzara perezosamente sobre el cielo y quedara libre de la prisión que lo mantenía atrapado. Entonces su caña dio un tirón. El primer pez había picado.

MÁS ALLÁ DEL HORIZONTE

Ya empezaba a anochecer en el campamento cuando Mary Rose decidió salir de su tienda. Había pasado todo el día envuelta en la calidez de las mantas, sumida en un duermevela. Avanzó por la nieve, alejándose de las construcciones para ver si conseguía distinguir el trineo. La acompañaba el eco del extraño sueño con el que se había levantado esa mañana y que la atormentaba desde entonces. Finalmente llegó a un promontorio y se detuvo. Alguno de los fuegos del poblado estaban encendidos, de modo que las tiendas brillaban con una luz amarillenta que le recordó demasiado a los cavernosos cuerpecillos de las luciérnagas. La misma luz oscilante y fantasmagórica que recortaba la silueta de su hijo frente a la ventana. Quería volver a ver la sonrisa de su hijo, sentir su tierno abrazo y los suaves besos sobre su cara. Mary Rose apretó más los párpados, tratando de congelar esos recuerdos, pero, por más que lo intentara, las imágenes se escabullían de su mente.

Abrió los ojos lentamente y dio la espalda a las tiendas, mirando en la dirección por la que Harold y Amak habían partido esa madrugada con el trineo. Sus ojos barrieron la gigantesca planicie preguntándose dónde estarían, y entonces vislumbró la amarilla y lejana mancha que era su casa, que se recortaba como una sombra china contra el horizonte teñido de un mortecino violeta. Volvió a sentir la humedad de la lluvia en su cara, la negrura de los ropajes de las gentes de San Remo el día del funeral. Volvió a escuchar el eco de su propia voz reverberando en el acantilado y le vino a la cabeza el oscuro pelaje con el que habían envuelto el cuerpo de Kirima; frágil, lívida e inmóvil, hundiéndose lentamente bajo esa gigantesca llanura de hielo que la rodeaba. De nuevo sintió el peso de su pérdida, el vacío de su existencia. Miró hacia el cielo para evitar que las lágrimas resbalasen por sus mejillas y vio que las opacas nubes que cubrían el cielo se estaban rompiendo en centenares de pequeños fragmentos que poco a poco iban mostrando un cielo sin luna en el que brillaban las estrellas. Entonces escuchó el ruido de la nieve crujiendo a su espalda y vio aparecer a Aga, encogida bajo su peludo abrigo, con el pelo recogido dentro de la capucha.

—No te preocupes —dijo, mirando el lejano horizonte—, no tardarán en llegar.

Mary Rose ladeó la cabeza y se secó con disimulo las lágrimas. No quería que Aga la viese llorar.

—No tienes de qué avergonzarte... —susurró Aga.

—Debería ser yo quien te confortase —respondió, sin atreverse a mirarla a los ojos.

Aga suspiró y posó con suavidad su mano sobre el hombro de la señora Grapes. Mary Rose la miró y se percató de que, pese a la oscura sombra que teñía los párpados de aquella mujer, una extraña serenidad, una sutil fortaleza parecía surgir de sus ojos. Mary Rose se sintió desconcertada y se preguntó qué le había insuflado fuerzas para salir de su tienda. Recordó que ella no consiguió poner un pie fuera del apartamento de San Remo hasta mucho tiempo después de que Dylan muriese. Durante meses no se atrevió a salir de su habitación. Apenas conseguía levantarse de la cama. Recordó que dormir era lo único que la reconfortaba por aquel entonces; lo único que la alejaba del dolor que aparecía con tan solo abrir los ojos. Solo quería dormir, perderse en los sueños en los que la alegre cara de su hijo aparecía como cada tarde frente a la puerta de la floristería, con el pelo alborotado, pidiéndole la bolsa con la cena para así poder ir raudo hacia el astillero, donde su padre lo esperaba. Fueron unos meses borrosos y confusos; un quebradizo inconexo de llantos, gritos, sollozos y reproches. Pasados unos minutos, Aga bajó suavemente la mano que mantenía apoyada en el hombro de Mary Rose y avanzó unos pasos más hasta llegar al límite del promontorio de nieve. Su mirada recorrió la gran llanura helada hasta que al fin se clavó en un punto lejano de la banquisa.

—Mañana reanudaremos los preparativos para dirigirnos al norte —dijo sin apartar la vista de ese punto—. Todavía tardaremos un par de días en prepararlo todo, y por eso Amak y yo hemos pensado que aún hay tiempo para una última cosa, algo que queremos hacer por vosotros antes de marcharnos de aquí para siempre.

El frío se coló entre los pliegues de la capucha de Mary Rose, pero no se movió. Permanecía anclada unos pasos por detrás de Aga, intentando comprender qué trataba de decirle.

—Amak y mi hijo os acompañarán mañana a la casa para que podáis salvar alguna pertenencia importante.

Entonces Mary Rose notó un frío que la heló mucho más que el fuerte viento. Estaba desconcertada, aturdida por ese ofrecimiento. Hasta ese instante nunca había contemplado esa posibilidad. Pensó en los cientos de objetos, muebles y cachivaches que atestaban las solitarias y heladas habitaciones de la casa sin conseguir encontrar sentido o valor a ninguno de ellos. Los barcos embotellados y protegidos aún en el interior de las cajas, la vieja ropa acumulada durante años en armarios y cómodas o... De pronto, su corazón se aceleró al pensar en un objeto. Un pequeño objeto que se escondía bajo los pijamas de la cómoda. El único objeto de toda la casa que tenía un valor incalculable para ellos, el único recuerdo que conservaban de su hijo: la foto del astillero. Pero al volver a ver la oscura silueta de la casa frente a aquel mar de hielo en descomposición, supo que, por mucho que le doliese, no podía pedir a esas personas que fueran hasta allí para recuperar un simple pedazo de papel desgastado por el tiempo.

—Os lo agradecemos, pero... —empezó a decir con un amargo sabor en la boca.

—Tomáoslo como un presente por todo lo que habéis hecho por nosotros —la interrumpió—. Después ya no habrá vuelta atrás. Es vuestra despedida final.

Mary Rose volvió a mirar el rostro de la mujer y, al hacerlo, se sorprendió del parecido que guardaba con Kirima. Sintió que se le erizaba el vello del cuerpo y que le temblaban las manos; se preguntaba cómo era posible que, pese a haber perdido a su hija, esa mujer fuera capaz de ofrecerle consuelo, obsequiándoles con un último viaje a casa. Mary Rose sabía que eran ellos los que estaban en deuda con Amak y Aga por haberles salvado la vida, por haber cuidado de ellos y por haberles dado la oportunidad de volver a San Remo. Mary Rose avanzó hacia el límite de la ladera, se detuvo a su lado y miró en la misma dirección: un inhóspito y helado páramo que en pocos meses se fundiría y volvería a formar parte del monstruoso mar; el mismo mar que se tragaría la casa para siempre; el mismo mar que les había arrebatado a Dylan hacía tantos años y que ahora también se había llevado a Kirima.

Por primera vez, no se avergonzó de que Aga fuera testigo de sus lágrimas. Mary Rose se preguntó cómo era posible que en la mirada de Aga no atisbara el reflejo del reproche y el odio. La señora Grapes solo veía una extraña fortaleza, que nacía precisamente de su más hondo dolor, como el cántico de la anciana o la luz de la luciérnaga que se esfuerza por brillar en medio de la oscuridad. Era algo que ella nunca había conseguido. Ella simplemente se había dejado arrastrar por el dolor, había dejado de combatir y se había refugiado en el reproche hacia Harold y en el odio hacia la vida.

—¿Cómo lo haces? —susurró Mary Rose.

El cielo se volvió más oscuro, lleno de puntos centelleantes. Las nubes blanquecinas de sus alientos eran lo único que enturbiaba esa cúpula transparente.

—Ante la muerte no hay nada que podamos hacer, es algo que está fuera de nuestro alcance. Mientras seguimos vivos lo único que podemos hacer es vivir.

La contundencia de las palabras de Aga la alejó de aquel promontorio de nieve y la transportó de nuevo al funeral de su hijo. Observó la banquisa, que se extendía ante ella, pero en realidad estaba viendo el frío mar que había frente al acantilado, el mar que se había llevado a su hijo. El hijo que Harold no consiguió proteger.

—Pero ¿cómo consigues no culpar a nadie? —murmuró la señora Grapes sin pensar.

Aga se volvió y la miró, sorprendida.

—¿Culpar? —repitió.

Una racha de aire helado cruzó silbando entre los cuerpos de las dos mujeres y entonces Mary Rose se dio cuenta de que había hablado pensando en ella y no en Aga.

—¿A quién debería culpar? —preguntó, antes de que Mary Rose pudiera intervenir—. ¿A Amak, por haber dejado a Kirima sola durante unos minutos, o bien a mí misma por haber permitido que lo acompañara a pescar? ¿Al hielo, por haberse roto, o a mi hija por haber actuado imprudentemente? El reproche y la culpa solo sirven para aprisionarnos y no dejarnos avanzar.

Aquellas palabras la golpearon con ensordecedora lucidez y empezó a percibir el mismo temblor que la invadió al escuchar el gutural cántico de la anciana. Las imágenes de sus recuerdos emergieron como en el sueño. Volvió a oír sus gritos desgarrados en el acantilado, el rechazo al notar el roce de la mano de Harold y la ira al empujarlo sobre el barro. Mary Rose sintió náuseas y, entonces, la pregunta que tanto temía escuchar surgió de la boca de Aga.

—¿Cómo se llamaba? —susurró.

Mary Rose se estremeció como si un rayo acabase de impactar contra ella. Recordó que, justo antes de que oyeran los gritos y los ladridos de los perros, estuvo a punto de contarle a Aga la historia de Dylan. Se había sentido aliviada por no haberlo hecho. Nunca se habría perdonado si le hubiera contado la historia de la muerte de su hijo momentos antes de que ella misma descubriera que había perdido a su hija. Ahora Mary Rose se sentía desnuda e indefensa, como si alguien le hubiese abierto la caja torácica y viera con claridad sus recuerdos más íntimos y dolorosos. Mary Rose intentó hablar, pero sus labios fueron incapaces de pronunciar el nombre de su hijo en voz alta. Temía que, al hacerlo, abriría una puerta imposible de volver a cerrar.

—Eso forma parte del pasado... —dijo, desviando la vista hacia la casa.

—El pasado puede volverse una carga muy pesada —respondió Aga con aplomo.

—¿Y quién puede deshacerse de él? —preguntó, volviéndose hacia ella con los ojos vidriosos.

—Nadie —contestó con determinación Aga—. Pero podemos hacernos más fuertes para que su peso no nos impida continuar con nuestro viaje.

—Nuestro viaje... —murmuró casi para sí misma, sintiendo el olor viciado que contenía esa palabra para ella.

—Toda la vida es un constante viaje —dijo Aga—. Viajamos de un sitio a otro porque eso es lo que diferencia al pez de la piedra, el movimiento de la quietud, la luz de la oscuridad, la vida de la muerte.

Mary Rose recordó cómo sobresalía el largo mástil del barco a través de los maderos del viejo astillero el día que decidieron desmantelar no solo su sueño, sino su vida: el día que habían decidido convertir «el pez en piedra», el barco en casa. Entonces una brisa de aire helado le echó hacia atrás la capucha y le removió el pelo. Se apoderó de Mary Rose la misma sensación de libertad que había sentido al avanzar con el barco que había aparecido en su sueño. Volvió a recordar la amarillenta luz de la luciérnaga que revoloteaba entre las hortensias, la carcajada de su hijo en el astillero, la ilusión de los ojos de Harold al mostrarle por primera vez los planos del barco. Todo su cuerpo estaba temblando, pero, aun así, respiró hondo y habló:

—Murió unos días antes de poder zarpar con el barco que construíamos —dijo.

Aga suspiró largamente y miró a Mary Rose como si no hubiese conseguido comprender parte del significado de aquella frase.

—¿Y qué hicisteis con el barco?

—Lo desmantelamos. —Hizo una breve pausa y prosiguió—: Y lo transformamos en...

Entonces Mary Rose señaló la casa, varada en medio del hielo macizo. Aga siguió su mirada y lo entendió.

—Un pez con forma de piedra sigue siendo un pez, ¿no?

Mary Rose frunció el ceño sin entender qué había querido decir Aga, pero, antes de poder preguntar nada, un destello de luz dorada en sus ojos la distrajo, una luz extrañamente familiar, una luz que se reflejaba en el cielo.

—Mira... —dijo Aga, señalando el firmamento.

Mary Rose obedeció. Sus ojos estaban anegados de lágrimas, pero tras unos segundos vislumbró dos fantasmagóricas formas que danzaban entre los centenares de estrellas que atestaban el firmamento.

—¿Sabes qué son las auroras? —susurró Aga sin dejar de mirar el cielo.

Una de las auroras era de un rojo intenso como el fuego y la otra, color amarillo dorado, que le recordó demasiado a la cálida luz que producían las luciérnagas en la ventana de su hijo. La belleza del caótico movimiento de las auroras la calmó y le recordó aquel momento de absoluta paz que vivió junto a Harold viéndolas por primera vez en alta mar; los dos solos, navegando a la deriva a bordo de su casa. Las dos auroras se cruzaron y emitieron un destello similar al de las luciérnagas, y entonces volvió a escuchar el eco del cántico de la anciana en su cabeza. Una reverberación que ya no le producía malestar, ya no parecía romperla por dentro. Ahora irradiaba un calor que la arropaba y la protegía.

—Nuestro pueblo cree que el cielo es una enorme cúpula construida con el material más duro y resistente de todo el universo —contó Aga—. Más allá del horizonte está el infinito, el territorio de los muertos; un lugar hecho de luz que solo podemos vislumbrar cuando las almas ascienden lentamente hacia él, deleitándonos con su perfección, borrando nuestro pesar y recordándonos la belleza que existe en nuestro mundo.

Mary Rose sintió que las lágrimas volvían a anegar sus ojos, pero esta vez eran lágrimas de placidez, al contemplar las dos formas danzando una con otra, mezclando sus colores, liberándola de todo el pesar, de todo el dolor y toda la fealdad. Volvió a notar cómo la brisa del mar mecía su pelo, el ligero bamboleo de los maderos al abrirse paso a través de las olas y la libertad hacia lo desconocido.

—Se llamaba Dylan. —Mary Rose sonrió.

—Creo que Dylan y Kirima se acaban de conocer.

VOLVER Y MARCHAR

Mary Rose ya llevaba un buen rato durmiendo cuando una corriente de aire frío la desveló. Un instante después sintió el cuerpo de Harold deslizándose entre las mantas y acurrucándose junto a ella. La tienda quedó impregnada de un fuerte olor a pescado. No le importó; al contrario, Mary Rose se sintió reconfortada por el roce de sus brazos rodeándola. Harold entró en calor gracias al cuerpo de Mary Rose y, después de darle un beso de buenas noches en la nuca, se quedaron dormidos.

Al levantarse recogieron la mochila y salieron al exterior con la cría de foca jugueteando entre sus piernas. El viento había barrido todas las nubes y había dejado un azul tan incandescente que los cegó. No soplaba viento y, durante el camino hacia la tienda de Amak y Aga, los rayos del sol entibiaron sus heladas mejillas.

Tal y como le había contado Aga a Mary Rose, los preparativos para desmontar el campamento se habían reanudado esa mañana. De nuevo, grupos de personas trajinaban con tiendas plegadas en los trineos, pero, pese al buen tiempo que hacía, todos parecían moverse con cierta lentitud. Nadie corría ni gritaba, los niños se movían con sigilo. Todos ellos sabían que esa marcha tenía implícita una despedida dolorosa y definitiva: el último adiós a Kirima.

Harold y Mary Rose se volvieron hacia la lejana planicie de hielo en la que el cuerpo de la pequeña descansaba, pero la luz rebotaba con tanta intensidad sobre la reblandecida nieve que parecía que estuvieran mirando directamente el sol. Solo consiguieron distinguir un punto oscuro en ese blanco, un punto que se levantaba frente a una fina línea de un azul oscuro tan intenso que solo podía ser el mar; era su casa. Esa también sería una despedida definitiva.

Siguieron avanzando y, al llegar al centro del campamento, vieron que Amak y Ukluk cargaban algunas cajas en un trineo. La foca olisqueó a los grandes perros que esperaban enganchados en los arneses y se escabulló rápidamente a una de las tiendas cercanas. Amak se volvió y, al verlos aparecer, se dibujó en su rostro una sonrisa.

—¡Harold es uno de los mejores pescadores que conozco! —dijo Amak, dando una fuerte palmada en el hombro de Harold.

Mary Rose lo miró sin saber si lo que decía Amak era broma, sobre todo teniendo en cuenta que durante su travesía apenas habían conseguido pescar nada. Amak pareció leerle el pensamiento y señaló a un lado del trineo, donde se apilaban media docena de grandes cajas de madera repletas de bacalaos gordos y relucientes.

—¡¿Todo esto pescasteis?! —exclamó, boquiabierta.

Mary Rose se sorprendió del tono jovial de su voz.

—¡Creo que con esto no hará falta pescar durante un mes! —añadió Ukluk.

Hacía tiempo que Harold no se sentía tan orgulloso. No solo estaba feliz por haber ayudado a pescar esa gran cantidad de peces que servirían para alimentar al poblado durante varios días, sino también por haber acompañado a Amak. Sabía que ese viaje los había unido de una manera muy especial, que desde hacía años no había logrado establecer con nadie; era el lazo de la amistad.

Justo en ese momento salió Aga del interior de la tienda con un pequeño fardo que humeó por el contraste de temperatura. Su pelo se mecía con el viento, caía como dos negras cascadas simétricas y brillaba igual que la seda por el efecto del sol. Mary Rose se sintió algo mejor al ver que la sombra que oscurecía sus párpados era menor esa mañana.

—Esto os irá bien para el viaje —dijo Aga, tendiéndoles el fardo.

Mary Rose lo agarró y percibió el calor que desprendía. Lo abrió con delicadeza y descubrió que dentro había panecillos blancos.

—Muchas gracias —respondió.

Entonces Ukluk ayudó a los señores Grapes a acomodarse en la parte posterior del trineo y él subió a la parte delantera, a la espera de que su padre hiciera lo mismo. Amak cargó una de las cajas repletas de bacalao y, antes de subir al trineo, Aga se acercó a él y lo abrazó. Su rostro se hundió bajo el suave pelaje del abrigo de Amak y respiró hondo. Al ver cómo se abrazaban allí, frente a sus ojos, frente a los ojos de todo el poblado, Mary Rose sintió que su corazón se paralizaba. Con lentitud, se deshicieron del abrazo y, antes de que Amak dirigiera al trineo, volvió a acercarse a Aga y le dio un beso en los labios, un gesto que ni Harold ni Mary Rose se esperaban, pues nunca lo habían visto antes en la pareja.

Finalmente, Amak subió al trineo y, tras una breve despedida de todos los habitantes que se habían agolpado a su alrededor, dio un fuerte silbido y el trineo se puso en marcha con un leve traqueteo de las maderas. Los perros no tardaron en adquirir velocidad y, aunque el poblado quedó atrás rápidamente, la mente de Mary Rose parecía estar aún anclada entre las tiendas del campamento. No podía quitarse de la cabeza el abrazo que acababa de ver entre Amak y Aga. Al igual que ella y Harold, esos dos padres también habían perdido a su hija, pero, pese a ello, en sus miradas no vio rastro de reproche ni culpabilidad. En sus gestos no había rabia ni rencor. Entonces volvió a recordar el venenoso desprecio que había proyectado contra Harold durante esos primeros meses sin Dylan, la silenciosa distancia que había interpuesto entre los dos durante años. Cómo había rechazado con repugnancia el consuelo de su mano, cómo lo había empujado con odio sobre el embarrado suelo del acantilado. Volvió a escuchar el eco de sus palabras llenas de rabia, gritándole que había sido culpa suya que su hijo hubiese muerto esa noche. Mary Rose comprendió que nada de eso le había servido para ahuyentar su dolor, solo le había servido para aislarse de la única persona que la quería de verdad, y además había impedido que sus heridas se cerrasen. Sintió que las lágrimas empezaban a inundar sus párpados y, sin apenas darse cuenta de lo que hacía, se quitó la manopla y, con ternura, cogió la mano desnuda de Harold de la misma forma que él había hecho años atrás durante el funeral de Dylan.

La casa de escarcha

—¡Estamos llegando! —dijo Amak.

Harold y Mary Rose se habían quedado dormidos durante el trayecto y el grito los sacó bruscamente de sus sueños. Al abrir los ojos, se dieron cuenta de que el paisaje y la luz habían cambiado: el sol había quedado completamente oculto tras la negra montaña que habían visto al llegar a aquella inhóspita tierra y había teñido el hielo y el mar de un dorado viejo. Mary Rose se desperezó y se sorprendió al ver lo cerca que estaban de la casa. El color amarillo de sus maderas maltrechas parecía brillar con la luz del atardecer y contrastaba con el blanco que cubría el tejado del porche y de la cubierta de la casa. Pero, al acercarse más, se percataron de que había algo extraño en su forma. El tejado ya no estaba compuesto de dos largas aguas de tejas negras, sino más bien de una mole informe de vigas y fragmentos de pizarra que sobresalían a través de la montaña de nieve que lo había aplastado.

Finalmente, el avance de los perros fue disminuyendo hasta que Amak silbó y el trineo se detuvo a unos quinientos metros.

—¡Ukluk! —exclamó Amak, al tiempo que saltaba sobre el hielo—. ¡Tú te quedarás aquí con el trineo y los perros, y mon-

285

tarás las tiendas para pasar la noche! ¡Volveremos para la cena!

Entonces se acercó a la parte trasera del trineo y sacó unos fardos, que se cargó a la espalda. Harold y Mary Rose también bajaron. Sus huesos estaban entumecidos por el frío y el viaje, pero no les importó. Tras una breve despedida, dejaron a Ukluk montando las tiendas y siguieron a Amak a través del quebradizo hielo.

A medida que iban aproximándose a la construcción, las grietas se hacían más anchas y el sonido del mar arrastrando las placas de hielo, más fuerte. Al llegar frente a la fachada tuvieron la sensación de que la casa estaba esculpida en el hielo que la rodeaba. Los escalones del porche se hallaban cubiertos de cascotes que habían caído del tejado; las columnas presentaban arañazos; la fachada estaba llena de maderas rotas y el pomo de la puerta, recubierto por una capa de escarcha que resplandecía como miles de rubíes con la luz anaranjada del atardecer.

Amak se quedó detrás de los señores Grapes. Sus ojos rasgados parecían algo más abiertos de lo habitual, y Harold reconoció de nuevo la expresión de sorpresa y desconcierto que vio en él la primera vez que vislumbraron la casa desde el campamento.

Se quedaron unos segundos en silencio, oyendo cómo se resquebrajaba el hielo a su alrededor y se separaba lentamente de la banquisa. Harold y Mary Rose se miraron como si no estuvieran seguros de entrar: tenían la sensación de que estaban profanando las ruinas de un templo perdido en el tiempo. Finalmente, Harold levantó la mano y, con dificultad, hizo girar el pomo congelado de la puerta. La escarcha que recubría el metal se agrietó y se pegó en su mano como una costra translúcida. Al empujar la puerta, el hielo que sellaba las juntas del marco se desprendió como una cascada de cristal y se estrelló contra el suelo.

Harold esperaba que al abrir la puerta le golpeara un aire más cálido y viciado, pero no fue así, pues el interior estaba igual de congelado que el exterior. El suelo, las paredes, la escalera y las lámparas permanecían barnizadas por la misma escarcha que recubría la fachada.

Al acceder al recibidor, Harold sintió como si se adentrara en una casa encantada llena de recuerdos atrapados en el tiempo. Amak cruzó el umbral tras la señora Grapes y cerró con cuidado la puerta. Su caminar era lento, pero sus ojos se paseaban nerviosos en todas direcciones, sin saber dónde centrar su atención.

—Es fascinante... —murmuró, a la vez que acariciaba el tronchado pasamanos de la escalera.

Harold y Mary Rose reconocieron en la expresión normalmente imperturbable de Amak el destello de la curiosidad y el asombro, el mismo destello que habían visto brillar en el rostro de Kirima cuando le contaban las anécdotas de su viaje. Mary Rose sonrió al pensar en las miles de preguntas que seguramente les habría hecho con su cantarina voz si hubiese estado allí con ellos.

Entraron en la cocina y Amak dejó el fardo sobre la mesa, que brillaba como una lámina de metal fundido con la luz del atardecer colándose entre los cristales rotos. Toda la cocina parecía chapada con aquella luz dorada y resplandeciente, una luz muy parecida a la de la luciérnaga del sueño de Mary Rose.

—¿Os importa que merodee por la casa mientras vosotros cogéis lo que queráis? —preguntó Amak, recorriendo con los dedos la delgada curva del grifo.

—Estás en tu casa —contestó Harold, recordando las palabras que Aga les había dicho unos días antes—. Y si ves algo que pueda serte útil, llévatelo, seguro que tú le encuentras mejor uso que los peces. A continuación, Harold tomó de la mesa uno de los fardos, ocupado solo por una manta y, acompañado de Mary Rose, volvió al pasillo. Al pasar frente a la puerta abierta que conducía al sótano, la señora Grapes miró a través del hueco de la escalera. La luz apenas conseguía colarse por los ojos de buey del sótano, por lo que los últimos peldaños no se veían. Notó una corriente de aire que ascendía por las escaleras como el aliento de un ser fantasmagórico y entonces recordó la asfixiante pesadilla en la que quedaba atrapada en la casa. Harold se acercó a ella y un escalofrío le recorrió el cuerpo al percibir la corriente helada.

—Está demasiado oscuro para ver nada y... —dijo Harold, volviendo al pasillo— no creo que haya nada importante allí abajo.

Mary Rose se obligó a no pensar más en esos inquietantes sueños y siguió a Harold hasta la sala de estar. Pasaron al lado de algunas cajas de la mudanza que había acumuladas en el recibidor sin apenas detenerse a mirar qué contenían. Al entrar en el comedor, tuvieron la sensación de que estaban en un viejo anticuario lleno de objetos rotos. Mary Rose se acercó al mueble expositor y se preguntó qué sentido tenía aquella enorme vitrina, cuya única utilidad era exponer copas y platos. Harold fue consciente de la ligereza del saco en sus manos, pero no se sintió tentado de llenarlo con las cosas que abarrotaban el espacio por el que deambulaba. Se detuvo junto a un cuadro que había al lado de la improvisada hoguera que habían encendido para no morir congelados. Una fina capa de hollín cubría el cristal y Harold pasó la mano para limpiarlo. Pero, por primera vez después de años mirándolo, no consiguió ver en el paisaje marítimo que representaba ni un ápice de realidad. El color de la puesta de sol, los reflejos de las olas o el volumen de las nubes le parecían exageradamente insulsos y artificiales, muy lejos de su verdadera belleza. Harold pensó en el color de los amaneceres y atardeceres que había contemplado durante la travesía, en las etéreas formas de las auroras boreales que habían danzado sobre sus cabezas y en la perfección de los acrobáticos saltos del delfín. Harold sintió repugnancia por ese cuadro y salió de la habitación.

Mary Rose lo esperaba en el recibidor, delante de la escalera que conducía al segundo piso. Harold la miró y vio en sus ojos el verdadero motivo por el cual estaban allí. Con cuidado de no resbalar por la escarcha que cubría los escalones, subieron hasta llegar arriba y entraron en su habitación.

Pasaron junto a las cajas que se esparcían por el suelo de la estancia sin ni siquiera rebuscar en su interior. Las alfombras, los cuadros, los libros guardados en ellas ahora les parecían viejos trastos que solo servían para ocupar espacio y acumular polvo. Sigilosamente se acercaron a la ventana y, a través de los cristales rotos, observaron el helado paisaje que los rodeaba. La vista había cambiado mucho desde que habían partido en busca de ayuda. La planicie de hielo en la que estaba varada su casa ya no era homogénea como la recordaban, sino que se hallaba repleta de grietas encharcadas. El ruido del hielo al fracturarse atravesaba el cristal con absoluta nitidez. La oscuridad empezaba a cernirse sobre el mundo. No muy lejos de ellos, vieron una luz amarilla. Sin duda, Ukluk había encendido un fuego en el pequeño campamento provisional donde dormirían esa noche. Sabían que no podían demorarse más, tenían que darse prisa y coger el único objeto de toda la casa que aún seguía teniendo sentido para ellos.

Cuando Harold y Mary Rose tuvieron delante la robusta cómoda de tres cajones, volvieron a revivir la última noche antes del desahucio. Con lentitud, Mary Rose abrió el primer cajón y aparecieron las viejas y frías telas de sus antiguos pijamas. Mary Rose levantó con delicadeza las capas de ropa y entonces vieron el pequeño papel cuadrado, protegido por la lana y el algodón. Harold acercó su mano y cogió con cuidado la fotografía. Ese trozo de papel era el mayor tesoro que conservaban, el único objeto que les recordaba un tiempo en el que habían sido felices. Harold lo volteó para ver la imagen que se ocultaba tras el reverso y entonces se detuvo. Un estruendo similar al del rayo que impactó aquella última noche en la casa retumbó en la habitación. Pero no había sido un rayo lo que habían escuchado. De pronto, la casa vibró con violencia y se inclinó hacia un lado, de modo que la gravedad los arrastró al otro extremo de la habitación, hasta que esta volvió a su posición horizontal con otro fuerte empuje. Al momento oyeron el rugido de Amak por el hueco de la escalera.

—¡Daos prisa! ¡La casa se está desprendiendo de la banquisa!

Harold metió la fotografía en el fardo que seguía sosteniendo y bajaron dando tumbos por las resbaladizas escaleras. Mientras, el sonido del hielo y el agua rugía a través de las decenas de aberturas de la casa. Los peldaños rechinaban a su paso y uno de ellos se partió como una tabla seca tras una pisada de Harold. Mary Rose lo sostuvo con fuerza antes de que perdiera el equilibrio y siguieron bajando. Amak los esperaba frente a la puerta abierta con un farolillo encendido que oscilaba peligrosamente. Sin ni siquiera dar un último vistazo a la casa, corrieron por los tablones del porche. Al pisar el hielo se dieron cuenta de que toda la banquisa oscilaba. Las placas de hielo chirriaron. La luz del farolillo revoloteó a su alrededor al son de los pasos de Amak, que brincaba y esquivaba las grietas que se abrían frente a él con agilidad. Al fin, el suelo dejó de temblar y les embriagó un fuerte vértigo; sus cuerpos seguían subiendo y bajando con las placas de hielo. Al alejarse de la casa, no pudieron evitar echar la vista atrás, esperando ver cómo aquella enorme estructura de madera terminaba desenganchándose de la banquisa.

Llegaron al campamento arropados por la oscuridad de la noche. Solo un delicado perfil de luna parecía perturbar los cientos de estrellas que brillaban en el cielo como inalcanzables brasas de plata. Ukluk los esperaba junto al fuego que había encendido frente a dos pequeñas tiendas, el trineo y la jauría de perros, que se removían nerviosos a causa del alboroto.

Harold y Mary Rose apenas probaron el bacalao que Ukluk había cocinado. El improvisado campamento estaba sumido en un silencio tenso, solamente roto por el inquietante crujir del hielo que se escuchaba a lo lejos.

Al poco rato apagaron el fuego y se fueron a dormir. Al día siguiente tendrían que levantarse pronto para volver al campamento y emprender el viaje hacia el norte. Justo antes de entrar en la tienda, Harold y Mary Rose miraron hacia el límite de la banquisa. La luz de la noche era tan pálida que apenas era suficiente para delimitar la línea grisácea del hielo contra el negro del mar. Contemplaron por última vez la casa, sabiendo que cuando despertaran seguramente ya no estaría allí. Esa era la despedida, la despedida final para la que se habían estado preparando. La casa solo esperaba liberarse pronto de la prisión de hielo que la había mantenido atrapada, una prisión como la que durante años los había mantenido atrapados a ellos.

EL VIAJE INACABADO

Al amparo de la diminuta tienda, Harold y Mary Rose encendieron una vela y se acurrucaron cerca de la tenue luz amarilla que desprendía. No se quitaron los abrigos, pues el interior del improvisado refugio no era tan hermético como el que tenían en el campamento.

—¿Crees que tardaremos muchos meses en llegar a San Remo? —murmuró Mary Rose, mirando absorta la dorada llama de la vela.

—Amak dijo que el camino hacia la Gran Brecha es largo, pero una vez allí habrá muchos barcos que puedan llevarnos de vuelta a la isla en poco tiempo.

Mary Rose asintió, ensimismada.

—¿No tienes ganas de volver? —preguntó Harold, observando con preocupación a su esposa.

—No, no es eso —respondió, levantando la vista hacia el techo de piel, que ondulaba por el viento—, simplemente no sé cómo será volver a nuestra antigua vida.

—Sí, yo también pienso en ello...

—Esta tarde —dijo Mary Rose—, creía que al entrar en la casa y ver de nuevo todas nuestras pertenencias sentiría nostalgia. Pensaba que después de varios meses durmiendo en el suelo y comiendo en un cazo echaría de menos nuestras comodidades. Pero, en lugar de eso, he sentido indiferencia. ¿Para qué necesitábamos toda esa cubertería cuando podíamos vivir con una sola cuchara? Este saco podría estar lleno —prosiguió, mientras miraba el fardo que habían traído de la casa—. Lleno de libros, de ropa, de colchas, de barcos embotellados o de tenedores relucientes, pero sigue vacío.

—¿No crees que ya es tarde para lamentarse?

—No me lamento porque el saco esté vacío, Harold. ¡Me alegro de ello! Al llegar aquí pensé que la vida de estas personas era miserable y triste, moviéndose constantemente de un sitio a otro con el único objetivo de sobrevivir. ¡Pero ahora me doy cuenta de que éramos nosotros los que estábamos viviendo una vida miserable y triste! Ojalá hubiese personas como Amak y Aga en la isla. Los echaré mucho de menos.

Harold asintió lentamente.

—Yo también los echaré de menos, Rose —dijo—. ¡Aún no me hago a la idea de que ese hombre chillón de mirada agresiva haya podido convertirse en tan gran amigo!

—Nunca olvidaré el día que entraste en la tienda escoltado por Amak y los otros dos muchachos —recordó Mary Rose—. ¡Tendrías que haber visto tu cara de terror!

Harold frunció el ceño.

—¡Si te hubiesen gritado como a mí, seguro que lo entenderías!

Mary Rose se rio y, al escucharse, le costó reconocerse.

—Tuvimos suerte de que Aga se pusiera de nuestra parte y dejara que pudiéramos contarles nuestra historia.

—Sí... ¡Aún recuerdo la cara de recelo con la que todos nos miraban! Creo que la única persona que no pensaba que estuviésemos locos era Kirima.

Entonces, al pronunciar ese nombre, una ráfaga de viento sacudió la entrada de la tienda y penetró en ella un aire gélido que hizo parpadear la llama de la vela. Harold se acercó a la entrada y aseguró la tela para que el aire no siguiera filtrándose, mientras Mary Rose cogía el fardo y sacaba la manta que había en él para echarla encima de sus piernas. Al hacerlo, la fotografía cayó sobre su regazo. Mary Rose la tomó con delicadeza y la volteó para ver la imagen, de colores ligeramente lavados por el paso del tiempo. Los dos miraron embelesados esa escena que tantas y tantas veces habían observado a lo largo de los años, pero que ahora, con esa oscilante luz que los arropaba, era como si la estuviesen viendo por primera vez.

—Creo que nunca ha habido un verano tan caluroso como aquel... —murmuró Mary Rose, pasando un dedo sobre el borde de la imagen.

Harold suspiró y asintió. Parecía que el frío que se había colado en la tienda se disipara al rememorar el sonido de las chicharras entre los viejos maderos del astillero, el sudor que le caía por la frente y la agradable brisa del mar dándole un respiro al sofocante ambiente.

—Recuerdo que nos pasamos todo ese día barnizando la cubierta —dijo Harold.

—Creía que nunca acabaríamos. ¡Parecía interminable!

Harold centró su atención en el pequeño fragmento de cubierta que se veía en la fotografía. El sol del atardecer incidía sobre la madera humedecida por el barniz y la hacía brillar como el cristal.

—Me parece que aún puedo sentir el roce del pincel al deslizarse sobre los tablones y el olor a barniz —añadió Harold casi para sí mismo. Entonces se detuvo y dejó que una sonrisa se dibujase lentamente en su rostro—. ¡Cómo nos reímos cuando te sentaste sin querer sobre una de las tablas recién pintadas!

Mary Rose sintió como si ese recuerdo hundido en lo más hondo de su ser emergiera después de años atrapado bajo la arena.

—¡Lo había olvidado por completo! —exclamó, sonriendo con añoranza.

—¿En serio? —dijo Harold, sorprendido—. ¡Pero si estuvimos riéndonos de tu vestido manchado durante días!

Entonces los dos se echaron a reír como hacía tiempo que no ocurría. Mary Rose recordó cómo resonaban las carcajadas de Harold y Dylan entre los viejos maderos del astillero y su grito de sorpresa al comprobar que no le estaban gastando una broma. Volvió a recordar también el sonido de su propia carcajada.

—¡Me lo quité y, al intentar frotarlo con el agua del mar, aún lo empeoré más! —apuntó, sin poder parar de reír.

—¡Y al final acabamos todos en el agua! —añadió Harold, mirando con nostalgia el cabello mojado de todos ellos.

Mary Rose recordó que aquel baño les ayudó a mitigar el calor y cómo Dylan intentaba atrapar torpemente alguno de los pececillos que le hacían cosquillas en los pies desnudos. Entonces se detuvo en los grandes ojos azules de Dylan, que miraban a cámara sonrientes, llenos de vida e ilusión, y volvió a pensar en Kirima.

—A Kirima le hubiese encantado escuchar esta historia... —dijo Mary Rose.

Imaginó la cara de sorpresa que habría puesto la niña al escucharlos y las decenas de preguntas que les habría hecho al ver la vieja fotografía.

—Si no hubiese sido por Kirima, ahora no estaríamos aquí —apuntó Harold.

Mary Rose asintió con lentitud al pensar en la sonrisa de Kirima, pero en lugar de dolor o melancolía, sentía agradecimiento. Agradecimiento por haber tenido la oportunidad de conocerla, de haber podido compartir ese tiempo juntos.

—Nos dio una segunda oportunidad para vivir —susurró.

Entonces Harold notó como si esa frase hubiese tenido el poder de resquebrajarlo como el sol hacía con el hielo, pero Mary Rose no se dio cuenta, pues estaba demasiado absorta en la imagen que sostenía entre los dedos.

—Ayer por la noche hablé con Aga sobre Dylan —dijo Mary Rose—. No conocía la historia, pero parecía intuirla. Al principio no supe cómo reaccionar ni qué decirle. Me sentía incapaz de contarle nada a una madre que había perdido a su hija tan recientemente. Pero su mirada era tan diferente a la mía... Era una mirada serena, tranquila... No culpaba a nada ni a nadie. Era una mirada valiente, una mirada que había aceptado el dolor y el vacío que había dejado su hija.

Mary Rose hizo una pausa mientras Harold la miraba con atención, observando el ligero titileo que hacía la llama de la vela sobre sus grandes ojos verdes.

—Fui estúpida e injusta contigo, Harold... —continuó al fin—. Al hablar con Aga, comprendí que toda la ira que acumulé durante esos años solo sirvió para aislarme más en el dolor y alejarme de tu consuelo. Sin darme cuenta, creé un mar entre nosotros. —Entonces levantó de nuevo el rostro y miró a Harold a los ojos—. Te pido perdón, no tenía derecho a culparte de su muerte, como si tú no hubieses perdido también a tu hijo. Los dos lo perdimos.

Harold soltó el aire que parecía acumular desde hacía largo rato y cogió la fotografía, pensativo.

—No fuiste tú ni la gente del pueblo quien me culpó, Rose... Fui yo mismo.

Harold se detuvo un momento dejando que el retumbar de las pieles y el débil crepitar de la vela llenasen la estancia.

—Ayer, durante la pesca, Amak me hizo una pregunta que me desconcertó —dijo con voz queda—. Me preguntó por qué habíamos decidido no zarpar. Durante todos estos años creí que habíamos desmantelado el barco porque eso era lo correcto, porque sin Dylan nuestro sueño no tenía sentido. —Harold volvió a hacer una leve pausa, como si necesitara coger aire antes de sumergirse en un lugar más profundo—. Pero ahora comprendo que nada de lo que nos decíamos era verdad, Rose... Construimos esa casa por miedo. No por miedo a olvidarnos de él, sino por miedo a seguir con nuestras vidas, por miedo a cumplir nuestros sueños. Tuvimos miedo de la posibilidad de volver a ser felices sin él.

Entonces Harold rompió a llorar y Mary Rose lo abrazó, llorando también. Sus cuerpos empezaron a tiritar y a sacudirse como si por fin se liberaran del yugo que se habían autoimpuesto durante todos esos años. Era el yugo de la culpa y el dolor, era el yugo de la ira y el reproche, era el yugo del miedo, que se desmenuzaba como un hierro corroído por la abrasadora agua salada de sus lágrimas, por la abrasadora agua de mar.

—Siento haberle fallado... —balbuceó Harold.

Mary Rose deshizo su abrazo y miró a Harold con la vista entelada por las lágrimas.

—Le fallamos los dos, Harold —dijo la señora Grapes—. Le fallamos al haber permitido que nuestro dolor apagara su luz, por haber convertido su recuerdo en el ancla que puso fin a todos los sueños que compartíamos.

Entonces la brecha para entrar a la tienda se abrió con un fuerte golpe de viento y la luz de la vela se apagó. La oscuridad se hizo total y el penetrante olor de la mecha quemada inundó el reducido espacio. Harold tanteó el suelo y no tardó en encontrar la caja de cerillas. Cogió el bastoncillo de madera y lo rasgó con fuerza contra el lomo de la caja. Al instante, una luz chisporroteó en el aire y la cerilla prendió, con lo que los regueros de las lágrimas que surcaban sus mejillas brillaron. Mary Rose sintió que algo se rompía en su interior al ver la pequeña llama de la cerilla centellear en las pupilas de

Harold de la misma manera en que lo hacían las luciérnagas sobre los azules ojos de Dylan. Fue como si de repente volviera a soñar, recordando aquella noche de verano en la que le regaló el tarro de mermelada a su hijo. Escuchó su risa y notó sus besos en la cara. «¡Así, cuando zarpemos, podrán iluminar las noches más oscuras de nuestro viaje!», dijo, saltando de alegría a su alrededor. Y entonces, esas palabras, a las que durante años no había dado ninguna importancia, cobraron sentido para ella, como si al fin hubiese encontrado la pieza perdida de un puzle incompleto, de una idea que nunca antes se había planteado. Ahora esas palabras resonaban en su cabeza con una lucidez que la aterrorizó.

Mary Rose cerró los ojos, intentando sacarse aquella idea de la cabeza, pero le era imposible, ya no había vuelta atrás. Todo su cuerpo luchaba contra la sospecha que inundaba su mente y el dolor que le producía en el corazón. El viento volvió a sacudir la tienda y, al abrir de nuevo los ojos, vio que la llama de la cerilla oscilaba en los ojos de Harold, como si implorasen que dijera aquello que de alguna manera parecían saber. Mary Rose cogió aire con lentitud y habló.

—Tal vez... —comenzó a decir, como si cada una de aquellas palabras atentara contra ella misma, contra el sentido de toda su vida. La llama de la cerilla volvió a titilar y su luz se hizo algo más tenue, mientras se consumía poco a poco. Mary Rose hizo acopio de fuerzas y lo dijo—: Tal vez nos equivocamos, Harold.

—Sí —admitió Harold, al fin con una sólida convicción—. Y ahora lo veo claro. —Pero entonces hizo una pausa y suspiró, como si aceptarlo también le representara un terrible esfuerzo—. No hemos vivido estos últimos meses a la deriva —continuó diciendo sin apartar la mirada de su esposa—. Llevamos haciéndolo desde el día en que dejamos que su muerte pusiera punto y final a nuestros sueños. Desde el día en que permitimos que el miedo y el resentimiento ocuparan el vacío que había dejado en nuestras vidas. Desde el día en que dejamos que la luz que nos había guiado se apagara. Esa noche no solo perdimos a un hijo, Rose, nos perdimos a nosotros mismos.

Una lágrima cayó sobre la fotografía. La señora Grapes miró la imagen y entonces se fijó en algo que no había visto hasta entonces: las luciérnagas. Había decenas de ellas danzando alrededor de los tres como motas de polvo en suspensión, iluminando el armazón del barco que se levantaba a sus espaldas.

—Nuestro destino no era construir esa casa —prosiguió Harold—, sino subir a ese barco.

La lágrima siguió resbalando por la fotografía y finalmente se detuvo en el rostro de Dylan, quien, sonriente, miraba a cámara con sus grandes ojos, llenos de vida e ilusión.

—Dylan no hubiese querido ver cómo nuestras vidas se perdían en un mar de remordimientos. No podemos permitirnos seguir cometiendo los mismos errores que durante todos estos años, no podemos seguir varados en el miedo y en el pasado. Debemos recuperar el rumbo de nuestras vidas. Se lo debemos a él y nos los debemos a nosotros mismos.

Entonces la llama de la cerilla parpadeó y, justo antes de que la oscuridad volviera a engullirlos de nuevo, Mary Rose acercó la vela y la mecha prendió. La estancia quedó iluminada por una luz mucho más intensa.

Mary Rose se fijó en los profundos ojos azules de Harold, que la observaban de una forma extraña, una forma que creía olvidada pero que reconoció de inmediato: era la misma mirada que iluminaba el rostro de Kirima cada vez que le contaban alguna historia. Era la misma mirada que iluminaba el rostro de Dylan al liberar las luciérnagas frente a su ventana. Era la misma mirada que desprendían las tres personas que aparecían en esa vieja fotografía que tenían frente a ellos. Era una mirada inocente y valiente, libre del peso del pasado y la incertidumbre del futuro. Una mirada llena de la ilusión de los soñadores y de la convicción de los que no se rinden. Era una mirada resplandeciente y lúcida, la mirada de quien abraza la vida con todas sus consecuencias. Una mirada llena de luz, la misma luz que se mecía en el tarro de cristal que Dylan sujetaba cada noche sentado en la barca al volver del astillero. La misma luz que iluminaba las hortensias que crecían en su ventana y que ahuyentaban la oscuridad que intentaba colarse en su habitación.

Esa luz iluminaba los rostros sonrientes de aquella pareja de jubilados, que, treinta y cinco años más tarde, volvían a mirarse como si todo fuera posible, como si todo el dolor, el miedo y el rencor que había arraigado en ellos se desprendiera de sus corazones y les permitiera, por fin, volver a sentir la libertad de navegar sin ataduras. Los señores Grapes entrelazaron sus cuerpos y se fundieron en un profundo abrazo.

—Es hora de empezar a vivir.

El deshielo

Los perros empezaron a ladrar, histéricos. Amak abrió los ojos en la oscuridad de su tienda y se incorporó con un sobresalto. Al hacerlo, todo su cuerpo se agitó, la tienda y el mundo entero. Rápidamente despertó a Ukluk y salió a trompicones de la tienda. Apenas amanecía en el exterior y, al pisar el hielo que los rodeaba, entendió qué estaba ocurriendo. La placa de hielo en la que habían instalado el campamento se estaba resquebrajando, desprendiéndose del resto de la banquisa.

—¡Ata los perros al trineo! —gritó Amak al ver que Ukluk salía de la tienda tambaleándose, los ojos desorbitados por el terror—. ¡Tenemos que irnos antes de que esto se hunda!

Dio unos pasos adelante y resbaló. La placa de hielo se bamboleaba como un barco zarandeado por el oleaje. Consiguió levantarse y corrió hacia la tienda en la que dormían los señores Grapes. Entonces el suelo atronó y una grieta serpenteó a su lado al tiempo que lanzaba cristales de hielo y agua pulverizada.

—¡Harold! ¡Mary Rose! —gritó, sintiendo cómo sus pulmones se hinchaban al máximo.

Siguió avanzando, pero la placa de hielo se inclinó y lo desestabilizó; a punto estuvo de caer al agua, que se revolvía rabiosa a su alrededor. Miró un momento hacia atrás y vio que Ukluk ya había atado los perros al trineo.

—¡Llévatelos de aquí! —gritó—. ¡Ahora vuelvo!

Ukluk lo miró no muy convencido, pero no se opuso. El hielo sobre el que descansaba el trineo también se estaba resquebrajando y no podía perder tiempo. Amak saltó y cayó frente a la tienda de los señores Grapes.

—¡Harold! ¡Mary Rose! —volvió a gritar, desesperado.

Entonces se asió a la piel de la tienda y entró atropelladamente. Lo que vio, o más bien lo que no vio, lo dejó paralizado: Harold y Mary Rose no estaban allí, habían desaparecido, al igual que su fardo. Amak se disponía a salir cuando vio un papel en el suelo, entre las pieles. Lo cogió y leyó una nota escrita:

Gracias por ayudarnos a recordar cuál era el propósito de nuestro viaje.

Nunca más lo volveremos a olvidar.

Harold y Mary Rose Grapes

Amak le dio la vuelta a la nota y vio que en el reverso había un dibujo. No, no era un dibujo, era una fotografía. En ella aparecía una pareja junto a un niño de cabello castaño y ojos azules frente a un barco a medio construir; el mismo color de pelo que la mujer y el mismo color de ojos que el hombre. Amak reconoció esas facciones rejuvenecidas de inmediato y salió corriendo de la tienda justo antes de que el hielo que la sostenía se partiera y fuese tragada por las frías aguas de la banquisa. Saltó sorteando las grietas y haciendo equilibrios para no caer al agua, hasta dar de bruces junto al trineo en el que su hijo Ukluk y los perros esperaban seguros. Y allí tendido, sobre el hielo, vio cómo una casa de madera recubierta de escarcha que resplandecía con la luz rosácea del amanecer se alejaba velozmente hacia mar abierto.

Un último adiós

Harold y Mary Rose se apoyaban en la barandilla del ruinoso porche mirando en silencio cómo el oscuro mar iba ensanchando la distancia entre ellos y la tierra esculpida en hielo que empezaban a dejar atrás. A su alrededor, cientos de fragmentos de hielo flanqueaban su avance como centinelas fieles y tranquilos que, como ellos, abandonaban la seguridad de la tierra firme para adentrarse en la libertad del mar abierto. Una luz mortecina empezó a emerger en el cielo para borrar delicadamente las estrellas que seguían brillando sobre sus cabezas y teñir de violeta el hielo de la banquisa. Avistaron los dos pequeños refugios de piel que Ukluk había levantado para pasar la noche. Aún podían distinguir las ascuas del fuego y el trineo, con el grupo de perros durmiendo alrededor. De repente se les hizo extraño que, tan solo unos minutos antes, también ellos hubiesen formado parte de ese pequeño mundo, un mundo que, lentamente, dejaban atrás para siempre.

Entonces, las pequeñas siluetas de Amak y Ukluk surgieron de uno de los caparazones de piel y, tras unos minutos de incertidumbre, se alejaron del improvisado campamento para adentrarse unos cientos de metros en la banquisa. Finalmente, ambos se detuvieron y volvieron sus cuerpos hacia el mar, mirando en su dirección. Harold y Mary Rose no dudaron en mover sus brazos efusivamente. Las dos figuras se quedaron inmóviles, pero entonces también ellos agitaron los brazos.

El viento sopló con más fuerza, pero Harold y Mary Rose no se movieron ni un ápice del porche. Seguían agitando los brazos con la alegría y la euforia de quien empieza un ansiado viaje; conscientes de que esa sería la última vez que los verían. Era su despedida final, así que no dejaron de mover los brazos, pese a que las siluetas de Amak y Ukluk se empequeñecían cada vez más. Entonces, un silbido largo e intenso llegó a sus oídos. Era el inconfundible silbido que Amak profería cuando quería que la jauría de perros se moviera, pero esta vez eran ellos los que marchaban al son del viento. Harold le devolvió el silbido. El viento, imparable, les hacía avanzar rápido sobre el oleaje, bajo el movimiento incesante de las nubes. Harold sintió una profunda gratitud hacia Amak por todo lo que le había enseñado. Sabía que nunca más volvería a verlo, pero no sentía angustia por ello; sabía que, por muy diferentes que fueran sus caminos, por más kilómetros que los separasen, la amistad que habían forjado con ese hombre era algo imposible de perder. Al final, las dos figuras desaparecieron, tragadas por la lejanía y la enmarañada red de grietas que recorría la banquisa. El rojizo sol empezó a extender sus tentáculos sobre los picos de las montañas más lejanas y, tras una de sus heladas laderas, vieron cómo un hilo de humo gris trepaba hacia el temprano cielo. Harold y Mary Rose no tenían dudas de que el humo procedía del lugar en el que habían vivido durante los últimos meses, donde les habían dado cobijo y alimento y les habían curado las heridas. Mary Rose siguió con la mirada el serpenteante humo gris y entonces pensó en Aga. Pensó en que seguramente la mujer acababa de levantarse para cocinar las gachas que durante meses habían desayunado alrededor del fuego. En pocos minutos se pondría al mando del poblado para organizar los preparativos del traslado del campamento. Mary Rose sintió un ligero resquemor al comprender que no se había despedido de ella, pero esa sensación rápidamente se transformó en la misma serenidad que desprendían los ojos de Aga y la misma fortaleza que transmitían sus gestos. Y, aunque sabía que era poco probable que alguien del campamento viera cómo la casa se alejaba, volvió a mover la mano en esa dirección. Mary Rose se despedía de Aga, se despedía de todas las personas que seguramente ya estarían cargando los últimos enseres en los trineos, esperándolos para dirigirse hacia el norte. Mary Rose sonrió al pensar en la sorpresa que se llevarían cuando descubrieran que solo Amak y Ukluk volvían al campamento, cuando supieran que esa pareja de peculiares forasteros a los que habían acogido aquellos últimos meses había decidido zarpar con su vieja y ruinosa casa en lugar de viajar con ellos hacia el norte para volver a la isla.

«Volver a la isla», se repitió Mary Rose al ver cómo el humo empezaba a disiparse. Entonces recordó el rastro de humo que habían visto ascender en esa misma dirección meses atrás, cuando la casa quedó varada, cuando su único objetivo era ser rescatados de la deriva a la que habían sobrevivido y volver a San Remo.

Al fin, toda esa gigantesca tierra de roca, hielo y nieve se fundió en la distancia. Apenas se apreciaba la llanura, que les hizo pensar inevitablemente en la pequeña Kirima. Harold y Mary Rose habían dejado de mover los brazos hacía un rato, pero en el interior de sus mentes no habían dejado de hacerlo. Decir adiós a esa yerma tierra helada significaba también despedirse de Kirima. Mary Rose ya no volvió a pensar en el oscuro fardo que contenía su cuerpo, ni Harold en la pesada

EL TARRO DE MERMELADA

Harold se despertó al escuchar un tintineo de cristal. Al abrir los ojos, se sintió confundido por un momento. Esperaba encontrarse con la oscuridad de la tienda de piel en la que había dormido durante meses, pero en lugar de eso vio el resquebrajado techo de su habitación. Cerró de nuevo los ojos para oír mejor el rumor del mar y notar cómo el suave vaivén del oleaje lo acunaba rítmicamente. Respiró hondo y, al hacerlo, volvió a escuchar el débil repiqueteo del cristal. Abrió los ojos y miró hacia la ventana de la habitación, que permanecía parcialmente tapiada por una gran manta que ondeaba al son de la brisa que se colaba entre sus pliegues. A su lado percibió la respiración plácida y relajada de Mary Rose. Harold se dio la vuelta y, al observarla, se sintió abrumado por su belleza. La luz rosácea del amanecer proyectaba sobre ella una pátina sobrenatural, que perfilaba su estrecha nariz con exquisitez y pintaba sus labios de un intenso carmín. Su pelo castaño, salpicado de canas, parecía arrancar destellos dorados, caía en delicados mechones sobre su frente y enmarcaba sus perfectos pómulos. Con suavidad, Harold se acercó a ella, le besó la frente y sintió el calor de su piel. La señora Grapes suspiró profundamente y en la comisura de sus labios se dibujó una sutil sonrisa.

Con cuidado de no despertarla, se levantó de la cama y se dirigió hacia la ventana. Apartó ligeramente la manta que impedía que el aire gélido se colase en la habitación y miró a través de los cristales rotos. Ante él vio cómo el sol, rojo y gigantesco, surgía del mar como una enorme brasa incandescente. Tanto el mar como el cielo estaban teñidos por una homogénea luz anaranjada y roja que se extendía hasta el infinito. Harold se fijó en que a su alrededor ya no había rastro de grandes placas de hielo, solo pequeños remanentes, esparcidos como pétalos de una flor marchita. La propia casa había perdido gran parte del hielo que se adhería como una costra en la maltrecha fachada y solo conservaba una fina capa de nieve, que se amontonaba como azúcar sobre la roca. Harold volvió a escuchar el tintineo del cristal y entonces comprendió que el sonido no procedía de la ventana rota por la que se asomaba, sino del piso inferior.

Bajó con precaución los escalones resquebrajados y llegó al piso inferior. Allí el sonido se hacía más perceptible, una resonancia frágil que le recordó el ruido que hacen los cristales de una lámpara de araña cuando chocan entre sí. Avanzó guiado por el sonido hasta detenerse frente a la puerta entreabierta del sótano. Harold la abrió y, al hacerlo, aspiró el olor a humedad que subía por el hueco de la escalera. Entró en el rellano y descendió la escalera lentamente. Enseguida el agua helada mojó sus pies desnudos. Esa sensación lo transportó al primer día en que despertaron flotando en medio del mar, cuando bajaron esas mismas escaleras y vieron que se estaban hundiendo. Pero, a diferencia de ese día, Harold continuó bajando los escalones sin vacilar, incapaz de recordar la angustia y el terror de ese momento. Ahora, al pensar en ese día, solamente sentía el empuje que Mary Rose había ejercido contra el tablón para que él pudiese afianzar los clavos, cómo el aire llenaba sus pulmones satisfechos y, sobre todo, el orgullo de saber que habían sido capaces de no perder la calma y ponerse a trabajar juntos para salvar sus vidas.

Harold siguió descendiendo a través del agua que inundaba el sótano hasta que sus pies tocaron el suelo. El agua le llegaba hasta la cintura, y entonces, con la débil luz que se colaba a través de los ojos de buey, descubrió de dónde procedía aquel frágil sonido que una y otra vez tintineaba en sus oídos.

Decenas de botellas de diferentes medidas con los diminutos barcos que había fabricado durante años flotaban y chocaban unas contra otras, hundiéndose y volviendo a emerger como medusas translúcidas. Una de las botellas le rozó el costado y, con delicadeza, la agarró para observarla de cerca. La luz rosácea que se colaba a través de las ventanas redondas iluminó el cristal transparente y resquebrajado, y entonces se percató de que lo que sostenía no era una botella, sino un tarro grande de mermelada de uva: era el tarro que usaba su hijo para atrapar las luciérnagas y después liberarlas frente a la ventana, el mismo tarro que recuperó del mar y en el que construyó una réplica casi perfecta de su barco más preciado, el barco que habían estado construyendo en el viejo astillero de San Remo, el barco al que nunca habían puesto nombre.

Harold se acercó más al cristal y sonrió al contemplar la fiel reproducción del casco, que avanzaba por un mar de resina teñida de azul, así como las diminutas poleas que tensaban las cuerdas de las velas hinchadas por un viento imaginario. Harold recordó el momento en que empezó a construirlo, el primero de muchos. Pero entonces su sonrisa se desvaneció y lo embriagó una profunda sensación de asfixia al notar la presión del cristal que rodeaba el armazón del barco; al percibir el movimiento de su casco, eternamente congelado en ese mar de plástico falso. Entonces Harold reparó en las botellas que flotaban a su alrededor, como peces moribundos que dan sus últimas bocanadas, en la cantidad de horas que había pasado encerrado en ese oscuro sótano, aislado del mundo real para construir mundos ficticios protegidos tras gruesos cristales, y sintió que se ahogaba.

Cogió uno de los cajones de su vieja mesa de trabajo y lo llenó con los barcos embotellados que flotaban por el sótano. Con sumo cuidado, subió las escaleras y salió al exterior. Se sentó en el único peldaño del porche que había permanecido intacto y apoyó el pesado cajón sobre sus rodillas.

Harold aspiró la fría brisa marina para quitarse el olor viciado del sótano, que se le había adherido a la nariz. Con delicadeza, tomó el barco que presidía la montaña de botellas y lo lanzó al agua. La botella desapareció tragada por el oleaje, pero un segundo más tarde volvió a emerger con fuerza, oscilando como un verdadero barco a punto de zozobrar.

Harold lanzó otro y después otro, hasta que solo quedó un barco en el cajón de madera que reposaba sobre sus rodillas. Y justo cuando estaba a punto de cogerlo, escuchó un crujido de madera a su espalda. Se giró y vio a su esposa, que, sin decir nada, se sentó a su lado. Mary Rose pasó los dedos sobre el reluciente tarro de cristal y sonrió al reconocer la diminuta réplica de su propio barco.

—Hagámoslo juntos —murmuró Harold.

Entonces, cada uno sujetó un extremo del recipiente, resquebrajado, y, tras un último vistazo, lo lanzaron al agua. Como el resto de botellas, el tarro de mermelada se hundió en el agua para después volver a emerger dando un leve salto sobre el oleaje. Harold asió la mano de Mary Rose entre las suyas y los dos se quedaron allí sentados, en silencio, mirando cómo los barcos se alejaban lentamente de ellos. Harold volvió a llenar su pecho con el aire fresco de la mañana y se sintió liberado, no solo de la asfixia que se había apoderado de él en el sótano, sino, sobre todo, de la burbuja de cristal en la que durante años se había resguardado, creyendo que lo aislaría del dolor cuando en realidad lo que había hecho era mantenerlo atrapado en él. Una burbuja de miedo que le había impedido sentir la verdadera brisa del viento y el genuino movimiento del mar. En el interior de aquellas botellas, Harold había confinado durante años sus sueños y su libertad, una libertad que, como los pequeños barcos que ahora se alejaban poco a poco, nunca más volvería a encerrar. Porque habían decidido ser libres.

Cepas y hortensias

Mary Rose se levantó de la silla que había instalado en el porche trasero y se acercó a la barandilla. Su mirada se paseó en las oscuras nubes de tormenta que empezaban a teñir el mar de gris, sintiendo el balanceo de las olas y el chirriar de las maderas bajo sus pies. La brisa era fresca pero no fría. La temperatura había cambiado lentamente, y los peludos abrigos que Amak y Aga les habían regalado habían dejado de ser necesarios. Pescar ya no les resultaba un problema sin el hielo del mar y el manto de nieve que se había acumulado sobre la roca circundante se había fundido, dejando al descubierto pilas de escombros que habían caído del tejado y que ahora aplastaban las yermas cepas.

Un destello de luz iluminó el espeso manto de nubes y, un segundo después, Mary Rose escuchó el retumbar del trueno reverberando a través del plateado mar. Entonces pensó en la noche de tormenta en San Remo de Mar, cuando el rayo impactó contra el tejado y abrió un boquete en el jardín, cuando la casa se precipitó hacia el mar. Pero, a diferencia de aquella noche, Mary Rose no estaba inquieta ni preocupada.

Entonces una fría gota de lluvia cayó sobre su mejilla. Aspiró por última vez la fresca brisa que removía su pelo y entró en casa.

Al cerrar la puerta, escuchó el aullido del viento, como un espíritu inquieto, a través de los resquicios abiertos que había por toda la casa. Mary Rose avanzó a través de la grisácea luz que teñía la estancia, escuchando cómo los fragmentos de yeso que se habían desprendido del techo, resquebrajado, crujían bajo sus pies. Al llegar frente al umbral que llevaba al pasillo, se detuvo. Mezclándose con el aire puro y húmedo de la tormenta había un olor extraño, un olor que la perturbó. Mary Rose volvió su mirada hacia la penumbra de la cocina y empezó a caminar de nuevo hacia el centro de la sala. A medida que avanzaba, el olor parecía hacerse más presente, más sólido. El rastro la guio hacia la ventana rota que había sobre la encimera. Observó los cascotes que se acumulaban sobre el mármol, hasta detenerse sobre una estantería que yacía tumbada boca abajo. Se aproximó al mueble y, al hacerlo, percibió que ese extraño tufo surgía de su interior. Mary Rose levantó un extremo de la estantería y, con cuidado, la dejó caer sobre una pila de platos rotos que había a un lado. Entonces, un fuerte olor a putrefacción golpeó su nariz. Durante unos segundos permaneció inmóvil, aturdida. Eran las tres macetas con hortensias lo que había descubierto bajo el improvisado sepulcro de madera que las cubría.

Aquellas eran las tres únicas hortensias que se habían mantenido unidas al fragmento de roca junto a las cepas baldías y que después había trasplantado en esas macetas descantilladas. No tenía dudas de que esas plantas llevaban mucho tiempo muertas; las había matado el frío de la banquisa, un frío que durante meses las había preservado como momias embalsamadas, pero que con el calor habían comenzado a pudrirse. Mary Rose se acercó más a ellas y observó que ahora sus robustos tallos eran ramas secas como espantapájaros abandonados, incapaces de sostener el peso de los exuberantes pompones que un día los habían coronado. Pompones sin color, cubiertos por una capa de velludo moho gris que crecía por toda la superficie y que se hundía en la cuarteada tierra seca en la que aún permanecían enraizados. Mary Rose acercó con lentitud la mano a la base de una de las flores y sintió cómo su tallo cedía con facilidad bajo la presión de sus dedos. La flor se desprendió del resto de la planta y sus pétalos negros se desintegraron como fino hollín.

Dejó sobre la yerma tierra lo que quedaba del pétalo descompuesto y recordó el día que empezó a plantar las primeras hortensias alrededor de la casa recién construida, unas hortensias que había trasladado directamente de la maceta de la ventana de Dylan, donde cada noche revoloteaban las luciérnagas. Durante años, Mary Rose había creído que el brillante color de las hortensias la había ayudado a hacer más llevadera la pérdida de su hijo, a recordar esa luz dorada y tan llena de vida, pero ahora sabía que no era así. Al observar aquellas flores, Mary Rose sintió el peso del pasado oprimiéndola de nuevo, drenando, al igual que hizo con las cepas, hasta la última gota de vida. Aquellas hortensias nunca habían propagado otro olor que el de la muerte, no eran sino las flores funerarias que una y otra vez había plantado frente a la gigantesca tumba de su hijo; frente al mar. Mary Rose no sintió pena por aquellas hortensias muertas, ni tampoco por todas las hortensias que había plantado a lo largo de su vida, porque comprendió que lo que realmente había matado aquellas flores no había sido el frío o la falta de agua: aquellas hortensias habían muerto porque ya no tenían el dolor, la añoranza y el rencor que las había alimentado durante treinta y cinco años.

Entonces miró por última vez las plantas muertas y, con valentía, las arrancó de cuajo. Una por una, escuchando cómo sus tallos se partían como paja bajo sus fuertes dedos, viendo cómo los oscuros pétalos se convertían en polvo y sintiendo cómo finalmente aquellas raíces dejaban de nutrirse de la muerte. El fétido olor que desprendía el seco ramillete que tenía entre sus dedos llenos de tierra baldía era insoportable. Volvió la mirada hacia el extenso mar gris que se recortaba tras la ventana y, con decisión, las lanzó a través del cristal roto.

El ramillete de flores podridas cayó sobre los escombros del tejado, descomponiéndose en fina ceniza que el viento de la tormenta esparcía sobre el mar. La lluvia empezó a caer fina y fresca, limpiando los últimos rastros de polvo y dejando al descubierto dos tiernos y verdes brotes que luchaban por sobresalir en una de las cepas aplastadas. Porque, al fin y al cabo, no habían sido ellos los únicos en esperar treinta y cinco años para renacer.

LA AVENTURA DE TODA UNA VIDA

Harold y Mary Rose no habían podido pegar ojo en toda la noche. La lluvia que había caído a media tarde se había convertido rápidamente en una violenta tormenta, así que habían pasado todas esas horas de sueño achicando agua, cubriendo ventanas y vigilando que ninguno de los muebles que se deslizaban por la casa como canicas en una caja de cartón los aplastara. Pero cuando el sol empezó a asomar entre los gruesos nubarrones, la lluvia amainó lo suficiente como para que los señores Grapes se dejaran caer sobre la cama y se quedaran dormidos, agotados por el esfuerzo de toda una noche de duro trabajo.

Ya era mediodía cuando Harold y Mary Rose por fin se despertaron. Al ponerse de pie, comprobaron que los estragos de la noche habían pasado factura a sus viejos cuerpos. En la habitación hacía calor, así que empezaron a rebuscar entre las cajas algo de ropa más ligera; con cada movimiento notaban punzadas y agujetas en todos sus fatigados músculos y articulaciones.

Harold encontró un par de pantalones cortos y una vieja camisa de manga corta. Se acercó al quebrado espejo para abotonarse la camisa y entonces se detuvo.

—Creía que lo habías perdido... —dijo, observando a través del espejo cómo Mary Rose se vestía.

Ella se ahuecó la tela del vestido, cubierto de pequeñas flores amarillas, y lo observó, sonriente.

—Yo también lo creía. —Entonces se volvió y agarró una punta de la falda—. Fíjate, aún se aprecia la mancha de barniz.

Harold sonrió al recordar aquel día de verano en el astillero, un día tan caluroso como ese, pensó, al abrir la puerta de la habitación y sentir cómo el cálido aire ascendía por el hueco de la escalera. Bajaron al primer piso y, al abrir la puerta principal, vieron que toda la cubierta del porche estaba anegada, sumergida un par de centímetros bajo el nivel del mar. Harold y Mary Rose caminaron descalzos sobre la fresca alfombra de agua hasta llegar al borde del entarimado y contemplaron el paisaje que se extendía frente a ellos.

En el cielo ya no había rastro de la tormenta ni de ninguna otra nube. El mar era un perfecto espejo pulido que reflejaba exactamente el mismo tono azul del cielo, exactamente el mismo sol radiante. Era como si el mar y el cielo no fueran sino dos mitades de una misma entidad de la que era difícil saber cuál era el reflejo y cuál, la realidad.

Harold y Mary Rose se acercaron más al límite de la tarima y entonces vieron el reflejo de sus cuerpos en esa nítida lámina en que se había convertido el mar. Harold, con sus viejos pantalones cortos y su camisa celeste, y Mary Rose, con el mismo vestido vaporoso que había llevado la tarde en que se habían hecho la foto en el astillero. Ambos volvieron a pensar en aquel día de verano. Pero, exceptuando el vestido y el calor, no había nada en su reflejo que fuera igual a la imagen de aquellos jóvenes que habían sido.

La cabeza de Harold ya no estaba cubierta por aquella mata de pelo negro y brillante, sino por una maraña de cabellos blancos que se concentraban en la nuca y en las sienes. La piel tersa del cuerpo, morena por el sol que caía en los muelles del astillero, ahora estaba cubierta por largas arrugas que surcaban su frente. Los torneados músculos de constructor de barcos ahora eran flácidos y débiles; al igual que sus manos, que, en lugar de callos por el duro trabajo, estaban moteadas de manchas oscuras. También el color de los cabellos de Mary Rose había cambiado; su exuberante melena castaña había perdido brillo y las canas pincelaban sus mechones y le conferían un aire empolvado. La figura esbelta y delgada que había lucido por aquel entonces se había vuelto menos definida y, pese a que su rostro no estaba tan cubierto de arrugas, sus mejillas habían perdido el color rosado de la juventud.

Los señores Grapes sabían que entre la imagen de aquellos jóvenes y el reflejo que ahora mismo estaban observando distaban más de treinta y cinco años. Treinta y cinco años en los que apenas se habían dado cuenta del sigiloso paso del tiempo, que se había escurrido imparable entre sus manos.

—Cuánto tiempo hemos perdido mirando nuestro reflejo —dijo Mary Rose, mientras movía un pie sobre el agua para que sus imágenes se distorsionaran.

Harold levantó la mirada del espejo deformado que era el mar y miró a su esposa.

—No se trata del tiempo que hemos perdido, Rose, sino de lo que aún podemos hacer con el que nos queda.

—Tienes razón —concluyó, notando cómo el reconfortante frescor del agua subía por su pierna.

—Así pues, ¿por qué no disfrutar del aquí y del ahora?

Mary Rose lo miró, desconcertada, y entonces Harold la levantó entre sus brazos.

—¡Harold! —gritó—. ¡Ni se te ocur...!

Sus cuerpos se hundieron en el agua. Los señores Grapes se quedaron un momento sin respiración, ahogados por el frío. Pero esa sensación desagradable duró poco. Rápidamente se transformó en placer, al sentir el cosquilleo de las burbujas en sus rostros y el serpenteante movimiento de sus ropas contoneándose a su alrededor. Unos segundos después sus cabezas emergieron a la superficie con la boca bien abierta, aspirando el aire que durante años parecían haber contenido.

Harold, sonriente, miró a Mary Rose; el frescor del agua contagiaba sus mejillas. La señora Grapes se apartó el pelo mojado de la cara con un rápido movimiento de cabeza y observó a Harold con el ceño fruncido antes de salpicarle.

—¡Esto por tirarme al agua con la ropa puesta! —exclamó.

Y entonces, antes de que Harold pudiese decir algo, Mary Rose se acercó a él y le dio un beso en los labios.

—Y esto por haberme hecho sentir viva de nuevo. Gracias por habernos salvado de la muerte.

—Eso no es verdad... —dijo, pensando inconscientemente en Dylan.

—Sí que lo es —insistió, atrayéndolo hacia sí—. Sin tu tenacidad, habríamos muerto de sed; sin tu valentía, habríamos muerto congelados en la casa. Harold, sin ti nada de esto habría sido posible.

Harold sintió que esas palabras se clavaban en su pecho. Sus ojos se llenaron de lágrimas, que se mezclaron disimuladamente con el agua de mar que seguía resbalando por sus mejillas. El último ápice de culpa se soltó de su interior como una pesada ancla y se hundió definitivamente en las profundidades de aquel mar que los arropaba. Entonces alzaron la vista hacia la casa y se dieron cuenta de que la tormenta de la noche anterior se había llevado todos los cascotes del tejado y el desván se había convertido en una cubierta plana de la que sobresalía la ennegrecida columna central. Era el mástil de su barco, el pilar maestro que sostenía la casa desde sus cimientos. Harold y Mary Rose miraron maravillados aquella casa maltrecha y llena de cicatrices, que, como las de la palma de la mano de Harold o de la rodilla de Mary Rose, contaban momentos y vivencias de un mismo viaje. Frente a la tarima anegada del porche aún podían ver la aleta del delfín que salvó a Harold de morir ahogado o el reflejo de las auroras danzando y recortándose contra sus siluetas. A través de las ventanas rotas aún podían ver el reflejo de la casa al cruzar el gigantesco iceberg o el oso polar rugiendo en la banquisa. A lo largo de los pasillos, ocupados por muebles viejos e hinchados por el agua, aun podían oír el eco de las historias que Amak y Aga les contaban alrededor del fuego o las carcajadas de Kirima al jugar cada mañana con Nattiq. Harold empezó a sonreír y la sonrisa se trasformó en carcajada. Entonces fue él quien se abalanzó sobre Mary Rose y le dio otro beso, esta vez mucho más apasionado, mucho más largo y profundo. Harold la rodeó con los brazos y continuaron besándose con la sensación de que el tiempo se había detenido. Finalmente, sus labios se separaron. Sus rostros ahora no les parecían tan viejos ni tan grises, sus piernas pataleaban con la misma fuerza que habían tenido antaño para mantenerse a flote y sus miradas brillaban con el mismo fulgor que el sol que rebotaba contra el espejo líquido que los rodeaba. Se sentían vivos, tan vivos como hacía años que no se habían sentido. De nuevo, volvieron sus miradas al largo mástil que sobresalía de la estructura y sonrieron al darse cuenta de que esa construcción ya no era una casa, sino un barco. Comprendieron que, por más arrugas que surcaran sus rostros o años que hubiesen perdido, ahora, justo en ese momento, lo habían recuperado todo, porque al fin habían cumplido el sueño de toda una vida.

LUCES EN EL MAR

El sol ya comenzaba a descender por el horizonte cuando Harold y Mary Rose subieron el último tramo de escaleras que llevaba al desván. Aún quedaban algunos cascotes amontonados en los últimos peldaños, pero pudieron quitarlos sin dificultad y llegar hasta la puerta. Harold cogió impulso y con el hombro golpeó la puerta, que se desencajó de las oxidadas bisagras y cayó al suelo con un fuerte golpe.

Dieron un paso al frente y accedieron al desván, o al menos a lo que una vez fue el desván. Ya no quedaba nada de él; el techo abuhardillado, el gran ventanal redondo y las vigas que habían sostenido el tejado de la casa se habían hundido por el peso de la nieve. La tormenta se había encargado del resto. No había cascotes de pizarra ni fragmentos de madera, la tarima del suelo brillaba como si alguien hubiese acabado de abrillantarla con el mismo barniz que ellos usaron años atrás en la cubierta del barco.

Siguieron avanzando y, durante un segundo, se quedaron cegados por los intensos destellos amarillos del sol, que lentamente se hundía en el agua. Desde aquella altura, el mar aún les pareció más extenso y más profundo. A su alrededor no había nada más que agua, sin escarpadas cordilleras a lo lejos ni perfiles de ciudades iluminadas. Solo agua. Un mar

321

infinito, insondable y tan lleno de misterios como la vida. Harold y Mary Rose sintieron un cálido viento soplar a sus espaldas, que les secaba la ropa mojada y los empujaba hacia esa luz.

Se aproximaron al centro del rectángulo, la nueva cubierta, justo en el punto en el que sobresalía, orgullosa, la columna. Era el mástil de su antiguo barco, que atravesaba la construcción hasta hundirse en lo más hondo de la roca, donde el rayo había golpeado. Mary Rose paseó con suavidad los dedos de su mano sobre la redondeada superficie para sentir la rugosidad de sus vetas ennegrecidas y la dureza de su madera. Harold la observaba atentamente, recordando lo difícil que había sido transportar aquel largo mástil desde el viejo astillero hasta el punto más alto del acantilado de la Muerte.

Entonces, la señora Grapes se detuvo al ver una forma peculiar en una de aquellas largas grietas chamuscadas. Estiró levemente el cuello y acercó el rostro a la madera. Pasó el dedo índice sobre aquella veta y comprendió que esas formas no eran naturales, sino que alguien las había tallado. Eran letras, tan desgastadas por el paso del tiempo que hasta ese momento le habían pasado totalmente desapercibidas.

—«Nuestro hogar» —leyó lentamente.

—¿Cómo dices? —preguntó Harold.

—Nuestro hogar —repitió, ensimismada.

Harold se acercó y siguió la mirada de su esposa. Al principio no vio nada, pero entonces descubrió la diminuta frase escrita sobre una de las profundas vetas de madera.

—Nunca lo había visto... —murmuró Harold, al reconocer la infantil caligrafía de su hijo—. ¿Por qué crees que escribió eso...? —preguntó con la voz temblorosa.

—¿No está claro? —dijo Mary Rose, al tiempo que volvía el rostro hacia el mar infinito por el que navegaban.

Harold hizo lo mismo, y vio que el sol era apenas un resquicio de luz amarilla que se sumergía en la línea del agua y que guiaba su rumbo como un faro de luz.

—Es el nombre que quería ponerle al barco... —susurró Harold, volviendo la mirada al mástil ennegrecido.

—Dylan siempre tuvo claro que este era nuestro verdadero hogar... —dijo Mary Rose, mientras caminaba hacia el límite de la cubierta.

—Sí. Él nunca dejó de creer en nuestro sueño, ni en nosotros.

Al fin, el último rayo de luz desapareció, engullido por el mar. La noche empezó a caer sobre ellos como un suave manto y en el cielo se dejaron ver las primeras estrellas. Entonces, bajo la oscuridad en la que se sumergía poco a poco el mundo, surgió una extraña luminiscencia, una luz tan tenue y difusa que por momentos parecía no existir. Era una luz cálida y amarilla como la de las luciérnagas que llenaban el tarro de Dylan y que, como un farolillo, iluminaba la travesía en barca que cada noche hacía con su padre, guiando sus sueños infantiles para que no se perdieran en mitad de la oscuridad.

Mary Rose sabía que esa luz amarilla y brillante era la misma del rayo que había chamuscado el mástil y que había hecho el boquete en el jardín y, en consecuencia, había provocado que la casa se despeñara por el acantilado. Era la misma luz que se había reflejado en la lágrima de la anciana y en la vela de la pequeña tienda del campamento. Sabía que esa era la misma luz de la aurora que habían vislumbrado en la oscuridad del porche y que se había reflejado en el lomo del delfín; la misma aurora que había visto danzar sobre la banquisa de hielo. La señora Grapes recordó las palabras que Aga le había dicho al contemplar esa luz fantasmagórica y sintió que al fin comprendía su procedencia.

—Es Dylan —dijo con un suspiro.

Entonces, una sutil vibración empezó a trepar por los pies de Harold y Mary Rose. Se extendió por sus cuerpos hasta llegar a la cabeza, hizo crujir las maderas y que el agua del mar borboteara. Era un temblor producido por esa luz que seguía saturándose, hinchándose como una gigantesca vela sobrenatural, como la vela que le faltaba al mástil de su barco. Una luz que parecía atraerlos, proveniente de las profundidades de ese mar dorado y que resquebrajaba la dura roca del acantilado. Los señores Grapes se miraron profundamente a los ojos y sonrieron al advertir cómo esa luminiscencia amarilla se iba mezclando con el verde y el azul de sus ojos.

Harold y Mary Rose se acurrucaron uno junto al otro con fuerza, una nueva luz surgía de su interior. Era una luz que los liberaba de cualquier miedo y de cualquier dolor, una luz que poco a poco se mezclaba con la que brillaba en el cielo y en el mar, y que aparecía cada noche en los cuerpecillos de las luciérnagas. Era la luz de Dylan, que los rodeaba con calidez y ternura. Harold y Mary Rose sabían que no estaban solos. De nuevo sintieron el abrazo de su hijo, la suavidad de sus besos y el calor de sus pequeños dedos agarrándoles las manos. Volvían a estar los tres juntos, felices, mirando hacia el horizonte, que finalmente habían alcanzado. Navegando sobre el barco que habían construido, sobre el sueño que habían cumplido, sobre el gigantesco e insondable mar que era su hogar. Su verdadero hogar.

—Te quiero, Rosy —susurró Harold.

—Yo también te quiero, Harold —contestó Mary Rose.

Desde la distancia, si alguien hubiese estado allí para verlo, la casa de los señores Grapes ya no parecía una casa flotando a la deriva, sino un barco. Un barco brillante que navegaba guiado hacia el faro de luz que ondulaba en el horizonte. Un barco que lentamente se hundía en la difusa línea donde el cielo y el mar se encontraban.

Si ese alguien hubiese estado allí, habría sentido que en ese momento el viento se detenía y la rutilante luz de las estrellas se apagaba durante una ínfima fracción de segundo. Habría visto que, en el luminoso cielo nocturno, resplandeciendo sobre el mar dorado, empezaban a aparecer dos nuevas luces; una de color verde como la hierba recién cortada y otra azul, como el mar.

Era la luz de quienes han abrazado la vida con todo su esplendor y han alcanzado a vislumbrar toda su grandeza, de quienes han gozado de su tiempo y de las personas que han amado. Era la luz de quienes se enfrentan a su propia mortalidad como el final del viaje que es la vida, sin arrepentimientos, solo con la certeza de haber cumplido su destino y de haber vivido fieles a sus sueños. Era la luz de Harold y de Mary Rose, de los señores Grapes, tal y como todo el mundo los había conocido.

AGRADECIMIENTOS

Muchos de vosotros lleváis años (¡sí, años!) siguiendo el proceso de este libro. Un proceso arduo en el que a veces ni yo mismo creía. Gracias a todos por estar siempre ahí. En especial, a mi madre. Ella fue la primera persona en leer los borradores de esta historia y en creer que la extraordinaria aventura de Harold y de Mary Rose merecía ser contada.

Gracias a mi padre, por poner la banda sonora de mi infancia, creo que sin la música de Mike Oldfield nunca hubiese podido ser aquel niño que creía que todo era posible, y que sigo siendo.

Gracias a mi hermana, por su apoyo inquebrantable y por su energía incombustible. Aunque nunca te lo digo, eres mi ídolo.

Gracias a todos mis amigos por haber sido los conejillos de Indias de las primeras versiones de esta novela, todos me ofrecisteis valiosas opiniones. Mi más sincero agradecimiento a Marta Vilaspasa, Nuria Briz, Mireia Mercadé, Marta Lluch, Lorena Pedre, Marco Sansalone, Rebeca Canedo, Nuria Arnau, Alicia Jerez, Xavier Gumara y muchísimos más que seguro me dejo por el camino.

Gracias en especial a Jonathan Sanz, por apoyarme y aguantarme cada día, que no es poco.

También estoy especialmente en deuda con Daniel Hareg, que con su infinita paciencia y su gran talento me ayudó a hacer aflorar lo mejor de mi escritura. Y a Mónica Carmona, mi agente literaria, y a Belén Bermejo, mi editora en Espasa. Dos mujeres brillantes, rebosantes de talento y con una pasión por la literatura que trasciende las llamadas, los *emails* y las videoconferencias que durante meses hemos realizado para que hoy *Luces en el mar* esté en vuestras manos.

También deseo expresar mi agradecimiento a escritores como J. R. R. Tolkien, Yann Martel, Anne Rice o Viktor Frankl por inspirarme con sus maravillosas historias y su manera de entender el mundo.

Por último, deseo daros las gracias a todos vosotros, los lectores que habéis comprado este libro. ¡GRACIAS! Espero de todo corazón que la historia de los señores Grapes os haya inspirado y os motive a dejar de vivir la vida que se espera de vosotros para empezar a vivir la vida que siempre habéis soñado. Porque, aunque a veces nos sucedan cosas que no comprendemos, aunque a veces todo parezca demasiado difícil, nunca debemos rendirnos. Porque al final la vida es un viaje que merece ser vivido plenamente y, si no, que se lo pregunten a los señores Grapes.

Barcelona-Vancouver, 3 de octubre de 2017

Nota del autor

Empecé a escribir *Luces en el mar* durante mi último año de universidad. ¡Y de eso ya hace unos cuantos años! El proyecto siempre ha estado ahí, como un viejo amigo que durante largas temporadas no ves, pero que, al reencontrarte con él, sientes como si nunca hubiese pasado el tiempo. Pero debéis entenderme, cuando trabajas en publicidad, tiempo, lo que se dice tiempo, no se tiene mucho. Durante estos años me he labrado una más o menos «respetable» reputación dentro del mundo de la creatividad; sin embargo, pese a todo, desde hacía ya algún tiempo sentía como si algo no acabase de encajar en mi vida. Entonces, como una luz que aparece de la nada, reapareció de nuevo ese viejo amigo: la historia de Harold y Mary Rose.

Así que después de muchas deliberaciones, decidí dejar mi trabajo para pensar qué quería hacer con mi vida y a qué proyectos quería dedicar mi tiempo. Me arriesgué y, entonces, todo empezó a cobrar sentido. Durante este último año me he mudado a la otra punta del mundo, he dado un giro a mi profesión y, finalmente, después de esos primeros borradores que leía cada noche a mi madre, ¡publico mi primer libro!

Solo me queda decir que espero que esta novela que ahora mismo sujetas en tus manos te haya servido para encender alguna luz en tu interior, aunque sea muy difusa y no sepas de dónde viene. Porque, aunque tardes años en conseguirlo, al final, si no te rindes, los sueños pueden convertirse en realidad.

Descubre más en:
lucesenelmar.com
miquelreina.com

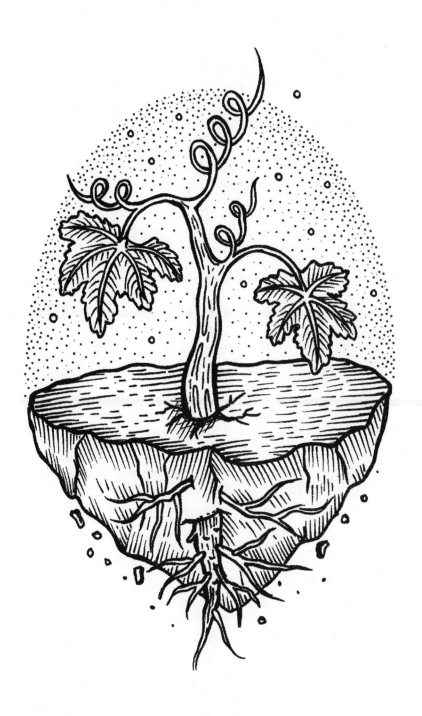

ÍNDICE